역량

원하는 것을 매 순간 성취해내는 힘

역량
COMPETENCE

임춘성 지음

쌤앤파커스

주여, 제가 할 수 있는 일은 최선을 다해 하게 해주시고,
제가 할 수 없는 일은 포기할 줄 아는 용기를 주시며,
무엇보다도 이 둘을 구분할 수 있는 지혜를 주소서.

- 성 프란치스코 기도문

차례

워밍업 warming-up
왜-무엇을-어떻게

오셨군요. 어찌어찌해서, 그 어떤 이유로 여기까지 오게 되었는지는 모르지만, 잘 왔습니다. 그리고 반갑습니다. 혹시 '역량'이라는 단어에 이끌렸나요? 흔한 용어이지만, 뭔가를 더 잘하거나, 뭔가 더 잘하는 힘을 얻기를 원하나요? 잘 왔습니다. 여기까지 잘 왔으니, 한번 숨을 크게 쉬고, 한번 마음을 크게 열고 들어보세요. 얘기를 들어보면, 읽다 보면 알게 될 겁니다. 흔해 보이는 제목이지만 결코 흔하지 않은 내용이라는 것을. 흔한 것 같지만 결코 흔한 '역량'이 아닌 것을. 그래서 너무 잘 왔고, 잘 선택해서 잘 읽었다는 것을요.

역량(competence)은 '어떤 일을 해낼 수 있는 힘'입니다. 이렇게 사전에 쓰여 있군요. 멋지고 탐납니다. 그렇지만 더 멋지고 더욱 탐나게 하렵니다. 그래야 여기 와서 저와 함께한 보람이 있을 테니까요. 저의 정의는, 제가 추구하는 역량의 정의는, **'그 어떤 실제의 일도 해내는 능력의 합'**입니다. 어떤가요? 감히 사전과 경쟁할 순 없지요. 사전의 정의를 좀 늘린 것에 불과합니다. 그런데 늘어난 내용의 폭과 깊이는 엄청납니다. 절대 불과하지 않습니다.

일단 '어떤'이 아니라 '그 어떤'입니다. 특정 일부에만 쓰이는 것이 아니라는 겁니다. 대부분인 다수, 거의 모든 경우의 수에 쓰이는 범용汎用의 능력입니다. 대단하죠? 살짝 바꾸었는데요. 또 살짝 바꾼 게 있습니다. '일'을 '실제의 일'로요. 지식, 능력, 역량, 이런 말들은 주로 학교가 고향입니다. 많은 것들이 고향에서는 대접받지만, 타향에서는 외면받습니다. 그리되어서는 안 된다는 겁니다. 비록 고향이 불분명해서 학교에서는 다루지 않을지언정 실제의 현실에서는 긴요하고 요긴한 것이어야 한다는 겁니다. 실용實用의 능력이어야 한다는 것입니다. 계속 살짝 바꿔봅니다. 심지어 줄이기까지 했습니다. '해낼 수 있는'을 '해내는'으로 줄였습니다. 차이는 명백합니다. 가능성의 확실성을 높였습니다. 높이고 싶었습니다. 저 멀리 뜬구름 사이의 무지개가 아니라, 눈앞의 도구, 손안의 무기여야 한다고 생각했습니다. 누구나 배우고 누구나 해내는 가용可用 능력을 제시하고자 합니다.

이 책에서 제시하는 역량은 '용용용'입니다. '범용, 실용, 가용'입니다. 학교의 교육에는 한계가 있습니다. 학교의 교육으로는 한계가 있습니다. 대학교수인 제가 학교를 비판하기는 어렵습니다. 제 얼굴에 침 뱉지 못합니다. 그러기도 싫고요. 하지만 '용용용'입니다. 대신 학교에서 배우지 못한 '용용용'으로 기필코 한계를 넘어서야 함을 힘주어 말하렵니다. 당장 어쩔 수 없는 것을 받아들이고, 지금 어쩔 수 있는 것에 매진하는 것도 능력이고 역량입니다. 4차산업혁명? 초연결사회, 초지능사회? '용용용' 하면 끄떡없습니다. 끄떡없어지고 싶나요? 자녀가 끄떡없길 원하나요? 후배와 후속 세대가 끄떡없길 바라나요? 저와 함께 '용용용'의 역량을 증진하면 됩니다. 증진하게 하면 됩니다.

제가 준비한 '용용용'한 역량은 크게 3가지로 나뉩니다. '세상을 쫓아가는 역량', '세상과 함께하는 역량', '세상을 앞서가는 역량'으로 나누었지요. 그렇지 않습니까? 어차피 '그 어떤 실제의 일'도 그렇지 않겠습니까? 일단 쫓아가다가, 다음은 함께하다가, 결국은 앞서가는 것 아니겠습니까? 그래서 결국 '해내는' 것 아니겠습니까?

세상을 쫓아가는 역량은,

분류(categorization)**능력, 지향**(aiming)**능력, 취사**(prioritization)**능력**입니다.

세상과 함께하는 역량으로,

한정(limiting)**능력, 표현**(expression)**능력, 수용**(embracement)능력을 드립니다.

세상을 앞서가는 역량으로는,

매개(mediation)능력, 규정(regulation)능력, 전환(change-over)능력을 설명합니다.

이렇게 3가지에 대해 3개씩 총 9개를 준비했습니다.

예리한 당신, 할 얘기가 있죠? 그렇게 하나하나 따지더니 왜 하나는 빼먹었느냐고 얘기하고 싶죠? 걱정 마세요. 이제 하려고요. 읽어보면 알겠지만, 9개의 능력 각각은 정말 '완소' 능력입니다. 각자 하나의 능력만으로도 상전벽해의 발전을 이루게 됩니다. 그러나 말입니다. 세상의 일이라는 게 어디 뽕나무밭(상전桑田)만 있겠습니까? 세상이 어디 푸른 바다(벽해碧海)뿐이겠습니까? 거창하게 전지전능한 것처럼 설파했지만, 세상에 그런 것은 없습니다. 그렇지만 추구는 해야죠. 빼먹었던 나머지, 역량의 정의 뒷부분입니다. '능력의 합'이라 했습니다. 9개의 능력은 그 자체로도 훌륭하지만, 몇 개의 조합으로 더욱 찬란해집니다. 자연스럽게, 당연하게 연관되고 관련될 것입니다. 차분히 읽다 보면 자연히, 당연히 합이 이루어질 것입니다. 거창했던 정의와 '용용용'의 특성에 다가가게 될 것입니다. 능력의 합으로 증폭된 역량을 확보하게 될 것입니다.

9개의 능력을, 그들로 이루어진 역량을 '어떻게 정의하고 정리할까', '어떻게 집필하고 전달할까'에 대한 많은 고민으로 많은 시간을 썼습니다. 그 고민과 시간의 결과로, 9가지 능력에 대한 이후 9개의 장은, 철저하게 **'왜-무엇을-어떻게'**의 구조로 작성되었습니다. 이점 꼭 기억하길 바랍니다. 어쩌면 '왜'와 '무엇을' 다음에 등장하는 '어떻게'가 우선 궁금할지 모르겠습니다. 9가지 능력에 대해, 가급적 같은 패턴으로 가급적 이해하기 쉬운 방법을 제시했습니다. 어떤 것은 좀 딱딱하고 어떤 것은 좀 말랑합니다. 그러나 모두, 약간의 그림 그리기, 약간의 산수 풀기 정도면 되는 것들입니다. 진짜 중요한 것은 이해하는 것이 아닙니다. 이해하기 어렵지 않다고 하지 않았습니까. 중요한 것은 해보는 것입니다. 눈으로만 보지 말고 꼭 해보기를 바랍니다. 앞으로 출몰할 능력과 역량이 멋지고 탐난다면, 꼭 해보아야 합니다. 당부합니다. 정말 '꼭'입니다. 그리고 또 그 '어떻게'는, 남이 만든 방법도 있고, 제가 만든 방법도 있습니다. 그러나 예외 없이 모두 제가 오랜 기간 사용하고, 사용하게 한 것들입니다. 그래서 중간중간에 제 얘기가 많습니다. 그래도 실제의, 실제로 겪은 얘기이니 공감되고, 생동감 있는 얘기가 맞겠죠? 일부러 저의 경험 사례를 많이 사용한 것이니, 한편으로는 이것도 미리 양해 구합니다.

9개 능력의 9개 장이 다 지나가면, '팔로우업'이 나옵니다. '누가-언제-어디서'죠. 먼저 9개 능력을 일목요연하게 볼 수 있는 '역량보드(competence board)'로 짧지만 굵은 총정리를 했습니다. 그리고 그다음, 그다음에 6가지 '누가-언제-어디서'가 등판합니다. 홀연히 떠날 채비를 하는 당신을 붙잡고, 현실의 상황을 들이대며, 그간에 읽으며 공감했던 내용을 한 번 더 곱씹으라는 내용입니다. 내용인즉슨 이렇습니다.

성장하는 자녀, 응원하는 부모라면,

분류 + 지향 + 취사

코앞에 논술이나 면접을 앞둔 수험생은,

분류 + 표현 + 수용

눈앞에 세상이 펼쳐진 사회초년생이라면,

지향 + 취사 + 표현

한창이면서 어정쩡한 위치의 당신은,

한정 + 매개 + 전환

권한과 책임의 정점에 선 리더는,

수용 + 규정 + 전환

혁신과 변화가 필요한 누구라도,

지향 + 수용 + (매개 + 규정 +) 전환

어떤가요? 아닌가요? 이 상황에 자유로운가요? 당신은 자유롭게 이 책을 선택하고, 자유인으로 여기에 왔지만, 이러한 상황들에서 모두 자유로운가요? 그럴 수 있나요?

인생은 사실 운입니다. 우연한 운이 차지하는 비중이 너무 큽니다. 그렇지만 모든 게 우연한 것은 아니겠죠. 알고 있으리라 믿습니다. 운은 우연하지만, 그 운이 닥쳤을 때 움켜잡을 수 있느냐는 우연이 아닙니다. 움켜잡는 것은 우리의 몫입니다. 그 운을 행운으로, 혹은 불운으로 만드는 일도 우리의 몫입니다. 역량을 키워야 할 우리의 몫입니다. 우연히 어떤 이유로 이 책을 접했지만, 이 책에서 제시한 역량으로, 운을 선택하고 또 운의 결과까지 감당하는 진정한 지식인, 진정한 자유인이 되기를 바랍니다. 이 책을 펼친 당신이 말입니다.

이런 책을 쓰는 것은 부담스럽기 그지없습니다. 모두 다 제가 가진 능력도, 역량도 아닌데, 마치 그런 것처럼 쓰고 말하고 있으니까요. 하지만 이 대목에서 용기를 내겠습니다. 오랜 세월 열심히 살았습니다. 제 나름의 삶의 가치와 인생의 목표를 위해, 열심히 해왔습니다. 저를 아는 누구라도 인정해주리라 생각합니다. 그러니 귀 열어 귀담아주세요. 그 오랜 기간 그 여러 분야에서 적어도, 뭘 못한다는 소리, 일 못한다는 소리, 단 한 번 듣지 않았습니다. 그런 사람이 부담을 무릅썼으니 마음 열어 마음 담아주세요.

자, 이제 시작합니다. 담기로 했다면, 담을 준비 했다면 같이 함께 가보도록 하겠습니다. 그리고, 함께하게 된 당신, 정말 반갑습니다.

1

세상을 제대로 이해하라

_ 분류 categorization

분류의 추억

사실 그게 어느 해였는지 기억나지 않습니다. 솔직히 말하면 뭘 전공하는 학생이었는지도 잘 모르겠습니다. 단지 제 수업을 들었고, 나름의 확고한 생각을 가지고 저를 찾아온 것은 기억합니다. 열려 있는 제 연구실로 쭈뼛쭈뼛 들어와 머뭇머뭇 말을 건네더군요. 사무적으로 용건을 묻는 제 말투에 움찔움찔하던 그의 표정이 뚜렷이 기억납니다.

'꼭 드릴 말씀이 있다'며 간신히 맞은편 의자에 앉더니 태도가 돌변했습니다. 아, 돌변했다고 해도 별건 아닙니다. 학생과 교수가 대화하는 데 뭐 대단한 게 있겠습니까. 일단 자리에 앉으니 어색해하던 표정이 사라지고, 자신만만하고 당찬 학생으로 바뀌었다는 뜻입니다.

"졸업 후 어떤 진로를 택해야 할지 상담하고자 왔습니다. 왠지 교수님께 여쭤보고 싶어서요. 군대는 다녀왔고, 제 생각에는…."

그다음부터는 일사천리네요. 대학원을 가야 할지, 취업을 해야 할지 고민이라고 했습니다. 대학원에는 이런저런 분야가 있지만, 특히 이런 분야에 관심이 있고. 취업한다면 A 업종이나 B 업종의 C, D, E, F 회사를 희망한다고 합니다. 또 대학원에서 석사까지 하고 취업하는 것이 나을지, 아니면 바로 취업하는 것이 나을지, 또는 직장을 다니다 대학원에 가는 것이 맞을지, 아니면 바로 대학원에 가는 것이 맞을지.

질문이 이어졌습니다. A 직장에는 B 전공이 유리하고, C 분야를 공부하면 D 회사에 어울리고. 빈틈이 없었습니다. 뭔가 빠진 것이 있었다면 저도 한마디 거들었을 텐데 그저 들어주고 확인시켜주는 정도가 제 역할이었죠. 그 학생의 머릿속에는 미래의 진로가 꼼꼼히 구분되어 차분하게 정리되어 있었습니다.

'아, 저 정도로 할 수 있는 학생이라면…'

탐났습니다. 저 나이에 저런 진중한 분별력을 지니고 있다니! 교수로서 같이 공부하고 싶은 제자로 탐이 나더라고요. 아들 가진 아빠로서 저런 아들이라면, 딸 없는 아빠로서 저런 사위라면…. 만일 회사의 주인이라면 이런 직원이, 직장의 상사라면 이런 후배가 탐나겠지요. 그러면서, 떠나는 그의 뒷모습을 보니, 그 또래의 제 옛 모습이 스쳐 보였습니다.

　대학원에서 석사학위를 마칠 무렵 제 계획은 취업이었습니다. 솔직히 그 외에 다른 무엇을 할 수 있다는 생각을 못 했죠. 학부생일 때도 계획은 역시 취업. 그러다 어느 전공, 어느 교수님의 매력에 이끌려 대학원에 진학했지만, 이렇듯 교수가 될 계획은, 교수가 되기 위해 박사과정에 입학할 줄은, 박사학위를 위해 유학까지 가게 될 줄은 미처 몰랐습니다. 정확히 말하면, 다른 진로에 대해 제대로 알지 못했다고 해야겠군요.

　그러나 이런 것이 저만의 일인가요? 여러분은 학생 시절에 세상을 잘 알았습니까? 어떤 것에는 이런 것들이 있고, 어떤 것에는 저런 것들이 있고, 이런저런 것들이 나에게 맞고 안 맞고, 더 나아가 이런 것들과 저런 것들이 서로 어떻게 연관되어 있는지 알았나요? 그럴 수도 있겠지만, 그랬다 하더라도 정말 자신 앞에 펼쳐진 세상과 세상의 옵션들을 충분히 파악했습니까? 그만큼 세상을 잘 이해했나요? 여러분 주위 사람들은 어떻습니까? 대개는 그렇지 못하지 않나요? 저처럼 말이죠. 결코 쉬운 일은 아닐 겁니다. 그 학생처럼 그렇게 똑 부러지기는요.

　그렇다면 혹시 지금은 어떻습니까? 졸업해서 어느 정도 열심히 살았고, 세상을 나름대로 겪은 지금은 그렇게 되었습니까? 그간의 지식과 경험으로 세상을 씩씩하게 대하고는 있지만, 정녕 자신 있나요? 게다가 지금의 세상은 우리가 이전에 알던 세상이 아닙니다. 어느 정도 감 잡았다고 믿었는데, 어느새 많은 것들이 흐트러졌습니다. 이제 겨우 판단이 선다 싶었는데, 그동안의 지식과 경험은 아니라고 합니다. 그저 편하게 눈 감고 마음 닫으면 모를까, 더 이상은 아니랍니다. 매사를 똑 부러지게 구분 짓고 정리하기가 어렵습니다.

대학원에 진학한다면 이런저런 분야가 있고, 취업한다면 A, B 업종의 C, D, E, F 회사가 있다는 것을 구분하는 것쯤은 어렵지 않습니다. 대학원 전공과 회사의 업종이 무엇인지 기초적인 개념만 있다면, 그 정도는 간단한 검색으로도 나열할 수 있습니다. 공학과 경영학 등이 있고, 공학에도 전기전자공학, 기계공학 등이 있는 것도 압니다. 제조업에 삼성전자와 현대자동차 등이 있고, 금융업에 국민은행, 신한카드 등이 있는 것도 알겠습니다.

그러나 그중에 나에게 맞는 것을 고르기란 그리 쉬운 일이 아닙니다. 자신의 전공과 적성, 계획에 따라 진로를 구분해내는 것은 결코 간단치 않죠. 많은 학생과 얘기를 나누어보았지만 명쾌하게 정리된 생각을 가진 경우는 드물었습니다. 자기 일인데도 말이죠.

대개 사람들은 인생의 어느 시절, 어떤 순간 혹은 누군가의 영향을 받아 적성과 진로를 막연하게 결정합니다. 어렸을 적 뭔가 자꾸 분해하고 망가뜨리면 엔지니어 소양이 있다고들 하죠. 망가뜨린 물건이 장난감 자동차면 기계공학, 가전제품이면 전기전자공학, 핸드폰이면 통신공학, 이런 식으로까지 말합니다(그런 식이라면 게임을 많이 하는 아이는 모두 컴퓨터공학을 해야겠네요).

한편, 부모의 직업이나 형제자매의 진로와 유사한 길을 택하기도, 정반대로 가기도 합니다. 저처럼 어느 교수님의 멋진 말씀을 듣고 생각에도 없던 대학원에 덜컥 가기도 하고요. 자신의 앞길을 진지하게 고찰해서 그에 맞는 옵션을 인식하여 구별하는 것은 진정으로 쉽지 않습니다. 그리고 그것들의 상호관계를 그 학생처럼 명료하게 파악하기는 더더욱 어렵습니다.

잊혔던 그 학생의 기억이 소환된 것은 최근 광화문의 스타벅스에서였습니다. 커피를 주문하러 줄을 선 저에게 어떤 사람이 다가와서 인사합니다.

"교수님 안녕하세요? 저 기억하세요?"

당연히 기억 못 했죠. 그러나 이내 생각나더군요. 총총하고 반듯한 눈매 때문이었는지도 모르겠습니다.

"아, 언제 내 연구실로 찾아온…."

"네, 맞습니다. 한 번씩 교수님 활동하시는 거 보고 있습니다. 책도 보았고요."

의례적인 몇 마디가 오가다가 이렇게 얘기합니다.

"교수님 뵈었을 때는 제가 잘 모르는 게 너무 많았어요. 이제는 느낀 바 있어 회사 그만두고 창업을 준비하고 있습니다. 언제고 또 교수님께 상담받으러 갈지도 모르겠습니다. 하하."

그러고는 다시 멋진 뒷모습을 보여주고 떠나갑니다.

테이크아웃 커피를 주문했지만, 빈자리가 눈에 띄어 잠시 앉았습니다.

'그때 모르는 게 많았다니…, 그렇게 세상과 자신을 잘 이해하고 분별하던 친구가, 이제 와서 그때는 잘 몰랐다니….'

묘한 마음이 들어 무심코 커피를 큰 입 들이켰습니다. 불현듯 떠올랐습니다. 신경을 자극하며 감싸고 도는 카페인의 기운에 힘입어서인지 그 사람이, 아니 그 학생이 연구실에서 했던 말이 날카로운 기억으로 돋아났습니다. 이것이었습니다.

"교수님, 저는 세상에 없는 제품이나 서비스를 만들고 싶어요. 대학원에 가든 직장을 가든 그런 일을 하고 싶습니다."

'아, 그렇구나. 그래서 그렇게 얘기했구나.'

그토록 면밀하게 구분하고 상세하게 정리한 내용 중에, 본인이 직접 창업하여 사업을 할 계획은 없었습니다. 어림잡아 7~8년 전이었을 텐데, 당시의 사회는 청년창업을 권하는 분위기가 아니었습니다. 특히 대학생들에게요. 그의 세상, 그의 진로의 선택지에 창업은 없었던 것이죠. 그래서 '모르는 게 많았다'고 했겠지요.

대단하지 않습니까? 본인이 설정한 기준에 근거하여 기존의 옵션과 비교하면서 새로운 옵션을 스스로 찾아낸 것이니까요. '세상에 없는 제품이나 서비스를 만들고 싶다'는 기준을 견지하며, 꾸준히 진로의 대안을 견주면서, 때론 세상의 변화에 따른 새로운 옵션을 식별하여 실행해 옮기는 그가, 그 학생이, 그 청년이 진짜 멋지지 않습니까? 정말 탐나지 않습니까? 생각해보니 탐만 내고 이름도 물어보지 못한 상황이 씁쓸했습니다. 그렇지만 원체 커피 맛이 그렇지 하고 마음을 수습하며 기억을 추억으로 갈음했죠.

분별 있는 사람

세상에는 멋진 사람들이 적지 않습니다. 그 멋진 사람들 중에도 적절한 판단과 행세가 돋보이는 사람들에게는 은은한 멋이 풍겨옵니다. 상황에 맞게 적절히 판단하고 적당히 행세합니다. 이를 흔한 표현으로 '때와 장소를 가린다'라고 하겠죠. 때를 구별하고 장소를 구분한다…, 말이 쉽지, 쉽지 않은 일입니다.

때와 장소뿐이겠습니까. 때와 장소로 대변되는 상황, 그 상황에 마주하는 사람과의 관계까지 분별하는 것이니, 정녕 어렵지만 멋진 일입니다. 멋지고 분별 있는 사람이겠지요. 그리할 수만 있다면 정녕 세상을 멋지게 살아가겠죠. 잘 구별하여 잘 구분하는 것입니다. 이것과 저것이 다르고 또 어떻게 다른지를 아는 것입니다. 상황이 다름을 알고 그에 맞게, 다르게 처신하는 것입니다. 이런 분별력은 멋진 만큼 탐나는 능력이라 하겠죠.

상황은 (상황의 정의상) 상황에 따라 다릅니다. 상황을 구성하는 요인도 복잡하고 복합적입니다. 상황을 구별하여 그에 따라 달리 말하고 행동해야 하는데, 상황은 딱 떨어지게 구분하기 어려운 경우가 많습니다. 당최 손에 잡히지 않는 꽤 차원이 높은 분별의 대상이죠. 그렇다면 차근차근 만만한 것부터 시작해보겠습니다.

지금 앉아 있는 책상 위를 보세요. 업무용 혹은 학업용 책상이라면 적어도 몇 권의 책이나 노트, 서류뭉치들이 있겠군요. 당장 처리해야 할 것들과 천천히 해도 될 것들, 그리고 늘 신경 써야 할 것들과 잠깐 보아도 될 것들이 나름의 기준으로 나뉘어 있을 겁니다. 이제 좀 더 규모를 키워 책꽂이로 가볼까요? 여러분의 책들은 어떻게 꽂혀 있습니까? 설마 '닥치는 대로'는 아니겠죠? 이 책을 읽는 정도의 독자라면, 이 책이 여러분의 서가 어디쯤에 꽂히게 될지도 알 겁니다. 책들은 적절한 기준으로 나뉘어 저마다의 자리를 차지하고 있을 테니까요. 설령 몇 권이 일시적으로 한쪽에 쌓이더라도, 여유가 생기면 제자리를 찾겠지요.

사람을 알려면 그 사람의 친구를 보라 하고, 결혼할 여인의 미래를 보려면 장모 될 분을 눈여겨보라 합니다. 마찬가지로 사람의 지적 수준을 알려면 그 사람의 책꽂이를 보면 됩니다. 단순히 책의 양이나 질에 관한 것만은 아닙니다. 그 책들이 어떻게 구분되고 정리됐는지를 보면 서가 주인의 지적 세계관을 알 수 있으니까요. 한마디로 그의 머릿속 지식이 어떻게 구조화되어 있는지를 보여주는 단편이라고나 할까요. 즉 '어떠한 책들이 있느냐'뿐만 아니라, '그 책들이 어떻게 나뉘고 모였는지, 또 나뉜 것이 어떤 것과 이웃했는지, 서가 전체를 어떻게 구성했는지', 이것이 바로 서가 주인의 지식 세계를 보여주는 표상이니까요.

　책이 많아지면 개인의 책꽂이나 책장 정도로 그치지 않고 도서실이 됩니다. 다수가 이용하는 도서실에서 책은 본격적으로 구분됩니다. 개개인의 지식 세계 운운할 정도가 아니라 모두가 상식적으로 받아들일 수 있는 식별 체계가 필요하니까요. 개인이나 조직이 다량의 책을 보유하고 이용하는 도서실은 각자의 식별 체계를 갖추려 합니다만, 역시 대표적인 것은 '한국 십진분류법'입니다. 대형도서관에서 준용하는 분류기준입니다.

　십진분류법은 도서들을 주제에 따라 10가지 유형으로 나누고, 이를 다시 각각 10가지로 세분화한 도서 분류체계를 말합니다. 이를테면 총류(000), 철학(100), 종교(200), 사회과학(300), 자연과학(400), 기술과학(500), 예술(600), 언어(700), 문학(800), 역사(900), 이렇게 총 10가지 유형으로 나눕니다. 또 이들 각자를 10가지씩으로 세분화합니다. 예컨대

문학(800) 유형 밑에 한국문학(810), 중국문학(820) 등으로 말이죠. 도서관에 가면 이렇게 표기된 책장들을 본 적이 있을 테죠. 책 한 권, 한 권으로 가면 저자의 성, 책의 권호 등까지 식별하는 훨씬 더 세세한 '청구기호'라는 것까지 쓰여 있습니다. 하여튼 이 모두는 엄밀히 구분하여 철저히 구별하는 것이 주안점입니다.

이런 방식을 채용하는 것만으로도 변화와 변화하는 세상에 대응할 여지가 잉태됩니다. 근자에 우리나라에서 발행하는 책의 대략 33%가 아동서적과 학습참고서입니다. 또 학습참고서의 상당 부분이 수학참고서이고요. 그렇다면 이를 자연과학(400) 하위에 수학(410), 그 밑으로 모두 집어넣으면 어떨까요? 특정 일부분이 유난히 비대한 분류체계가 되겠지요. 그리하여 대한출판문화협회는 기존의 한국 십진분류법에 아동도서와 학습용 참고서를 별도의 유형으로 추가하게 됩니다. 10가지가 아닌, 모두 12가지 유형으로 나누어 도서들을 분류한 것이죠. 변화에 따라 변화한 겁니다. 어차피 한국 십진분류법은 서양의 듀이Dewey 십진분류법에 근거한 것이고, 세상은 이것이 제정되었을 때와는 이미 아주 다르니까요.

구별하고 구분하면 구성이 보인다

구분하는 것은 단지 구분하는 것으로 그치지 않습니다. 이들과 저들을 구별하는 것은, 이들과 저들을 단지 다르다고 하는 것만을 의미하지 않습니다. 어떤 것을 이들과 저들로 구분하려면 우선, 그 어떤 것이 무엇으로 구성되어 있는지 확연히 드러내야 합니다. 이들과 저들로 구성되어 있겠죠. 그 어떤 것의 실체가 보다 구체화됩니다.

그다음에는 자연스레 질문하게 됩니다. '과연 이들과 저들이 전부일까?' 만일 이들과 저들이 아닌 새로운 것이 눈에 들어오면 또 질문합니다. 이 새로운 건 어떡하지? 과연 이것을 그저 기존의 이들과 저들 중 하나에 구겨 넣는 게 맞을까? 전체 발행물의 1/3이나 되는 아동서적과 학습참고서는 어떻게 하지? 그냥 10가지 유형 분류에 있는 일반 수학이나 문학에 포함하면 되나? 그러면 너무 그쪽이 과다해지지는 않을까? 새로운 분류 방식이 필요하지는 않을까? 이런 질문 말입니다.

옷장을 열고 오늘 입을 옷을 고르며 난감해합니다. 옷들이 뒤죽박죽 쌓인 채 꽉 차 있습니다. 옷 정리는 모두의 숙제입니다. 옷 정리의 기본은 뭘까요? 종류별로 구분하는 것입니다. 상의, 바지, 정장, 외투를 종류별로 모으고, 여름

옷은 여름옷끼리, 겨울옷은 겨울옷끼리 분류합니다. 그러다 문득 깨닫는 것은 '아, 내가 정장이 부족하구나.' 자주 입는 옷은 옷장의 앞칸에, 잘 입는 옷은 옷더미의 위층에 놓입니다. 그러다 또 알게 됩니다. '아, 이 뒤에, 밑에 옷들은 내가 입질 않는구나. 옷장이 찼으니 이것들은 이제 버려야겠네.' 모자란 옷이 뭔지 알게 되고, 버려야 할 옷들도 알게 되죠. 그러다가 어느 휴일에 옷장 대정리를 합니다. 버릴 것은 버리고 완전히 새로운 분류체계를 도입하기도 합니다. 그렇게 이리저리 구분하고 구별하며 정리하다가, 이것저것 입어보며 새로운 코디를 연출해보기도 합니다.

구분과 구별은 구성을 보여줍니다. 구분한 것들, 구별한 것들로 어떻게 구성되어 있는지가 우리 눈에 구체적으로 보입니다. 그러다 새로운 생각과 관점을 제시합니다. 변화를 제안합니다. 빠진 것을 채우라 하고 넘치는 것을 줄이라 합니다. 때로는 이전과 다른 방식을 제안합니다. 그 흔한 장보기도 그렇지 않던가요? 머릿속에 대충대충 기억하며 마트에서 주섬주섬 쇼핑하다가, 집에 와서야 '아차!' 합니다. 이런 상황을 피하기 위해 장보기 목록을 적습니다.

재료가 있어야 요리할 수 있습니다. 즉, 요리는 필요한 재료로 구성됩니다. A 요리를 하려면 집에 없는 B가 필요하고, C 요리를 하는 데 D 요리 재료는 빼도 되고, 또 E나 F가 있으니 이번에는 그 둘을 조합해서 새로운 G 요리를 해보자, 하면서 적어 내려갑니다. 구분하면서 구성을 알게 되고, 구별하면서 새로운 구성을 도모합니다.

세상을 안다는 것

세상을 안다는 것이 무엇일까요? 세상을 살아가며 만나는 많은 물건과 현상을 알아가는 것이겠죠. 그러면 안다는 것 그 자체는 무엇일까요? 질문이 심오해지다 보니 철학적 논점에 잇닿게 됩니다. 철학의 화두이자 제일가는 명제는 인식론認識論입니다. 인식론은 우리가 세상에 대해 인지하여 아는 것, 즉 앎 또는 지식의 본질과 기원을 다루는 철학 이론입니다. 인식과 지식의 근거를 집요하게 따지는 연구이기도 하고요. 보통 우리가 이성론(합리론), 경험론 하는 것은 지식의 근거로 이성과 경험 중 어느 쪽에 더 비중을 두느냐의 문제입니다. 그리고 실재론, 관념론 역시 인식의 대상으로 어느 쪽에 무게를 두느냐의 입장차이입니다.

하지만 굳이 철학을 들먹이지 않아도, 우리네 평균치 지성의 사람들에게 보편적으로 통용될 수 있는, '안다는 것이 무엇인지'를 설명하는 방법이 있습니다. 무엇을 안다는 것은, 그 무엇이 다른 것과 다르다는 것을 아는 것입니다.

세상에 천상천하 유일무이한 것은 없습니다. 완전히 딴판으로 홀로 존재하는 것은, 또 그런 현상은 없습니다. 뭔가 비교 대상이 있겠죠. 그러니 뭔가를 안다는 것은, 다른 것과 비교하여 다른 것과 다르다는 것을 아는 것입니다. 즉 아는 것은 비교하는 것입니다. 어떠한 철학적 수사를 가져와도, 인식이 비교를 통하는 것은 같습니다. 이성이든 경험이든, 실재이든 관념이든 간에요.

그렇다면 어떻습니까? 아는 것이 비교를 통해서 이루어지고, 인식과 지식이 비교를 통해 성립된다면, 비교를 위해 선행되어야 하는 게 당연히 근간이 아닐까요? 그야말로 중요한 게 아닐까요? 그것은 유형을 구분하고 유형으로 구별하는 것입니다. 구분하고 구별해야 비교할 수 있고, 비교해야 아는 것입니다. 그렇습니다. 세상을 아는 것은, 구분하고 구별하는 것에서 출발합니다. 아니, 꼭 그래야만 한다고 말하고 싶습니다. 그래야 세상을 이해할 수 있다고요.

평생에 대학교수만을 직업으로 했습니다. 학교 밖에서도 여러 활동을 했지만 모두 교수라는 직함을 달고 한 일들입니다. 일생을 지식을 습득하고 정리하며 보급하는 일을 해왔습니다. 장 보는 목록을 짜고, 옷장을 정리하고, 책과 서가를 정리하는 일과 무엇이 다를까요. 이런 지식은 이런 내용으로 구성되고, 저런 지식은 저런 내용으로 구성됩니다.

이런 지식의 이런 구성에는 이런 내용이 모자라니 새로운 내용을 추가하고, 저런 지식의 저런 구성에는 저런 내용이 넘쳐나니 구성을 새롭게 하고, 그러다 보니 아예 전체 구성과 구조를 다시 짜보고…. 하지만 결국 이런 게 사는 일 아니겠습니까? 구분하고 구별하여 비교합니다. 그리고 새로운 것을, 지식을, 관점을, 변화를 알아채고 알아갑니다. 그렇게 세상을 이해해가는 것 아니겠습니까?

하지만 말입니다. 평생 대학교수로 평균 이상의 학생들과 평균 이상의 직장인들을 많이 만나봤지만, 꼭 그렇지는 않더군요. 제대로 구분하고 구별하며 분류하는 능력을 갖춘 이들을 의외로 자주 보지 못했습니다. 그러나 어쩌다 발견하게 되는 그런 이들은, 빛나더군요. 수업시간이나 논문발표 때, 면접이나 제안발표 때 한 번씩 보게 되는 그들은, 멋지더군요. 정말 탐나더군요.

일을 잘하는 사람은 어떤 사람이죠? 설마 시키는 과제나 꼬박꼬박 잘하는 사람이라 하진 않겠죠? 묵묵히 꼬박꼬박 시키는 일만 하는 직장인이 되고 싶지도 않겠죠? 생산성이나 효율을 따지며, 시키는 것만 기계적으로 하는 그런 일은 점점 사라집니다. 그런 일자리는 사라질 겁니다. 눈앞의 업무를 구분하고 닥친 현실을 구별해서, 모자란 것은 더하고 넘치는 것은 빼며, 새로운 구성을 짜는…, 뭐 이런 것만 남지 않을까요?

　그렇다면 공부 잘하는 사람은 어떤 사람이죠? 설마 시키는 숙제나 꼬박꼬박 잘하는 사람이라 하진 않겠죠? 묵묵히 꼬박꼬박 숙제만 하는 학생이 되고 싶지도 않겠죠? 단순 암기나 문제 풀기, 시키는 것만 기계적으로 하는 그런 공부는 점점 사라질 겁니다. 그런 전공은 이미 사라지고 있습니다. 눈앞의 정보를 구분하고 닥친 현상을 구별해서, 모자란 것은 더하고 넘치는 것은 빼며, 새롭게 구성하는…, 뭐 이런 것만 남지 않을까요? 그것이 새로운 세상에서 일 잘하는 것이고 공부 잘하는 것 아니겠습니까?

　때와 장소를 구분하고, 그 상황에 속한 사람들의 관계성을 구별하는, 그러한 분별 있는 사람이 얼마나 멋진가요? 일인들, 공부인들 못 하겠습니까? 그 자신만만하고 당찬, 그 총총하고 반듯한 눈매의 학생이, 얼마나 멋지고 탐나는지 진심 공감되지 않습니까?

분류능력

1880년대 미국은 인구가 급팽창하던 시기였습니다. '아메리칸 드림'을 꿈꾸며 전 세계에서 이민자들이 몰려왔죠. 1889년 인구조사국은 골머리를 앓습니다. 10년마다 전체 인구조사를 해야 하는데, 도대체 얼마나 걸릴지 감이 오지 않습니다. 10년 전 수행했던 인구조사는 무려 7년이나 걸려 5,019만 명이라는 숫자를 도출하게 됩니다. 즉 1880년 시작한 인구조사를 1887년에 발표한 거죠. 이후로 약 30%의 인구증가를 예상한 인구조사국은, 같은 방식으로 1890년에 조사를 시작하면 약 12년이 소요될 것으로 예측했습니다. 어이가 없죠. 1890년 조사 결과를 1902년에야 알게 되는데, 그때는 이미 1900년 조사가 한창이어야 하니까요. 이때 홀연히 허만 홀러리스Herman Hollerith의 천공카드 (punched card)가 등장합니다. 대략 1,000원짜리 지폐 크기의 종이 카드에 80×12개의 천공 위치가 있어, 여기에 구멍을 뚫어 특정 문자나 숫자, 그리고 기호를 기록하는 겁니다. 그 기록하는 방식을 '홀러리스 코드'라 하고요. 본 적 있다고요? 아, 그럼 나이가 좀 있으시군요.

인구조사는 개개인의 이름, 성별, 생년월일, 가구주, 가구주와의 관계, 거주지 등과 같은 기본적인 항목 외에도 교육 수준, 직장, 근무연수, 혼인 여부, 자녀 수 등 다수의 항목을 조사합니다. 2020년 우리나라의 인구조사항목은 56개였습니다. 다시 말해 국민 한 명 한 명을 56개 기준으로 구분하고 구별하는 것이죠. 1890년대 미국이 이 정도의 항목을 조사하지는 않았겠지만, 다민족으로 구성된 미국 인구를 유형별로 조사하는 일은 십년대계의 골칫거리였던 것이죠.

그러나 구멍이 뚫린 위치로 각종 기호를 표시하는 천공카드를 읽어내는 '분류기계'로 1890년 미국의 인구조사는 2년 6개월 만에 6,262만의 미국인을 분류해냅니다. 홀러리스는 당연히 가만히 있지 않았습니다. 홀러리스가 설립한 회사는 몇 개의 회사와 합쳐져서 꽤 긴 이름의 회사가 되었다가 후에 매우 간결한 이름으로 회사명을 바꾸게 되는데, 그 이름은 바로 IBM입니다. 나이와 상관없이 당연히 들어본 적 있겠죠?

보통 컴퓨터의 시효는 2가지 흐름으로 설명할 수 있습니다. IBM이 나왔으니 컴퓨터 상식 하나 짚고 넘어가죠. 하나는 요사이 각광받는 인공지능의 역사와 맥을 같이 하고 있습니다. '인간과 유사하게 생각하는 기계를 만들 수 없을까?' 하는 질문을 던진 앨런 튜링Alan Turing, 그의 질문과 업적은 컴퓨터의 역할을 다양하게 확장한 현대적 컴퓨터 역사의 초석을 이루고 있습니다. 또 하나는 훨씬 더 오랜 역사를 지닌, 좀 더 기초적인 컴퓨터의 기능에 대한 흐름입니다. 이는 인간 대신 일련의 계산을 자동으로 수행하는 기계를 만드는 것인데, 찰스 베비지Charles Babbage의 각종 계산기를 기원으로 봅니다. 그래서 튜링이나 베비지는 둘 다 '컴퓨터의 아버지'라는 명예로운 호칭을 나눠 갖기도 하죠. 한 자식에게 아버지가 둘일 수는 없지만, 그 자식이 대단한 물건이라면 그게 뭐 그리 대수겠습니까.

홀러리스의 코드, 카드, 그리고 기계는 베비지의 후손으로 보는 게 자연스럽겠죠. 그러나 복잡한 수학적 계산이 아닌, 어찌 보면 단순한 '카운팅 머신'인 홀러리스의 작품은 의외로 그 파급력과 활용성 측면에서 그의 선조들을 압도하기 시작합니다. 폭넓은 파급력과 활용성을 가진 이 도구의 핵심이 무엇일까요? 단연코 구분과 구별입니다. 세상의 많은 일은 알고 보면 카운팅입니다. 그리고 카운팅을 하려면, 구분이 먼저입니다. 여러 각도, 여러 방면으로 카운팅하려면, 구별이 우선입니다.

체계를 파악하여 위치를 명확히

베비지의 후손이든 튜링의 후손이든 간에, 컴퓨터의 모든 정보처리 작업은 구분과 구별에서 시작된다 해도 과언이 아닙니다. 데이터를 구분하고 정보를 구별하여 이들을 정렬하는 것이 출발점입니다. 마치 책정리, 옷정리처럼요. 세상의 거의 모든 것을 찾아 보여주는 구글의 검색엔진도 구분하는 기계이고, SNS를 도배하는 태그들도 다 구별을 위한 도구입니다. 구분하고 구별하는 것은 그렇듯 기본입니다.

그렇지만 이렇게 생각해봐야 합니다. 구분과 구별이 그토록 기본이고 그만큼 중요하다 하더라도, 어차피 기계나 컴퓨터가 잘할 수 있는 일이라면, 우리가 애써 살펴보고 애써 취득해야 할 능력이라 하기는 허전합니다. 어차피 기계나 컴퓨터로 대체될 텐데요. 구분과 구별을 활용하는, 한 단계 위의 능력이 필요합니다. 단지 뭔가를 잘 나누어서 정확히 카운팅하는 것이 다가 아닌 한 수 위의 능력 말입니다. 지금까지 알게 모르게 드러내고 속삭였던, 그 무언가를 이제는 상정해야 할 때가 되었습니다. 바로 '분류(categorization)', '분류능력'입니다.

분류의 사전적 정의 상단에는 '종류에 따라 가름'이라

쓰여 있는데, 이는 구분이나 구별의 정의와 별반 달라 보이지 않네요. 그러나 그 밑에 '관련한 개념들을 명확히 구분하여 체계적으로 정리하는 것'이라는 자세한 정의가 등장합니다. 구분에서 끝나지 않고 체계적으로 정리하는 것이랍니다.

이것을 풀어보면 이렇게 정리할 수 있습니다. **'특정 대상을 일정한 기준에 따라 나누어 이들의 상호 간 관계를 파악하여 각각이 전체에서 차지하는 위치를 명확히 하는 능력'** 갑자기 어려워 보이나요? '체계'라는 건 각각의 관계를 본다는 얘기죠. 그러니 '체계적으로 정리하는 것'은 상호관계를 잘 생각해보고 그에 따른 각각의 위치를 정해보는 것이 아니겠어요? 저는 분류능력을 이렇게 정의하고자 합니다.

구분은, 정신적·물리적인 대상을 그 하위의 대상으로 나누는 지적 활동이지만, 분류는 이와 더불어 모으는 활동, 즉 하위의 대상들을 묶어 상위의 것으로 끌어 올리는 것까지 포함합니다. 그래야 관계의 높낮이와 위치를 정할 수 있게 되니까요. 그렇습니다. 분류는 하위 대상으로 나누기도 하고, 상위 대상으로 모으기도 합니다. 이런 맥락으로 떠오르는 단어는 '분석과 통합'입니다. 분석(analysis)은 나누고 쪼개는 것이고, 통합(synthesis)은 모으고 합하는 것이지요. 다소 학술적인 용어입니다만, 저의 정의에 따르면 구분은 분석만을, 분류는 분석과 통합을 모두 의미합니다.

나누는 분석과 모으는 통합은 인간의 지적 사고에 근간이 되는 행위입니다. 우리는 잘게 쪼개기도 하고 크게 합하기도 하면서 현상을 이해하려 합니다. 당연히 동시에 해야 하는 행위입니다만 실상은 그다지 녹록지 않습니다. 쪼개서 보면 부분을 보는 거고, 합쳐서 보면 전체를 보는 건데…. 알죠? 부분과 전체, 일명 나무와 숲을 동시에 보기가 쉽지 않다는 사실을요.

흔히 이공계열은 부분을 주목하고 인문·사회계열은 전체를 중시하는 학풍이 있다 합니다. 참 신기하죠? 고작 4년인데, 대학에서 인문·사회계열이었는지 이공계열이었는지에 따라 참 많이 다릅니다. 대학 입학 전부터 확연하게 다른 적성을 가졌던 것도 아니었을 텐데요. 하지만 대부분, 적성이 전공으로, 전공이 전문 분야로 이어지는 흐름 속에 성장한 우리는 세상을 인식하는 관점이 어느 한쪽으로 치우쳐 있게 마련입니다. 분명 부분과 전체, 분석과 통합은 모두에게 필수적이고 불가결한 행위인데 말입니다.

워낙 중요한 능력이라서 그런지 이에 관련된 얘기도 많습니다. 부분을 파악하는 분석에 강하면 수학과 같은 논리력에 강하고, 전체를 파악하는 통합에 강하면 예술과 같은 창의력에 강하다고도 하죠. 또 있습니다. 대뇌의 왼쪽인

좌뇌가 발달하면 분석에 뛰어난 똑똑한(bright) 사람이고, 우뇌가 발달하면 통합에 뛰어난 현명한(smart) 사람이라고요. 정말 그렇습니까? 설령 그런 경향이 있더라도 요즘처럼 다양한 통로의 다양한 정보를 매일매일 학습하는 세상에서, 어느 한쪽 뇌만 무겁다면 뒤뚱거리며 살아갈 수 있을까요? 그런 편향된 사람을 똑똑하다고, 또는 현명하다고 할 수 있을까요? 맞습니다. 분석과 통합, 부분과 전체는 함께 추구해야 합니다. 그리고 '분류'야말로 이들을 함께 그리고 동시에 키워주는 정말 중요한 능력입니다.

분별 있는 분류

조금 덧붙여 수렴적(convergent) 사고와 확산적(divergent) 사고도 알아두어야 할 중요한 용어입니다. 수렴적 사고는 주어진 상황에서 답으로 수렴해가는 방식이고, 확산적 사고는 주어진 상황으로부터 새로운 대안으로 확산해가는 방식입니다. 그러니 기존의 정보를 근거로 정합한 답안을 산출할 때는 수렴적 사고가, 반대로 기존의 정보를 넘어서는 새로운 답안을 도출해야 할 때는 확산적 사고가 유용하다 합니다.

이 2가지 사고를 비교하기 위해 종종 등장하는 것이 남녀의 차이입니다. 남자분들의 다수는 구두를 사기 위해 백화점에 가면 바로 구두점으로 직진합니다. 구두를 사기 위해 백화점으로 갔으니까요. 수렴한 거죠. 그러나 여성분들은 백화점에 가기 위해 구두를 산다고나 할까요. 물론 구두가 필요합니다. 그러나 구두를 사는 것과 동시에 백화점의 다른 매장을 둘러보는 것도 중요합니다. 그러한 확산이 구두가 아닌 새로운 무언가를 쇼핑하는 것으로 귀결될 수도 있고요.

남성적인 문화가 충만한 직장에서 회의할 때 회의주제에서 벗어난 언급은 금물입니다. 빨리 수렴해야 하는데 쓸데없는 얘기 한다고 성화입니다. 반면 여성들의 모임에서 대화하면서 액션과 리액션을 주고받지 않고 자꾸 남의 말을 끊는 행동은 금기입니다. 계속 확산해야 하는데 분위기 깬다며 눈총 받기 십상이죠.

분석과 통합, 부분과 전체, 좌뇌와 우뇌…. 이러한 대비가 알기는 쉽습니다. 그렇지만 어느 한쪽으로 자신을 단정하자면 세상을 잘 이해하기에 역부족입니다. 수렴적 사고와 확산적 사고, 남성적 사고와 여성적 사고…. 이러한 비교도 쉽습니다. 그러나 어느 한쪽으로 자신을 규정한다면 세상을 잘 살아가기에 태부족입니다. 누구나 선천적으로, 적성상, 전공상, 전문분야상 한편에 강세를 보이겠지만, 그것만으로 지금의 세상을 제대로 이해하고 또 멋지게 살아가기는 어렵습니다.

거기에서 그치면 안 됩니다. 분별이 있는 처세를 하려면 고작 때와 장소가 다르다고 구분하는 것으로 끝내면 안 됩니다. 때와 장소에 따른 구성원과의 관계를 파악하여 그 상황 내에서 자신의 위치를 명확히 알아야 합니다. 맞습니다. 분별 있는 분류로 처신해야 합니다. 자, 당신은 어떤가요? 당신이 아끼는 사람은요? 분류능력이 있나요? 분류능력을 키워보고, 키워주고 싶지 않은가요?

좀비가 환생한 순간

예정에 없던 대학원에 입학하니 예정에 없던 고충이 닥칩니다. 대학원 전공에 대한 분석과 통합도 없이, 이후의 제 미래에 대한 분류도 없이, 교수님 말씀의 막연한 매력에 끌려 진학을 했으니 오죽했겠습니까. 적절히 발달된 좌뇌와 필요한 만큼의 수렴적 사고력 덕분에 학업은 그리 문제가 아니었습니다. 문제는 막연하게 느껴온 지도 교수님의 매력의 실체가 대학원생에 대한 막대한 수준의 기대에서 기인한 것으로 판명되면서, 공대 대학원 연구실 생활이 빡빡하기 이를 데 없었다는 것입니다. 학부 때는 경험하지 못한 연구 프로젝트, 우수한 결과물을 내기 위한 노력, 담보해야 하는 시간과 에너지, 그리고 그것들을 관장하시는 교수님의 매서운 지도…. 그저 좌충우돌 배우며 하루하루를 보내던 어느 날이었습니다.

　정확히 기억나지 않습니다. 하긴 몇 년 전 그 학생 일도 기억 못 하는데 몇십 년 전 일이 기억이 나겠습니까만, 분명한 건 홀러리스 기계로 출발한 바로 그 IBM과 관련한 프로젝트였다는 것입니다. 생각나는 대로 살을 붙이자면, IBM의 국내 신사업 전략, 뭐 이런 비슷한 것이었습니다. 제가 할 일은, 한국 IBM이 처한 국내 사업환경을 체계적으로 나열해보고 그에 연관 지어 나아갈 사업 방향을 도식화하는 것이었습니다. 말은 참 그럴듯하죠? 사업환경, 사업 방향이라니요. 환경과 방향이라니요. 사업환경은 정치, 경제, 사회, 문화 등의 관점으로 나눌 수도 있고, 회사의 조직, 기술, 제품과 서비스, 고객으로 나눌 수도 있고, 기술 하나도 여러 가지 세부 기술로 나뉘고 고객도 여러 업종과 업태에 따라 나뉘는데, 도대체 뭘 어떤 식으로 나열, 연관, 도식화하란 말입니까? 게다가 각각에 맞는 사업 방향까지 제시하라니요. IBM은커녕 취업 한번 해본 적 없는 저에게 말이죠.

　하지만 정확히 기억나는 그 날의 그 느낌이 있습니다. 몇 주 동안 각종 자료를 닥치는 대로 읽고 보고 또 보고 읽고, 생각나는 대로 사업환경을 나누어보고 또 나누어보고, 어떤 것은 빼고 어떤 것은 더하고, 연관 짓고 관련지으며, 이런 그림 저런 그림을 그리고…. 그러면서 좌절하고 또 좌절하며, 선배한테 혼나고 지도교수께 지적받고….

그러던 어느 날 밤 초췌한 몰골로 연구실 의자에 걸터앉아 눈앞의 칠판을 힘없이 쳐다보고 있었습니다. 딱 좀비처럼요. 수도 없이 지우고 다시 그리기를 반복한 끝에 마지막으로 그려 넣은 분류체계로 빽빽하게 채운 칠판이었습니다. 분류체계 주변은 각종 분필 흔적으로 너저분했지만, 그때 갑자기, 사이를 비집고 중앙에 떡하니 자리 잡은, 지친 정신과 육체를 부여잡고 그려 넣은 분류체계에서 빛이 났습니다. 도드라져 눈부시게, 뚜렷하고 또렷하게 시야를 가득 채웠습니다. '이거야! 바로 이거야!' 뭐라고 설명해야 할까요. 좀비가 환생하는 순간이었습니다. 헝클어진 머릿속에 흐트러진 생각들이 일순간 정연하게 정렬되어 정리된 느낌이었습니다. '아, 이거구나!'

다음 날 어색하리만큼 지도교수님의 눈길은 따사로웠습니다. 교수님이 저녁도 쏘셨죠. 정답 없는 문제, 정해진 답이 없는 분류체계였지만 교수님은 아신 것입니다. 그 정도의 분류체계면, 그 정도의 분류체계를 만들어낸 분석과 통합·수렴적 사고와 확산적 사고면 쓸 만하다고, 그 정도를 해낸 노력이면 가상하다고 알아주신 거죠.

혹시 여러분도 이런 경험이 있나요? 인생의 어느 순간에서 나름의 노력 끝에, 자신의 한계에 부딪히며 뭔가를 깨달은 느낌, 한 걸음 성큼 나아간 느낌, 한 단계 올라선 느낌, 그 느낌을 마음 깊이 꽉 채운 경험, 그런 경험 있나요? 저에게는 그날 밤의 느낌이 바로 그랬습니다. 지금껏 저의 길을 나름 성공적으로 갈 수 있게끔 이끌어준 도약의 느낌을 처음 알게 된 순간이었습니다. 바로 그 느낌과 경험을 분류능력이라는 이름으로 여러분에게 전하고자 합니다.

어떻게 분류능력을 얻을 것인가

'세상을 이해한다'는 것은, 우리 앞에 놓인 상황을 아는 것이고, 그에 따라 우리가 대응해야 하는 문제가 무엇인지를 아는 것입니다. 각종 인재양성 목표와 인재모집 광고에 꼭 등장하는 게 '문제해결 기술'입니다. 중요하죠. 문제해결 기술. 그러나 대학을 포함한 정규 교육과정에서 문제해결 기술을 습득하기에는 엄연한 한계가 있습니다. 왜냐고요? 수도 없이 풀었던 국영수 문제들이 다 문제해결 아니었느냐고요?

그렇긴 한데, 그렇지 않습니다. 학교에서 주어진, 누군가에 의해 답이 정해진 문제를 푸는 것은, 문제해결 전체과정 중 극히 일부분에 불과합니다. 학교에서는 가장 중요하다고 배웠겠지만, 현실에서는 그렇지 않습니다. 한번 생각해보세요. 학교를 졸업한 후, 여러분이 연구자가 아니라면 학교에서 풀던 수학 문제를 접할 일이 있었나요? 설령 그렇다 할지라도 문제를 푸는 건 여러분의 일이 아닙니다. 계산기나 컴퓨터가, 알고리즘이나 인공지능이 하겠죠.

문제해결의 가장 중요한 영역은 문제를 푸는 것이 아닙니다. 문제가 무엇인지를 아는 것, 즉 문제를 정의하는 것입니다. 일단 문제가 제대로 정의되면 그것을 푸는 것은 어렵지 않습니다. 그런데 아이러니하죠. 우리는 학교에서 주로 주어진 문제를 푸는 법을 배웠습니다. 세상은 우리에게 먼저 문제를 정의하라고 하는데, 학교는 그런 건 세상이 해줄 테니까 너는 그냥 풀기나 하라고 가르칩니다.

교육자의 일원으로서 제가 할 얘기는 아닌 듯합니다만, 하여튼 그토록 중요한 문제 정의를 다른 말로 하면, 곧 세상을 이해하는 것입니다. 닥친 상황과 문제를 잘 이해하는 것이죠. 그래서 그런지 세계 최고의 문제해결 전문기업이라 부를 수 있는 맥킨지McKinsey & Company가 이 대목에 도움을 주는 개념을 제시했습니다. MECEMutually Exclusive and Collectively Exhaustive입니다. 그냥 '미시'라 불러도 되고요.

중복 없이, 누락 없이

MECE는 어떤 대상을 그 하위의 것으로 나눌 때 유의하여야 하는 원칙을 천명합니다. 다음 그림을 보면서 설명하겠습니다. A가 있습니다. A는 사물일 수도 있고 개념일 수도 있습니다. A를 a·b·c·d로 구분합니다. 마치 대학생의 미래 진로가 대학원, 취업 등으로 구분되고, 또 취업 직종이 제조업, 금융업, 건설업, 유통서비스업, 정보통신업 등으로 구분되듯이요.

이때 이렇게 구분하여 정리할 때 유념해야 하는 2가지를 강조합니다. 첫째 포인트는 MECE 단어 앞의 ME인데, 'Mutually Exclusive'로, A의 하위에 있는 a와 b는 상호 배타적이어야 하며, b와 c, c와 d는 물론 d와 a도 서로 겹치지 않아야 한다는 뜻입니다. 결과적으로 A를 a·b·c·d로 나누었다면, a·b·c·d는 서로서로 걸치지도, 겹치지도 않아야 하죠.

일견 당연해 보입니다. 당연해 보이는 만큼 만만해 보입니다. 숫자를 10 이상과 10 이하로 나누면 안 된다는 것쯤은 만만히 알겠습니다. 양쪽으로 10이 겹치니까요. 그러면 업종을 제조, 금융, 건설, 유통서비스, 정보통신으로 나누는 것은요? 네, 겹치는군요. 삼성전자는 제조업이기도 하고 정보통신업이기도 하죠. 이번에는 대학생 미래 진로를 볼까요? 대학원과 취업으로 나눴던 것은 상호 배타적인가요? 그렇다면 직장 다니며 야간대학원 다니는 건 뭐죠? 의외로 쉽지 않습니다.

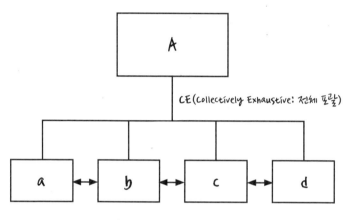

그림1_ MECE 원칙

어떤 것을 분해하여 중복되지 않은 하위의 것들로 나열하는 일은 쉽지 않은 경우가 많습니다. 분해해야 하는 A가, 눈에 뚜렷이 보이는 사물이 아닌 개념이라면 더욱 그렇고, 그 개념에 대한 명확한 인식이 어려우면 더더욱 그렇습니다. 말장난 같은 예이지만, 우리가 나쁜 사람을 보통 '짐승'과 견주기도 합니다. 이 방식으로 나쁜 사람을 구분해 보겠습니다. '짐승만도 못한 놈', '짐승 같은 놈', '짐승보다 더한 놈'. 어떤가요? 'Mutually Exclusive' 한가요? 셋 중에 누가 제일 나쁜 놈이죠?

20~30대 여성을 주 고객으로 하는 회사의 마케팅 회의에서 직원이 발표합니다. "우리 주 고객을 미혼여성과 30대 기혼여성으로 구분했을 때…."

마케팅 팀장인 당신은 여기서 발표를 멈추게 해야 합니다. "그렇게 구분하면, 20대 기혼여성은 어쩔 거죠?" 이렇게요.

직원의 발표에 누락된 영역을 지적하여 주 고객 전체를 커버하는 마케팅 회의로 이끌어야 하는 거죠. 이것이 CE, MECE의 두 번째 포인트인 'Collectively Exhaustive'입니다. A를 a·b·c·d로 구분하여 나눴다면, a·b·c·d의 합은 A가 되어야 한다는 의미입니다. 미혼여성과 30대 기혼여성에 추가해서 20대 기혼여성을 더해야 전체 20~30대

여성이 되는 것처럼, 빠진 것이 없이 상위의 대상 전체를 포괄하는 것들로 나누라는 얘기죠.

빠짐없이 누락 없이 분해하려면 상위 대상, A가 무엇인지를 충분히 알아야겠지요. A가 어떤 대상인지, 어떤 개념인지에 따라 난이도는 달라질 것입니다. 만일 A가 '미래 진로를 위해 내가 습득해야 할 역량', 혹은 '미래 역량을 습득하기 위해 지금 할 수 있는 일'과 같이 열린(open) 문제라면 난해할 수도 있습니다. 하지만 대상을 잘 알아서 실체가 충분히 명확한 경우에도 이는 위력을 발휘합니다.

맥도날드는 고객의 한 끼 식사로 다양한 햄버거 제품을 판매합니다. 하지만 어느 순간, 그들이 제공하는 한 끼는 점심식사나 저녁식사에 국한되었다는 사실을 알게 되었습니다. 분명 한 끼에는 점심식사와 저녁식사 외에 아침식사도 있는데요. 식사를 CE로 구분하면 아침, 점심, 저녁인데 말이죠. 맥도날드는 2006년 3월부터 아침 시간의 매장 라인업을 가다듬고 아침식사용 '맥모닝'을 출시합니다. 이는 엄청난 매출의 상승으로 이어졌고, 국내에서도 외식업계 아침식사 점유율의 약 50%를 차지하고 있답니다.

세상이 무엇으로, 어떻게 이루어져 있는지

어떻습니까? 얘길 들어보니 할 만한가요? 별것 아닌 것 같나요? 그러나 분류하고 체계를 세우는 능력, 즉 분류 능력은 쉽사리 얻어지지 않습니다. 마찬가지로 이 능력을 쌓는 방법인 MECE도 결코 쉽지 않고요. 대상을, 대상이 되는 사물이나 개념을 ME하게 동시에 CE하게, 상호 배타적이면서도 전체 포괄적으로 구분하는 구조를 만들어내는 것은 쉽지 않습니다.

식사를 아침, 점심, 저녁으로, 일주일을 월화수목금토일로 MECE하게 분류하는 정도야 쉽지요. 식사나 일주일은 빤하고, 또 우리가 잘 알고 있으니까요. 하지만 장보기 목록 혹은 옷정리나 책정리만 해봐도 '중복 없고 누락 없이' 분류하는 일은 만만치 않습니다. 하물며 새로운 세상을, 새로운 환경을, 업무를, 기술을, 이들로 둘러싼 문제를 이해하고자 분류한다면 어떨까요? 과연 아무나 만만하게 해낼 수 있을까요?

직장의 후배에게 시켜봅니다. 빅데이터 기술을 분류해보라고. 빅데이터를 활용해서 우리 회사가 시행할 수 있는 서비스에 대한 분류체계를 만들어보라고. 더 나아가서 빅데이터를 도입한 우리 회사의 신사업 모델을 분류하여 각각의 장단점을 나열해보라고. 가정에서 자녀에게도 하고 싶은 일이나 직업을 나열해보라고 합니다. 그 일을 하기 위해서는 어떤 대학, 어떤 전공을 택하면 될지 정리해보라고. 더 나아가서 그 대학의 그 전공으로 입학하기 위한 방법과 그에 걸맞은 학업 수준을 따져보라고. 그러곤 MECE의 원칙으로 후배와 자녀의 분류를 살펴보면 어떤 일이 일어날까요?

너무 어렵다고요? 그럼 쉬운 예로, '워라밸'이 뭐죠? '워크와 라이프의 밸런스'를 줄인 말입니다. 이 표현에 뭐가 잘못되었을까요? '라이프'에는 '워크'가 포함되지 않나요? 일(워크)이 삶(라이프)에 포함되지 않을 만큼 중요하지 않다면, 할 수 없고요. 후배와 자녀만의 문제가 아닙니다. 일상에서 무슨 말을 하는지, 무슨 얘기를 하고 싶은 건지 파악이 안 되는 사람들의 머릿속을 들여다볼 수 있다면, 그저 뒤죽박죽일 겁니다. 단지 표현력이 떨어져서일까요? 아닙니다. 횡설수설은 뒤죽박죽에서 나옵니다. 그렇다면 여러분은 자신 있나요? MECE로 분류능력을 습득해야 합니다. 세상을 이해하는 것은 잘 아는 것이고, 잘 아는 것은 그 세상이 무엇으로 이루어져 있고 또 어떻게 이루어져 있는지를 아는 것입니다. 분류능력이 있어야 대처할 수 있는 일들입니다.

분류를 '특정 대상을 일정한 기준에 따라 나누어 이들

의 상호 간 관계를 파악하여 각각이 전체에서 차지하는 위치를 명확히 하는 것'이라 했습니다. 아무래도 좀 딱딱하네요. 그러면 이런 정태적 정의 대신, 분류하는 사고의 과정을 동태적으로 나타내보죠. 먼저 대상을 인식합니다. 필요한 내용을 학습합니다. 그리고 대상을 나눕니다. 그러고 나서 나뉜 것들이 맞게 구성되었는지 구조를 점검하고 정리합니다. 마지막으로 이를 통해 대상을 이해하고 나아가 새로운 발상을 합니다. 이 과정을 간략히 하면 '인식/학습 → 구분/구별 → 구성/구조 → 이해/발상'이라 하겠죠. MECE는 이 분류 프로세스의 핵심단계인 '구분/구별'과 '구성/구조'에 도움을 줍니다.

MECE는 학교보다는 기업의 실전 업무에서 많이 쓰이는데, 생각해보니 제가 대학원생일 때는 MECE라는 용어를 쓰지 않았던 것 같군요. 암튼 현재는 맥킨지 출신 컨설턴트들로 인해 그 이름이 알려져 있으나, 이전부터 세상을 제대로 이해하고자 하는 많은 사람이 이미 고민한 내용이라 하겠네요.

자꾸자꾸 해보아야 합니다. 자꾸 하다 보면 알게 됩니다. 세상을 제대로 이해하기 위해 이만한 방법이 없다는 걸. 소싯적 새벽녘 칙칙한 공대 연구실에서 깨우쳤던 깨달음과 환희의 순간 이전에는 수도 없는 좌절과 한숨이 있었습니다. 그러나 자꾸 하다 보니 알게 되었습니다. 비록 그 당시에는 MECE라 부르진 않았지만, MECE의 진가를 알게 되었습니다. 정말입니다. 자꾸 하다 보면 늡니다.

저를 지도교수로 삼고 대학원에 입학한 학생들이 세미나 시간에 특정 주제에 대한 분류체계를 발표합니다. 제가 나설 필요가 없습니다. 발표가 끝나자마자 세미나에 동석한 선배들이 맹폭합니다. 그 선배라는 대학원생들도 처음에는 뒤죽박죽 횡설수설했는데 말이죠. 속으론 웃기지만 기쁜 일 아니겠습니까? 그게 제 보람이니까요. 지금은 은퇴하신 저의 지도교수님처럼 저도 학생들에게 밥 한 끼 사야죠. 맥모닝으로요.

직시하되 여러 각도로

분류를 제대로 한다는 것은 대단한 능력입니다. 새로운 물건이 넘쳐나고, 원래의 개념조차 변해가는 작금의 세상에 대처하기에 정말 요긴한 능력입니다. 폼 나게 세상을 즐기려면 꼭 가져야 하는 역량입니다. 정리 차원에서 다시 한번 분류의 실효성을 살펴보겠습니다.

명확하고 구체적인 정의

먼저 첫째는, 알고자 하는 대상을 잘 분류하면 그 대상이 무엇인지, 무엇으로 이루어져 있는지를 확실하고 구체적으로 알 수 있습니다.

누군가 "철학은 어떤 학문이죠?" 물을 때, "인간과 세계에 대한 근본 원리와 본질을 연구하는 학문입니다."라고 답할 수도 있겠죠. 물론 그 정도도 훌륭하죠. 하지만 좀 뜬

구름 잡는 것 같지 않나요? 대신 철학은 다음의 4가지 문제, 즉 '나는 무엇을 아는가?'(인식론), '나는 무엇을 해야 하는가?'(윤리학), '나는 무엇을 바라는가?'(미학), '인간이란 무엇인가?'(사회철학)에 답하고자 하는 학문이라고 대답하면 멋지지 않습니까? 간단히 인식론, 윤리학, 미학, 사회철학으로 구성되어 있다고 말할 수도 있죠. 추상적인 개념이나 정의로 대상을 아는 것이 아니므로, 자신에게 뿐 아니라 남에게도 그것이 무엇인지 훨씬 더 명확히 설명할 수 있습니다.

빠진 것과 채울 것

둘째는, 차분히 분류해서 곰곰이 들여다보면 무엇이 아쉽고 무엇이 빠져 있는지, 그래서 무엇을 새롭게 채워 넣어야 할지 고려하게 됩니다. 발전적인 생각이죠. 제아무리 칸트가 철학의 문제를 방금 앞에서 말한 것처럼 4가지로 분류했다고 하더라도, 우리와 함께 이 시대를 살고 있지는 않잖아요. 지금의 세상을 사는 우리는 이렇게 질문해볼 수 있습니다. '인간이 아니라 인간 같은 인공지능이 횡행하는 세상에서 야기되는 다른 철학의 문제는 없을까?' 이런 의구심으로 인해 '기술철학'이나 '기술윤리학'의 논의가 중요해지고 있습니다. 그 비중은 자연스레 높아져가겠지요.

빠진 것을 채우기도 하지만, 넘친 것을 빼내게도 해줍니다. 체계적인 분류와 정리를 마치면, 어떤 일부분에 편중되어 있는지 확연히 보입니다. 펼쳐진 옷가지를 종류별로 구분하다가 각 종류를 다시 계절별로, 색깔별로도 나누어 봅니다. 그러다 알게 되었죠. 아무리 중년의 아저씨라지만, 검은색 아니면 회색, 아니면 남색 일변도군요. 다음번에는 무조건 밝은색 옷을 사리라 다짐합니다. 이것이 분류의 셋째 용도이자 역할입니다.

구성과 구조의 변경, 새로운 발상

그러나 첫째, 둘째, 셋째의 모든 효능을 집약한 네 번째가 가장 강력합니다. 대상을 구분하고 구별하여 이해의 폭을 넓힌 후, 부족한 것은 넣어보고 과다한 것은 제거합니다. 그리곤 다시 구분하고 구별하며 구성과 구조를 달리해봅니다. 그러다 보면 달라집니다. 처음의 분류체계와는 전혀 다른 것으로 탈바꿈합니다. 달리한 것은 분류체계지만 정작 달라진 것은 우리의 관점입니다. 대상에 대한 새로운 인식이 등장했다는 의미죠. 이 과정은 몹시 값진 것인데, 관점의 변화와 함께 고정된 관념을 탈피하는 소중한 경험을 주기 때문입니다.

그 과정이라는 것은, 대상을 잘게 쪼개는 분석과 다시 모아보는 통합을 동시에 추구하는 일련의 흐름입니다. 널려진 것들을 합쳐보는 수렴적 사고와 정해진 것들을 펼쳐보는 확산적 사고를 병행하는 과정의 연속입니다. 분석하다가 통합하고 통합하다가 분석하고, 수렴 후 확산 그리고 확산 후 수렴하는 이 과정을 겪고 또 겪으면서 세상을 보는 눈을 키워갑니다. 필요하면 세상을 보는 관점도 바꿉니다. 일 잘하고 공부 잘하는 사람이 되어갑니다. 참, 혹 알아챘나요? 이 분류능력의 네 번째 효능은 앞의 3가지 효능들과 MECE 하지 않다는 사실을요. 그 점을 알아챘다면 되었습니다.

기준을 제대로 설정하는 능력

세상에는 공짜가 없습니다. 항상 대가가 있기 마련이죠. 이렇듯 훌륭한 분류의 효능이 사실은 분류를 어렵게 만들기도 합니다. 고정관념의 탈피, 관점의 변화, 인식의 전환을 가져다주는 분류체계의 재편 과정이, 실상은 난관을 초래할 수 있다는 뜻입니다. 뭔가 분류를 할 때, 결과물인 분류체계가 하나라면, 답이 하나라면 좋을 텐데, 분류에는 답이 아주 많거든요. 분류하는 대상을 어떤 관점으로 보느냐에 따라, 즉 어떤 기준으로 분류하느냐에 따라 답은 천차만별이라는 거죠.

사람을 볼 때 어떤 기준으로 보나요? 알기 쉽게 사람을 외모로 보자면, 잘생긴 사람과 못생긴 사람으로 나눌 수 있겠죠. 그렇지만 제대로 된 분류라면 이목구비 외에도 키, 몸무게, 피부색이나 머리숱, 또 스타일과 겉치레 정도는 나눠야겠죠? 사람은 역시 내면이다 싶으면 인상이나 인성, 품행이나 매너 등도 볼 것입니다. 한편 스펙이 분류기준이라면 학력과 경력을, 경제력이 분류기준이라면 재산과 연봉을 중심으로 나눠야겠고요. 과연 어떤 기준으로 봐야 할까요?

이처럼 분류기준은 매우 다양합니다. 진정한 분류능력의 진수는 필요에 맞게, 상황에 적합하게 기준을 설정하는 실력입니다. 하나의 정답을 찾아가는 게 아니라 여러 가지 답 중에 적절한 것을 골라 그에 맞게 전개하는 능력입니다.

혹시 이런 생각을 했나요? 그냥 이것저것 다 넣어서 하겠다고요? 외모와 내면, 스펙과 경제력 등 모든 기준을 고려해서 분류하고 또 다 합하면 되지 않겠느냐고요? 그렇습니까? 그게 현실적일까요? 그 많은 요소를 두루두루 따져서 조합하는 게 그리 쉽지는 않을 것입니다. 특정 기준의 특정 요인을 중심으로 판단하는 게 현실이죠. 적합한 분류기준을 채용하여 분류를 전개하는 것이 최선입니다. 그것이 실력이고 능력이고요.

분류는 기준에 따라 답이 달라집니다. 그래서 쉽지 않다고 했습니다. 그러나 자주 해보면서 능력을 얻게 되면, 대상을 다양한 각도로 들여다보고 이해할 수 있습니다. 때론 관점을 자유롭게 변환해서 더 입체적으로 대상을, 세상을 볼 수 있습니다. 분류능력으로 직시하되 여러 각도로 보세요. 마력과도 같은 매력을 소유할 수 있습니다.

여담으로 한국인들은 사람을 혈액형으로 분류하기도 합니다. 고백하자면, 저도 그런 경향이 있습니다. 하지만 과학은 그것이 잘못된 분류기준이라고 합니다. 혈액형이 제시하는 사람의 유형은, 이를테면 '소심하다', '감정적이다', '현실적이다', '독특하다' 같은 것들입니다. 상당히 범주가 넓은 단어들이죠. 귀에 걸면 귀걸이, 코에 걸면 코걸이입니다. 추상화된 범주가 넓은 개념은, 그 개념을 받아들이는 자의 받아들이고자 하는 마음에 의해 실체가 확립됩니다. 부지불식간에 편향된다는 얘기죠. 믿고자 하는 마음이 있으니 믿는 것이죠.

점이나 운세를 믿으세요? 오늘의 운세에 등장하는 말들, '작은 것을 탐하면 큰 것을 잃는다.', '북동쪽에 귀인이 있다.', '믿었던 일에 실망한다.' 등을 들어봤을 것입니다. 족집게 같다고요? 족집게는 점이나 점쟁이가 아니라 믿고자 하는 여러분이 만든 것일 뿐입니다. 너무 믿으면 실망합니다. 분류기준을 잘 선정하는 것도 중요하지만, 처음부터 잘못된 기준을 쓰지 않는 것도 중요하다는 얘기입니다.

한 번 만들어보기

기술 이야기를 해보겠습니다. 요새 기술을 이해하는 것이 아주 중요해졌습니다. 복잡하고 난해한 내용은 아니니 긴장할 필요는 없습니다. 근자에 기술에 대한 피로감을 호소하는 이들이 많습니다. 기술용어들이 쏟아져 피곤하다는 거죠. 그렇다고 외면할 수도 없으니까요. 일하는 데, 살아가는 데 어느 정도의 기술지식은 이젠 상식이 되었습니다. 그렇다면 어떻게 쫓아가야 할까요? 기술직 연구자가 아니라면, 딱 적당한 수준으로 쫓아가는 방법이 있습니다. 분류능력으로 분류체계를 만들어 그 정도의 수준으로 기술을 이해하면 됩니다. 알고 싶은 기준으로 분류하여 그 관점으로 이해하면 되니까요.

하나 해볼까요? 자율주행차에 대한 관심이 높습니다. 자동차가 우리의 삶에 주는 의미는 각별합니다. 우리가 기거하는 여러 공간 중에 아주 특별한 공간이죠. 시간으로 보면 그 중요성을 잘 알 수 있습니다. 우리는 일생 중 1/3은 침대에서 자고, 평균 6년 정도를 자동차에서 보낸다고 합니다. 하지만 침대에서는 그저 잠만 자면 되지만, 자동차에서는요? 그 깨어 있는 시간을 완벽히 바꾸어줄 수 있는 자율주행차의 시대가 기대되는 건 당연한 일이죠.

그렇다면 이제 자율주행차를 제대로 이해하기 위해 분류를 해보겠습니다. 일단 자율주행차는 차잖아요. 그럼 우선 '차'의 관점으로 자율주행차를 보겠습니다. '차'를 기준으로 나누니, 승용차가 있고 상용차도 있습니다. 우리가 운전하는 승용차를 컴퓨터가 대신 운전한다고 생각해서인지, 자율주행차 하면 승용차를 떠올리는 사람이 대다수입니다. 그러나 버스, 트럭 등 상용차, 즉 상업적 용도의 차량도 많습니다. 상업적 용도로는 기차, 비행기와 같이 이미 자율주행을 하고 있는 것들도 포함할 수 있고요. 여기에 새로이 고려할 것들로, 드론과 같은 비행물체, 전동킥보드와 같은 개인용 운행수단도 있네요. 그래서 요사이는 '모빌리티mobility'라는 용어로 이를 모두 아우르고 있습니다. 하여간 분류는 이 경우에도 개념의 폭을 넓혀주는 구실을 합니다.

이번에는 자율주행차에서 '자율'을 기준으로 나눠봅니다. 가장 많이 알려진 것은 미국 자동차공학회의 분류인데, 자율주행 1단계는 운전자가 운전을 주도하며 자동속도조절이나 차선이탈경보등을 지원해주는 것이고, 2단계는 운전자 감시하에 자동차의 속도와 방향을 자율로 조절하는 것입니다. 다음은 앞 차 추월, 장애물 감지와 같은 다양한 운전기능까지 자율로 수행하는 3단계이고, 4단계는 비상상황을 제외한 모든 운전기능을 컴퓨터가 제어합니다. 마지막 5단계는 아예 운전석이 없으니 운전자도 필요 없는 단계이죠. 이들을 운전자 지원(1단계), 부분 자율주행(2단계), 조건부 자율주행(3단계), 고도 자율주행(4단계), 완전 자율주행(5단계)으로 구분하여 부르기도 합니다. 어떻습니까? 이런저런 기준으로 자율주행차를 분류해보니 훨씬 더 정연하게 정리되지 않습니까?

이외에도 여러 분류기준이 있습니다. 자율주행차를 구성하는 기술을 세부적으로 분류해보는 것도 자율주행차를 이해하는 데 도움을 주지만, 지나치게 딱딱해지니 여기서는 생략하도록 하겠습니다. 참, 연료를 기준으로 구분하기도 합니다. 가솔린차, 디젤차, 전기차, 수소차, 이렇게요. 그러나 대부분 자율주행차는 화석연료를 쓰지 않을 것이고, 특히 전기차의 비중이 클 것이므로 연료를 기준으로 하면 편중된 모습을 보일 것입니다.

조금 더 가보겠습니다. 먼저 물어보겠습니다. 여러분은 자율주행차의 시대가 언제 오리라 생각하세요? 2025년 즈음 상용화되고, 2035년에는 도로를 주행하는 4대 중 적어도 1대는 자율주행차라는 예측이 많군요. 그렇다면 얼마 남지 않았는데, 여러분도 그렇게 믿고 있나요? 차가 저절로 그 복잡한 교통상황을 뚫고 안전하게 자율적으로 운전

할 수 있다고 믿나요? 믿어야 합니다. 왜 믿어야 하는지, 정말 믿을 만한지 알려드리겠습니다. 분류를 통해 세상을 보면 충분히 믿을 수 있다는 사실을 알려드리겠습니다.

많은 사람이 자율주행차를 차로만 봅니다. 그저 캘리포니아 도로를 쓸쓸히 홀로 다니는 그 한 대의 차로만 연상하죠. 하지만 아닙니다. 실제로 자율주행차가 운행하는 풍경과 환경을 생각해보세요. 자동차는 교통과 운송의 수단이죠. 차 한 대로만 보지 말고 교통과 운송의 전체 환경에서 자율주행차를 운행하는 풍경을 생각해보시기 바랍니다. 그리고 분류해보시기 바랍니다. 여러분의 차 한 대만 자율주행차가 아닙니다. 앞 차도, 옆 차도 자율주행차입니다. 각종 감지장치와 안전장치가 장착되어 있겠죠. 그리고 도로, 신호등, 표지판 같은 도로의 각종 시설물에도 자율주행을 위한 시스템이 구축됩니다. 심지어 보행자의 스마트폰에도 각종 상호작용 기능이 구비됩니다.

어떻게 생각하세요? 만일 자율주행차를, 여러 차, 여러 도로 시설물, 여러 보행자 상호작용 기기 등의 총체적 시스템으로 분류하여 생각해본다면, 과연 사고가 날까요? 적어도 지금보다는 교통환경이 훨씬 안전해지지 않을까요? 분류하며, 이런저런 기준으로 나눠보며 자율주행차를 다각도로 이해합니다. 사고의 각도와 관점을 바꾸며, 자율주행차의 가능성과 미래를 예견해보기도 합니다. 이렇게 하는 것이 제대로 이해하는 것 아닌가요?

분류능력으로 분별 있게

사람의 인식은 기본적으로 합리적이지 않습니다. 평생의 직업으로 교수를 했고, 평생의 업으로 학습을 한 저이지만, 제가 합리적이며 이성적이라고 말할 자신은 없습니다. 합리적인 존재라기보다는 오히려 합리화하는 존재에 가깝겠죠. 우리는 일상을 항상 구체적으로, 포괄적으로, 객관적으로 인식할까요? 저를 포함해 대부분 그렇지 않습니다. 일상은 늘 주관적이고, 주요 관심사는 항상 자기 자신입니다. 그리곤 쳐다보죠. 자기중심의 세상, 자기 자신을 중심으로 돌아가는 세상을요.

그런데 그 세상이, 실상은 어떻습니까? 천천히 움직이던, 그래서 눈에 비친 세상과 실제의 세상이 큰 차이가 없던, 그랬던 시절이 지금은 아니잖습니까. 몇 개의 물결이 밀려왔고, 몇 차의 혁명이 밀어닥치고 있습니다. 이전의 지식과 경험이 더 이상 유효하지 않죠. 그럼에도 우리는 여전히 막연한 방식, 애매한 방법으로 세상을 이해하려 하고, 혹은 이해하고 있다고 생각합니다. 게다가 그 잘못된 이해를 남에게까지 강요하기도 하고요.

세상을 담대하게 직시하고, 제대로 이해해야 합니다. 그것은 전적으로 우리의 책임이고 여러분이 할 일입니다. 분류능력으로 세상을 멋지게 살아가고, 탐나는 사람이 되고자 한다면 더더욱 말입니다. 세상을 여러 각도로 살펴보고, 여러 방식으로 이해하고 있어야, 새로운 세상을 열어갈 수 있습니다. 때와 장소에 맞게, 사람과 상황에 맞게, 분별 있게 말입니다. 그 멋지고 탐났던 학생이 말했었지요.

"저는 세상에 없는 제품이나 서비스를 만들고 싶어요."

아마도 잘할 것입니다. 잘할 것이라 믿습니다. 자신의 세상을, 자신에게 허용된 세상을 그토록 잘 이해하고 있는 그가 세상에 없는 새로운 세상도 잘 열어갈 것을 믿어 의심치 않습니다.

분류하는 것은, 분류능력을 키우는 것은 모든 역량의 출발점이라 하고 싶습니다. 앞으로 이 책에서 나올 모든 능력, 모든 역량의 근간을 제공합니다. 그러니 분류해보세요. 해보고 또 해보세요. 아끼는 자녀와 후배에게도 분류해보라고 하세요. 하라 하고 또 하라 하세요. 세상을 이해하지 못하면서 세상을 자신 뜻대로 살아갈 수 있으리라 생각하지 말라 하세요. 세상을 제대로 이해하라, 그러기 위해 애쓰라하세요.

2

해야 할 일을 하라

_ 지향 aiming

부질 '있는' 희망

20세기 끝자락 1999년 어떤 날, 대자연으로 아름다운 미국 메인주의 시골 국도를 운전하던 한 여성은 갓길을 걷던 남자를 알아보고 사뭇 놀랍니다. 그런데 놀란 마음을 옆 좌석의 동행자에게 표현하기 전에, 다시 또 놀라게 됩니다. 마주 오는 연푸른 닷지 밴의 운전상태가 정상이 아니었기 때문이죠. 그 밴은 이쪽에서 저쪽으로 갈팡질팡 갈지자로 달려오고 있었습니다. 방황하는 차를 힘겹게 피한 여성 운전자는 그제야 못 한 말을 합니다.

"좀 전에 갓길로 산책하던 사람은 스티븐 킹이에요. 그 유명한 스티븐 킹. 저 차를 모는 정신 나간 작자가 스티븐 킹을 치지 않으면 좋겠는데."

그러나 우려는 현실이 됩니다. 브라이언 스미스, 마약 중독자에 자동차 관련 전과를 10개 넘게 보유한 그는, 바위에 걸터앉아 피투성이 얼굴로 도랑에 처박힌 스티븐 킹을 바라보며 침착하다 못해 명랑한 말투로 말합니다.

"곧 사람들이 올 거예요."

그리고 말로는 하지 않았지만, 그의 속마음, '참, 오늘 재수 더럽게 없는 날이네.'가 표정에 역력히 드러나고 있었습니다. 마치 자기가 아닌 다른 무엇이 사고를 낸 것처럼, 스티븐 킹 원작 영화 '미저리'의 여주인공, 미저리가 즐겨 썼던 유체이탈 화법처럼요.

스티븐 킹은 현존하는 세계 최고의 베스트셀러 작가입니다. 특히 공포와 서스펜스 분야의 최고봉이죠. 260편이 넘는 작품 중 100편 가까이 극장용 영화나 TV 드라마로 제작되었다니 더 말할 필요가 없습니다. 그런 그가 10일간 5번의 수술을 받을 정도로 큰 사고를 당합니다. 골반은 으스러져 앉아 있는 것 자체가 고통이었습니다. 공포소설 작가에게도 엄청난 공포일 정도로 말이죠. 재활 과정은 눈물겹습니다. 하루 종일 진통제 복용할 시간이 얼마나 남았는지에만 관심이 있었다고 하네요. 그가 사투를 벌이며 다시금 글을 쓰게 되면서 깨우친 건 이겁니다.

'글 쓰는 목적은 돈을 벌거나 유명해지기 위한 것이 아니다. 살아남고 이겨내고 일어서는 것이다. 궁극적으로 내 글을 읽는 사람들의 삶을 풍요롭게 하여 그들을 행복하게 만드는 것이다. 그러면 결국은 나 역시 풍요롭고 행복해진다.'

매년 50억 이상을 기부하는 그에게 더 이상의 돈이 뭐가 필요할까요. 세계인이 인정하는 그에게 더 이상의 명예가 무슨 소용일까요. 이미 차고 넘치게 다 가진 그가 그렇게 다시 앉고, 아픔을 견디고, 글을 쓴 이유와 목적이 이것이라 합니다.

30대 초반에 교수가 되어 학생들의 청춘을 함께하는 행운을 얻었습니다. 교육자랍시고, 성장에 도움을 준답시고 훈계를 늘어놓으면서, 또 제가 교수랍시고 그걸 열심히 듣고 성장하는 그들을 보면서, 즐겁고 기꺼웠습니다. 저는 강의의 흐름흐름에 강조해왔습니다.

"남부럽지 않은 좋은 대학의 좋은 전공을 하는 대학생이라면 자신만을 생각해서는 안 된다. 주변과 사회를 더 좋은 곳으로 만들고자 하는 꿈과 목적의식이 있어야 한다."

물론, 제가 그런 사람이니 너희들도 나를 따라 그리하라고 말할 자신은 결코 없습니다. 하지만 어차피 교육자의 임무는 지금보다 나은 지향점을 내걸고 선한 영향력을 행사하는 것 아니겠습니까? 제 얘기에 감명해서 무언가를 다짐하는 순수한 청년들의 모습에 보람을 느꼈고, 그럴수록 제 언성에는 더욱 활력이 실렸습니다.

그러던 어느 저녁이었습니다. 인터넷 열풍에 매일 시간만 나면 인터넷을 뒤지던 때였죠. 무심코 학생들끼리 소통하는 강의 평가 사이트에 접속했습니다. 원래 그런 건 눈에 띄어도 보지 말고 지나쳐야 하는 건데, 웬 쓸데없는 자신감 이었는지요. 보지 말아야 할 것을 보았습니다(뭐, 그렇다고 엄청 부정적인 건 아니었습니다). 제 수업, 제 얘기에 그럭저럭 동감하는 평가가 많았습니다. 이런 식입니다.

'교수님 얘기를 들으면 무언가 마음에 불끈하는 게 있습니다. 마음 다잡고 열심히 살아야겠습니다.'

하지만 문제는 그 밑에 댓글이었습니다.

'저도 한때는 불끈했었지만, 그 교수(교수님도 아니고) 말 너무 듣지 마세요. 다 선생입네 하는 말이에요. 휩쓸리지 말고 본인 생각대로 편히 사세요.'

순간 할 말을 잃었습니다.

'아…'

정신이 번쩍 들었습니다. 나만의 생각에 빠져 있었던 게 아닌가 하고요. 순진한 건 저였더군요. 지금은 없이 살던 시절도 아니고, 독재 타파를 외치며 대학 다니던 시절도 아닌데. 풍요로운 사회를 기반으로 개인의 가치가 존중되는 시대가 되었는데 말이죠. 국가와 민족, 산업과 사회의 거창한 논리가 뭐 그리 대수롭겠습니까. 그날 밤은 혼란스러워 하며 뒤척였습니다.

'내 조언이 대학교수의 배부른 소리로 들리지 않았을

까? 앞날에 불확실성이 농후하고, 당면한 문제가 시급한 그들에게 와닿는 얘기였나?'

해외 유학까지 다녀와 국내 굴지 대학에 평생직을 보장받은 교수의 설교나, 최고의 부와 명예를 모두 거머쥔 스티븐 킹의 글쓰기 목표가 그들에게는 공허하거나 거룩한 소리로만 들렸겠지요.

이런 혼란이 어떤 확신으로 귀결된 것은 다른 수업에서였습니다. 공대 교양과목으로 수년째 진행해온 이 수업에서는 아예 대놓고 학생들에게 다음의 것을 요구합니다. 수강생들은 개인 프로젝트로 한 학기 동안 본인 인생 목표를 설정하고 이를 이루기 위한, 일명 인생전략계획(Life Strategy Planning, LSP)을 수립해야 합니다. 그리곤 모두에게 발표합니다. 그때까지만 해도 저는 미련을 못 버려서 기대감을 품고 발표를 들었습니다.

그러나 우리 학생들의 목표는 '자신의 행복', '가족의 행복', '안정되고 편한 삶'. 지망하는 진로는 공공기관, 공기업, 아니면 금융권 같은 비교적 안정적인 업종. 자기 삶의 질을 최우선으로 여기는 전략계획이더군요. 더 이상의 충격은 없습니다. 이해도 됩니다. 우리 때와는 다른 세상을 사는 그들 모습에 또래인 제 자식들이 투영됩니다. 저도 부모로서 자식들이 주위에 휩쓸리지 않고 본인 생각대로 안정되고 편한 삶을 살기를 바라니까요. 그런 학생들이, 학생들의 발표가 차라리 현명하고 현실적이라는 생각까지 하며 수긍하고 있는 저를 발견하기도 하였습니다.

그렇지만 말입니다. 정말 그걸로 충분할까요? 지극히 현실적이고, 그래서 현명하기도 하지만 그것만으로 괜찮나요? 그런 경험 없나요? 대체로 이기적인 나이지만 때때로 남을 위해 일하고, 대체로 개인적인 우리이지만 때때로 사회를 위해 무언가를 해서 보람을 느꼈던 순간. 늘 있는 일은 아니지만 평범한 우리에게도 찾아오는 충만함. 그러한 보람과 충만함을 못 느끼고 사는 인생은 왠지 억울하지 않을까요? 계속 거룩한 얘기나 하자고 이러는 건 아닙니다. 걱정 마세요. 저도 그런 사람은 못 되니까요. 그러나 적어도 삶의 목적이나 목표에 그 정도의 거룩함은 스며들게 해야 하지 않을까요? 스스로에게 존중받고 누구나 인정할 수 있는 나만의 목적과 목표로 차원 높은 행복을 맛보아야 하지 않을까요? 우리 학생들도 표출하지는 않지만, 어렴풋이 느끼고 있을 겁니다. 당신도, 만일 남다른 보람과 충만함을 맛본 경험이 있다면, 공감하지 않습니까?

무조건 이타심이나 정의감을 발휘하라는 것도 아닙니다. 학생들이 수업시간에 발표한 목표는 지극히 실현 가능한 것들이었습니다. 하지만 이왕이면 '회사에서 인정받는 재무전문가'보다는 '회사에서 최고' 혹은 '국내에서 최고'면 좋지 않을까요? '오래 안정적으로 회사발전에 기여'보다는 '회사 최고경영자로 혁신적 발전 주도'가, '10억 모으기'보다는 '100억', '1,000억'이 멋지지 않나요? 허황된 꿈을 꾸자는 얘기도 아닙니다. 하지만 목표가 삶을 만들고 목표의 수준이 삶의 수준을 좌지우지하는 것 아니겠습니까?

세운 목표가 있죠? 그렇다면 목표를 좇아야지 목표에 쫓기면 안 되겠죠. 이번 장에는 목표를 좇는 능력, 즉 목표를 설정하고 목적을 성취하는 능력에 대해 다루려 합니다. 명확하게, 구체적으로 목표를 설정하고 단계적으로 목적을 성취해나가는 방법도 다루려고 합니다. 염려 안 해도 됩니다. 지금까지의 이상적인 어투와는 다를 것입니다. 충분히 현실적인 능력과 방법들이죠. 그러나 중요한 건, 이상적이고 고상하고 높은 수준의 목표설정이 실제 현실에 큰 도움을 준다는 사실입니다.

서설이 긴 김에 조금만 더. 수준은 높지만, 실현 가능성이 적은 목표를 다룰 때 종종 쓰는 표현은 '희망'입니다. '쇼생크 탈출' 보았죠? 역시 스티븐 킹 원작의 영화로, 저도 그렇고 한국 사람들이 무척이나 좋아하는 영화입니다. 이 영화의 주제를 한 단어로 꼽자면 '희망'입니다. 처를 살해했다는 억울한 누명을 쓰고 복역하는 주인공 앤디에게, 교도소

절친인 레드가 훈계합니다.

"친구, 알아야 해. 희망은 위험한 것이야. 희망은 사람을 미치게 만들지. 이런 곳에서 희망은 부질없어."

그러나 앤디의 희망을 일축했던 레드는 끝내 이렇게 말하게 됩니다. 영화의 마지막을 장식하는 독백이었죠.

"나는 앤디가 그곳에 있기를 희망한다. 나는 내가 국경을 넘을 수 있기를 희망한다. 나는 내 친구를 만나 악수할 수 있게 되기를 희망한다. 태평양이 내 꿈속에서처럼, 푸른 빛이기를 희망한다."

희망 없는 삶, 폼 나는 목표도 없는 업, 멋진 목적이 없는 인생, 이들이 과연 무엇이겠습니까. 그것이야말로 부질 없지 않겠습니까. 영어로 죄를 의미하는 'sin'의 어원은 '과녁을 벗어나다'랍니다. 과녁이 목표고, 목적이고, 희망이라면, 이들을 배제한 삶은 죄 아니겠습니까? 아 참, 많은 죄를 저지른 브라이언 스미스는 스티븐 킹을 친 사고 몇 달 후에 약물 남용으로 죽었답니다. 근데 그 사망일이 공교롭게도 스티븐 킹의 생일이었다고 하네요. 공포 픽션 작가의 논픽션 스토리답네요. 죄 많은 이에게 고상하고 고결한 과녁은 과분한 것이었겠지요.

그렇지만 대다수 우리에게는, 스티븐 킹과 같은 비범한 사람에게도, 우리와 같은 평범한 사람에게도, 저와 같은 구세대에게도, 학생들과 같은 신세대에게도, 희망은 필요합니다. 부질없지 않습니다. 그럴듯한 목표를 세우고 그럴듯한 목적을 향해 정진해야 합니다. 그것이 우리가, 당신이해야 할 일입니다. 이상적으로도 그럴듯하고, 현실적으로도 그럴 수 있는 목표와 함께 말입니다. 이번 장에서 다룰 내용입니다.

미션과 비전

누구에게나 목표가 있습니다. 사소한 일에도 목적이 있습니다. 그러나 누구나 이를 잘 인식하는 것은 아닙니다. 지금 여러분 인생의 목표나 하고 있는 일의 목적을 말해보시겠습니까? 아니면 써보시겠습니까? 물론 잘 알고 있겠지요. 하지만 '아는 것'과 '말하는 것'은 다릅니다. '쓰는 것'과도 다릅니다. 생각만으로는 명확하지 않을 수 있다는 얘기죠. 반복된 생활과 업무이다 보니 왜 이렇게 살고, 하고 있는지 잊기도 합니다. 그냥 하던 대로 하는 겁니다.

한편, 목적과 수단을 혼동하는 경우도 있습니다. '10억 모으기'가 설마 목적은 아니겠지요. 100억, 1,000억이라도 목적이 될 수는 없습니다. 그러나 수단에 매진한 나머지 수단이 아예 목적으로 둔갑하는 경우는 지천입니다. 지천이니 그냥 우스운 얘기 하나 하고 끝낼게요. 불면증에 시달려 매일 수면제를 먹어야 잠을 잘 수 있는 사람이 있었습니다. 하루는 너무 피곤해서 소파에서 잠들 뻔했습니다. 그는 자리에서 뻘떡 일어나 이렇게 외칩니다.

"큰일 날 뻔했군. 수면제도 안 먹고 자려 하다니."

명확하게 목적을 인식해야 합니다. 의도적으로 인식하고 살아가야 합니다. 목적이 있는 줄 알았는데 실상은 없기가 일쑤입니다. 비록 고결한 것이 아니더라도 뚜렷한 목적을 명확히 기억하며 살아가야 합니다. 우리네 인간은 보고 싶은 것만 보는 성향이 있죠. 굳이 구태여 고개를 돌리지 않는다면 결코 볼 수 없습니다. 같은 방향에 시선을 두어도 누구에게는 보이는 게 누구에게는 보이지 않습니다. 목적의식이 있느냐 없느냐의 차이겠죠.

세계 최초로 비행기를 이륙시킨 라이트 형제는 실패를 거듭하다 마침내 성공하여 기쁜 소식을 누이동생에게 전보로 알립니다.

'드디어 공중에서 120피트 비행 성공. 크리스마스 때 귀향함.'

동생은 전보를 그 지역 신문 편집자에게 가져갑니다. 그 편집자는 흘끗 보며 말합니다.

"당신 가족들에게 좋은 소식이군요. 크리스마스 때 두 아들이 집에 온다니 말이요."

편집자의 눈과 마음에는, 비행이 인류의 커다란 진보라

는 인식이 아예 없었으니까요.

목적과 목표를 인식하고 있다면 그것이 올바른지 늘 의식하고 따져보게 됩니다. 그런데 여기서 '올바른'은 '도덕적으로 바른'이라는 의미뿐 아니라 '세속적으로도 옳은'이라는 의미를 내포하기도 합니다. 세속적으로 합당하고 적절해야 실현 가능성과 달성 가성비도 높아지겠지요. 올바르지 않은 목표에 올인하는 행위의 위험성을 경고하는 문구는 꽤 있습니다. 속되게는 '무식한 놈이 소신 있다.'는 말이 있죠. 조금 있어 보이게 바꿔보면, '잘못 세운 목표에 정확한 의사결정과 최선의 노력을 하는 것만큼 비능률적이고 위험한 일은 없다.' 제 말이 아니고 피터 드러커의 말입니다.

'비능률' 같은 용어가 등장하니 개개인의 목표를 넘어 조직과 기업의 그것들도 생각납니다. 다수의 구성원으로 뭉친 조직에서 통일되고 명료한 공동체 목표의 중요성은 더욱 높아집니다. 그래서 그런지 어느 정도 모양새를 갖춘 조직이나 기업에서 무척이나 공들여 올바르게 정립하고 선명하게 부각하고자 하는 것이 있습니다. 미션mission, 그리고 비전vision이 그것입니다. 그런데 알고 있나요? 미션과 비전의 차이. 이 둘의 차이를 간과하는 사람도 있지만, 저는 정확히 해두고 싶습니다. 구분을 명확히 하는 것 자체가 이번에 소개할 능력과 깊은 관계가 있거든요.

존재의 이유

미션은 종교적 색채가 묻어 있는 단어입니다. 보통 '험난한 임무를 동반하는 종교적 사명'이라는 의미로 사용되었죠. 점차 '국가나 다수의 공익을 위한 어려운 임무'라는 의미로 그 용도가 확장되다가, 지금은 '개인과 조직의 임무'로도 통용됩니다. 이런 뿌리로 인해, 비록 사적인 용도로 쓰여도 미션이라는 단어에는 거룩함이 배어 있습니다. 보통 미션으로 표방하는 임무는 단순하게 처리하거나 가볍게 해결되는 업무가 아닙니다. '존재의 이유'라 할 수 있는 보다 근원적인 명분을 충족시키는 임무입니다. 그러니 개인의 미션을 '10억 모으기', 기업의 미션을 '100억 불 수출 달성' 같이 정하면 뭔가 어긋난 느낌이 들 수밖에 없겠지요.

실제의 예를 들어보겠습니다.

'세계를 상쾌하게 만들고, 긍정과 행복의 순간을 만들기 위해 노력하며, 가치와 새로운 차이를 창조한다.'

코카콜라 컴퍼니의 기업 미션입니다. 콜라 회사답게 세계를 '상쾌하게' 만들고자 하는군요. 다른 콜라 회사도 볼까요?

'세상의 환경, 사회, 경제 모든 측면을 향상시켜 오늘보다 더 나은 내일을 만든다.'

펩시코의 미션입니다. 미션의 원래 취지와는 잘 맞지만 상쾌한 느낌은 부족하네요. 일본 소프트뱅크의 '정보혁명으로 인류를 행복하게'도 나쁘지 않지만, 삼성전자의 '인재와 기술을 바탕으로 최고의 제품과 서비스를 창출하여 인류사회에 공헌한다'가 훨씬 와닿습니다. 그렇지만 제가 들어본 기업이나 조직의 최고의 미션은 이것입니다.

'하나님의 사랑으로 인류를 질병으로부터 자유롭게 한다.'

어떻습니까? 연세대학교 의료원, 세브란스의 미션입니다. 종교가 있고 없고의 문제가 아닙니다. 자신의 정체성과 존재의 이유, 목적을 이토록 간결하게 표현하다니. 압권이라 생각합니다. 제가 이 대학의 교수라 하는 말이 절대 아닙니다. 믿어주세요.

여러분이 몸담은 조직은 어떤 미션을 갖고 있나요? 당신 회사의 미션은 무엇인가요? 간결하면서도 존재의 목적이 명확한가요? 제 전공 분야에서 나름 열심히 해온 덕에 꽤 많은 기업을 알게 되었습니다. 몇 권의 책으로 기업 강연도 나가게 되어 더 많은 기업을 직접 접하게 되었습니다. 그러면서 회사 CEO의 방에 있는 사훈社訓이나 회사 홈페이지에 있는 설립 목적을 살핍니다. 훌륭한 것들도 많지만 솔직히 그렇다고 보기 어려운 것들도 많았습니다. 추상적이거나 너무 흔해서 강렬한 감흥을 전하지 못하는 것들이 많더군요. 심지어 미션이 뭐냐, 필요한 것이냐 되묻는 이들도 있었고요.

어찌 보면 가장 흔한 경우는, 미션과 비전이 구분 없이 혼용되는 것입니다. '국내 No. 1 제약기업'이나 '글로벌 선도 식품기업'은 기업이 '달성하고자 하는 무엇'이지, '본질적으로 추구하는 무엇'이라 보기는 어렵습니다. 아무리 기업의 본질이 이익 추구라 하더라도 미션에서만큼은 이기적인 목표보다는 기업이 속한 사회와 국가, 기업이 응대하는 고객과 시장을 우선시하는 가치가 표방되어야 합니다. 그렇게 미션을 정하고, 그러한 미션에 도달하기 위한 핵심 방편으로, 자사의 이익을 추구하는, No. 1, 혹은 선도 기업으로 도약하는 목표, 즉 비전을 설정하는 것이 타당합니다. 예를 들면 이렇게요. '국민의 건강을 책임지는 제약기업'을 미션으로, '국내 No. 1 제약기업'을 비전으로 말이죠. 'No. 1'이 되어야 국민의 건강을 주도적으로 책임질 수 있으니까요.

공동체 의식, 자존감, 응원

그게 그거 아니냐고요? 굳이 그렇게 낯간지러운 거룩함을 내세울 필요가 있느냐고요? 필요합니다. 공허하고 이상적인 슬로건으로만 치부하면 안 됩니다. 현실적인 관점에서도 필요합니다. 그 이유는 크게 3가지로 설명할 수 있습니다.

첫째로, 공동체 의식을 위해서입니다. 기업과 같은 조직은 영리를 위해 설립됩니다. 기업의 구성원도 모두 개개인의 이익을 좇아 기업 활동에 참여하고요. 이기심으로 뭉친 이익집단이니 분열의 기미가 상존합니다. 조금만 흔들려도 각자도생이 만연해집니다. 그러나 이때 무언가 모두가 수긍할 수 있는 가치를 내건다면 이기심을 넘어서는 공명심에 호소할 수 있습니다. 인간이라면 누구나 명예로움에 대한 갈망이 있지 않겠습니까. 미션은 알게 모르게 그런 갈망을 채워주는 작용을 합니다. 다수가 단일한 공동체 의식을 지니게 하기 위해서는 누구나 인정할 수 있는, 이기심이라는 동기를 넘어서는 미션이 있어야 합니다.

이어지는 두 번째 이유는, 기업과 구성원이 더욱 분발하게끔 하기 위함입니다. 대개 적절한 미션이 그려내는 청사진은 지금 현 단계의 기업과 구성원의 실적과 능력으로 이뤄내기 어려운 모습입니다. '험난한 임무'가 미션의 뜻이라 했잖아요. 보다 높은 수준이 지향되어야 하는 것입니다. 그러니 우리는 미션 앞에서 노력하게 됩니다. 애초에 안주하지 않고 노력할 것을 전제하는 거죠. 더구나 우리끼리 잘 먹고 잘살자는 얘기가 아니라 하니 쉽게 거부할 수 없습니다. 구성원의 분발을 맘껏 강요하고, 노력을 성심껏 강조해도 되는 강력한 명분이 됩니다.

세 번째 이유는 조직 차원을 벗어납니다. 기업은 어차피 외부의 인정과 외부와의 관계로 먹고삽니다. 외부에서 기업을 어떻게 보느냐가 중요한 것이죠. 물론, 기업이 송출하는 공익광고나 고결한 미션을 보고 바로 그 기업이 착하고 고상하다고 생각하지는 않습니다. 그러나 부지불식간에 스며듭니다. 추후 미션과 부합되는 고상한 모습을 보여주면(비단 그것이 보여주기식이라 하더라도) 사람들은 칭찬합니다. 때론 응원합니다. 한 번 비교해서 따져보세요. 아예 그런 미션 없이, 아무 생각 없어 보이는 기업과 나란히 비교할 때, 같은 값이면 누구의 제품과 서비스를 이용할지 말입니다.

자, 이제 여러분에게 돌아오겠습니다. 여러분의 미션은 무엇입니까? 삶의 목적은 무엇인가요? 압니다. 저도 그렇고, 대부분의 사람들에게 고결하고 고상한 미션은 낯간지러운 가치라는 걸요. 사치일 수도 있고요. 그러나 미션을 지니고 살아야 합니다. (종교 서적의 제목이긴 하지만 그 자체로 아주 멋진) 《목적이 이끄는 삶》을 살아야 합니다. 물론, 미션스러운 목적이어야 하겠지요. 그 이유는 기업의 경우와 흐름이 유사합니다. 대비하면서 보아도 좋습니다.

첫째로, 자존감을 위해서입니다. 우리 모두에게는 고차원의 자아와 저차원의 자아가 있습니다. 차마 밝힐 수 없는 '부끄러운 자아'가 있고, '꽤 괜찮은 자아'도 있습니다. 이 '꽤 괜찮은 자아'를 끌어내야 합니다. 보잘 것 '많은' 나를 앞장세우고 미션이라는 완장을 채워주어야 합니다. 미션을 정해서 쓰고, 읽고, 때론 외쳐야 합니다. 그러면 자존감이 상승하고, 그러한 미션을 지향하는 자신이 대견해지며, 그렇게 하는 자신을 존중하게 됩니다. 남의 말에 쉽게 휘둘리거나, 남의 일에 참견하지도 않습니다. 존중하는 나와 나의 일이 소중한데 굳이 남과 남의 일에 에너지를 소비할 게 뭐 있겠습니까.

두 번째 이유 역시 첫 번째의 연장선상에 있습니다. 나를 소중하게 만드는 미션은 나를 노력하고 분발하도록 재촉합니다. 미션을 이루기 위해 더 많은 능력을 개발하고, 더 나은 내가 되라고. 높은 목표는 높은 능력을 만들어줍니다. 때론 힘들고 지쳐도 다시 힘내게 해줍니다. 다만 지나치게 높은 목표는 사람을 지치게 합니다. 그렇지만 정말 지나치지만 않다면, 목표 달성 시의 성취감에 대한 기대가 사람을 지치지 않게 합니다. 고백합니다. 저는 현재의 자기 수준을 상회하는 목표 없이, 노력 없이 지내는 사람에게는 매력을 '1'도 느끼지 못합니다. 설상가상으로, 자신에 대한 기대치와 수준을 낮게 설정하여 그럭저럭 살아가는 사람에게 무슨 멋을 기대할 수 있을까요. 소크라테스의 표현대로 '배부른 돼지' 아닐까요? 이런 책에 시간을 할애하며 역량을 증진하고자 하는 여러분도 충분히 공감하지 않나요?

세 번째 이유는, 주변의 응원을 얻기 위함입니다. 아무리 높은 자존감을 가졌어도 사회적 동물인 우리는 주변의 호응으로 꿈과 자신을 키워갑니다. 아끼는 사람들을 실망시키지 않기 위해서라도 응원에 부응하려 애씁니다. 누군가 여러분에게 꿈이 무어냐고 물었을 때, 금전적인 수치나 개인적인 안위에 국한되는 것을 말한다면 상대는 입을 다물 겁니다. 딱히 반대하는 건 아니지만 더 할 얘기는 없으니까요. 물론, 고상한 미션이 여러분 입에서 흘러나와도 상대는 입을 다물 겁니다.

그렇지만 상대의 마음속에는 두 경우에 서로 전혀 다른 생각이 스칠 것입니다. 관건은 여러분이 보여준 고상함을 상대가 마음으로 믿느냐는 것인데, 그래서 앞서 강조했습니다. 미션을 정해서 쓰고 읽고 때론 외치라고. 그것을 여러분이 내재하고 있다면 분명 믿을 것입니다. 아니 정말로 그렇다면, 여러분에게 상대가 믿고 말고는 아예 중요하지도 않을 것입니다.

그런데 응원은커녕 방해하는 사람들이 있습니다. 방해

한다고는 절대 말하지 않겠지요. 그냥 괜찮다고, 뭐 그리 힘들게 애쓰냐 하며 담배를 권합니다. 정작 담배 끊으려고 사투를 벌이고 있는 판인데요. '다 너를 위해서 하는 얘기'라는 뉘앙스를 풍기면서, 괜찮으니 편히 가자고 합니다. 하지만 그들이 위하는 자는 여러분이 아니라 그들 자신입니다. 왜냐하면 여러분의 성공은 그들에게 실패를 의미하기 때문입니다. 여러분이 눈물겹게 노력하여 한 단계 올라서면 그들은 한 단계 내려간 꼴이니까요. 여러분의 승리는 그들에게 자신의 패배와 나태를 확인시켜주는 명백한 신호가 되니까요. 그렇지 않습니까?

우리는 우리의 미션을, 노력을 진심으로 응원하는 사람을 곁에 둬야 합니다. 그런 사람이 누구인지를 알기 위해서라도 미션을 가져야 하지 않을까요? 정해서 쓰고 읽고 때론 외쳐야 하지 않을까요? 그러니 어떻습니까? 우리를 티 안내며 끌어내리려는 그들보다는 그래도 저 같은, 선생입네, 교수입네 티 내는 사람이 낫지 않습니까?

지향능력

상대적으로 미션보다 익숙하고 많이 쓰이는 용어가 비전입니다. 개인도 그렇지만 웬만한 규모의 조직은 모두 비전을 갖고 있습니다. 쉽게 말하면, 비전은 '현재에서 바라본 미래의 목표'라 할 수 있겠습니다. '현재에서 바라는 미래의 모습'이고요. 어쨌든 개인이나 조직이 미래에 성취하고자 하는 무엇을 나타낼 때 씁니다. 앞서 등장한 '국내 최고 재무 전문가'나 '국내 No. 1 제약기업', '글로벌 선도 기업' 같은 것들이 그것이겠죠.

개인이 말하는 '비전'은 보통 '꿈(dream)'이라는 단어로 대체되는 경우가 많습니다. 꿈, 좋은 단어이긴 한데, 저는 의도적으로 꿈과 비전을 구분 짓고 싶습니다. 우리가 바라며 이루고 싶은 것이라는 면에서는 같지만, 구체성의 측면에서 차이가 있기 때문입니다. 비전은 시각입니다. 실제로 보는 것과 관계가 있습니다. 심지어 구체적으로 보는 것이지요. 물론 꿈에서도 무언가를 보지만 실제로 보는 것과는 거리가 멉니다. 실제가 아니니 되려 마음대로 꿈꿀 수 있습니다. 현실과는 괴리가 커도 상관없지요. 이에 비해 비전vision은 실제로 보는 것, 보이는 것, 보이게 하는 것, 즉 '비주얼라이제이션(visualization, 가시화)'에 가깝습니다.

두 어린이가 심심하던 차에 마을의 일을 도울 겸 벽돌을 쌓고 있었습니다. 지나가던 누군가 "지금 무얼 하고 있니?"라고 물어보자, 한 어린이는 "벽돌을 쌓고 있어요."라고 대답했고, 또 한 어린이는 "교회를 짓고 있어요."라 답합니다. 그리고 훗날 두 어린이는 완전히 다른 삶을 살았다고 합니다. 요새 어린이들이 심심하다고 벽돌 쌓을 일은 별로 없겠지만요. 놀거리, 볼거리가 얼마나 많은데요. 어린이를 위한 세상에 어린이용 채널도, 어린이 중심 테마파크도 부지기수죠.

하지만 지금 중장년인 이들의 어린 시절에는 그렇지 않았습니다. 그 시절 어린이에게 빛을 밝혀준 미국의 디즈니 애니메이션, 디즈니랜드는 말 그대로 꿈의 동산이었죠. 디즈니의 창업자 월트 디즈니는 어린이들의 꿈을 더 넓게 키워주기 위해, 플로리다에 디즈니랜드 100배 면적의 디즈니월드를 착공합니다. 그러나 그는 완공을 보지 못하고 작고합니다. 사망 후 5년이 지난 1971년, 드디어 디즈니월드는 문을 엽니다. 개장식에 참석한 미망인 릴리 디즈니가 감격스러워하는 동안, 한 직원이 넌지시 말합니다.

"월트 디즈니 씨가 이 장면을 보았다면 얼마나 좋아하셨을까요?"

의례적인 말에 릴리 디즈니는 이렇게 대답합니다.

"그는 이 장면을 벌써 보았습니다. 그러니 여기에 이렇게 건립된 것이지요."

비전은 보는 것, 보여주는 것입니다. 그만큼 구체적인 것입니다. 아주 구체적으로 설정해야 합니다. 눈으로 명확히 본 것처럼요. 월트 디즈니의 마음속에 이미 디즈니월드가, 한 어린이 마음에는 교회가 명확히 그려져 있었던 것처럼 말이죠.

특히 여럿이 나눠야 할 비전이라면 더욱 그렇습니다. 안 그러면 같은 문구, 같은 단어에도 각자의 생각이 달라집니다. 앞서 예시한 '국내 최고 재무전문가', '국내 No. 1 제약기업', '글로벌 선도 기업'도 높은 점수를 줄 비전으로 보기는 어렵습니다. '최고'는 뭐가 최고라는 얘기죠? 어떤 영역, 어떤 기준에서 'No. 1'인가요. 또 '선도'는 뭘 선도한다는 의미인지요. 다수의 구성원이 실제로 똑같은 목표를 지향하게 하려면 상세하고 명확해야 합니다. 다른 곁가지를 완벽히 잘라내야 합니다.

비전이 구체적이어야 하는 이유는 모든 구성원이 비전을 비전답게 받아들이게 하기 위해서이기도 합니다. 일반적으로 비전은 경영층이 수립합니다. 회사 소유자가 최종결정하는 사항이죠. 그러니 모두가 아닌 일부의 비전이 되는 현상이 발생합니다. 그렇지 않은가요? '최고 No. 1 선도 기업'이 되는 게 말단 직원들에게는 무슨 상관이죠? 소유자는 당연히 좋겠지만요. 좀 과하지만 강렬한 예시가 있습니다. 아래는 어느 작은 연구소의 비전이랍니다.

'3년 후 모든 직원에게 BMW 한 대씩'

어떻습니까. 세속적이지만 강렬하지 않습니까? 저마다 BMW 옆에서 차 키 들고 서 있는 자신의 모습을 명료하게 보아내지 않았을까요? 아, 그러고 보니 친한 지인은 지금의 처에게 청혼할 때 "BMW 사줄게. 결혼하자!" 했다 합니다. 상징적이면서 구체적이지 않나요? 믿지 않더라고요.

지향은 움직이는 행위

이번 장에서 소개할 능력은 '지향(aiming)'입니다. 지금까지 많이 언급했던 '목표'나 '목적'과는 다른 용어를 택했습니다. 지향은 단순히 목표를 가리킬 뿐 아니라, 그것으로 향하려는 의지를 나타냅니다. 목적 자체뿐만 아니라, 그에 이르는 데 필요한 수단과 예상되는 결과까지 모두 아우르는 관념이라 합니다. 저는 지향능력을 이렇게 정의하렵니다. **'목표를 설정하고 이에 도달할 수단을 강구하며, 또한 목표와 수단에 변화를 줄 수 있는 능력.'** '목표와 수단에 변화를 줄 수 있는'이 덧붙어 있는데, 이것은 후에 설명하겠습니다. 세세한 부가 설명 없이도, 조금 후면 자연스레 이해될 내용입니다.

'지향'은 동태적인 개념입니다. 움직이는 행위입니다. 설정하고 강구하며, 변화를 주는 행위입니다. 글자에도 포함되어있듯이 '향向', 즉 '방향'이 있습니다. 부동의 점이나 선이 아닌 벡터vector인 셈이죠. 목적과 목표 그 자체보다는 목적추구와 목표설정의 과정이 중시되는 모양새입니다. 수단까지 강조하면서, 또 때론 그것들에 변화도 주겠다는 능력이니까요.

'지향'에서 '향' 말고 남은 '지志'는 뜻이나 의지입니다. 그렇지만 저는 손가락 '지指'로도 쓰고 싶습니다. 손가락으로 목표대상을 지목하는 행위는, 그에 대한 결연한 노력의 의지를 표출하는 느낌이 들어서죠. 한자까지 바꾸냐고 뭐라 하지 말고, 그냥 다채롭게 설명하려나 보다 하고 받아주길 바랍니다.

손가락으로 과녁을 가리킵니다. 목적지나 목표물이 또

렷하면 좋겠죠. 누누이 얘기했지만, 비전은 손가락으로 가리킬 수 있을 만큼 명확하고, 손가락 전체로 움켜쥘 수 있을 만큼 구체적일수록 좋습니다. 꿈에서나 보이는 총체적 이상향은 비전으로 성립되지 않습니다. 그런데 구체화해야 하는 것은 비전의 내용만이 아닙니다. 형식도 매한가지입니다. 입으로만 중얼거리고 마음으로만 꿈꾸는 비전은 비전이라 보기 어렵습니다. 쓰고 외치라 했지요. 생존 현장의 기업들은 비전을 온 곳에 써 붙입니다. 사무실에 회의실에, 홈페이지에, 게시판에. 비전 선포식을 개최하고 심지어 낭독대회도 합니다. 일상 곳곳에서 눈에 보이고 마음에 각인되게끔 구체화된 형식으로 존재하는 것이 비전이지요.

단지 기업에 국한된 얘기일까요? 2001년 1월 미국에서 유일하게 전국지로 발간되는 일간신문인 〈USA 투데이〉는 독자들을 대상으로 신년계획에 대한 인터뷰를 대대적으로 시행합니다. 꼼꼼하게 결과를 기록했던 〈USA 투데이〉는 1년 후에 같은 독자들을 대상으로 이전 신년계획의 성취 여부에 대한 조사결과를 발표합니다. 가히 충격적이었습니다. 계획을 글로 적어두었던 독자들의 성취도가 머릿속으로 생각만 했던 독자의 성취도에 비해 11배가 높았던 거죠!

이와 유사한 얘기의 원조는 그로부터 다시 약 50년 전으로 거슬러 올라갑니다. 1953년 일입니다. 예일대는 졸업하는 학생들을 대상으로 인생의 목표에 대한 설문 조사를 합니다. 핵심 질문은 '목표를 명확히 설정하고 이를 구체적으로 작성한 적이 있느냐'는 것이었죠. 20년 후 1973년에 예일대는 20년 전의 졸업생을 다시 조사하였습니다. 이에 따르면, 핵심 질문에 '그렇다'라고 답변한 3%의 졸업생이 그렇지 않은 나머지 97%를 모두 합한 것보다 높은 경제적 성취를 이루고 풍요로운 삶을 일군 것으로 나타났습니다. 명문 예일대의 우수한 학생들 사이에서도 차이가 발생한 것이죠. 참고로 그 조사연구의 제목은 〈목표를 적어두었을 때 나타나는 효과〉입니다. 더 얘기하지 않아도 되겠죠?

낯간지럽고 낯뜨겁게

미션은 거룩하게 작성해야 합니다. 거룩하다 보면 충분히 추상적일 수 있습니다. 내가 속한 국가와 사회를 향한 뜨거운 마음은 손에 그러쥐기 어려운 것일 수 있습니다. 존재의 이유이자 목적이다 보니 포괄적으로 표현하는 게 자연스럽겠지요. 반면에 비전은 명확한 것입니다. 충분히 구체적이어야 합니다. 미션이 마음으로 보는 것이라면, 비전은 실제 눈으로 보는 것이고, 설령 보이지 않아도 보이게 하는 것입니다.

미션이 이상적이라면 비전은 현실적입니다. 이상과 현실은 조화를 이루어야 합니다. 미션이 명분이면 비전은 실리입니다. 항상 명분과 실리의 균형을 잃지 않도록 노력해야 합니다. 미션은 낯간지럽게 잡고 비전은 낯뜨겁게 잡아야 합니다. 간지럽고 뜨거우면 낯은 단련됩니다. 그런 낯이 인생의 목표와 목적에 다다르게 도와줍니다.

과녁을 가리키고, 과녁에 대한 의지를 불사르는 지향능력은 미션과 비전을 적정하게 수립하는 데에서 출발합니다. 그렇다면 출발선상에서, 미션과 비전 중 무엇을 먼저 정해야 할까요? 이상과 현실, 명분과 실리의 균형과 조화를 더 잘 도모하려면 둘 중 무엇부터 작성해야 할까요? 솔직한 답은, '아무거나 먼저'입니다. 이론적으로는 당연히 미션이 먼저입니다. 미션 하위에 비전이 자리 잡거든요. 이론상, 거룩한 미션을 이루기 위한 비전을 그다음에 수립하는 것이 흐름이라는 얘깁니다.

하지만 인간이나 영리조직인 기업은 원체 이기적인 존재입니다. 이기적 존재의 존재 이유가 '이타성의 실현'이라 하면 앞뒤가 안 맞는 꼴이죠. 이기심이 충족된 자가 이타심도 발휘하는 법이지요(그렇지 않은 사람은 속세의 사람이라 보기 어렵겠죠). 그래서 먼저 비전을 설정하고 다음에 이를 승화할 고차원적 관념으로 미션을 만드는 경우가 많습니다.

알기 쉬운 기업의 예를 계속 들어보죠. '국내 시장 점유율 1위의 물류기업'이 사실상의 목표이자 비전이라면, '국민 행복 배송업체'라는 정도의 미션도 어울립니다. 그러나 이렇게 부차적으로 정립된 미션이라도 일단 비전의 상위에 놓이면 자꾸 올려다보게 됩니다. 그러면 모두에게 각인되며 제구실을 하게 되겠지요. 미션의 가치는 관념에 있습니다. 비전이 아무리 현실의 가치라도, 그 현실 또한 언젠가는 관념의 지배를 받게 되는 것이지요. 그러니 이 둘을 함께 두는 것이 중요합니다. '무엇이 먼저냐'보다도 말이죠.

여러분의 미션과 비전은 무엇인가요? 이상과 현실이 조화롭기를 원하지 않나요? 명분과 실리가 균형 잡히길 바라지 않습니까? 아직도 미션과 비전에 관심이 없나요? 신년계획을 이룰 가능성을 11배 높이고 싶지 않습니까? 97%의 합보다 풍요로운 3%에 들고 싶지 않나요? 이래도 미션과 비전을 쓰고 외치지 않을 생각입니까? 그리하고자 한다면 마음 다잡고 계속 가도록 하겠습니다. 지향능력을 얻을 방법을 향해서요.

어떻게 지향능력을 얻을 것인가

지금까지 지향을 수행하는 내용을 한 단어로 하자면 '비저 닝visioning'이라 할 수 있습니다. '비전을 수립하는 행위'죠. 비전은 목표를 분명하게 가시화하는 것이라 했고, 여러 이 유로 그만큼 구체적이어야 한다고 했습니다. 사실 더욱 강 조한 것은 '미션과 비전의 커플링'입니다. 미션이 무엇인지, 왜 필요한지, 왜 미션이 비전과 동반되어야 하는지에 꽤 길 게 서술하였죠. 지향능력은 '목표를 설정하고 이에 도달할 수단을 강구하며, 또한 목표와 수단에 변화를 줄 수 있는 능 력'입니다. 이 문구 중 '목표를 설정하고'는 비저닝으로 어 느 정도 설명된 것 같습니다. 이제 '이에 도달할 수단을 강 구하며'의 차례입니다. 얼핏 봐도 쉽지 않아 보이네요. 사람 들이 쉽게 하는 말부터 해볼게요.

"하고 싶은 일을 해라. 의욕과 열정이 있는 일을 해라. 그래야 성공한다."

쉬운 만큼 그럴듯합니다만, 그렇습니까? 혹 반대로 성공하면 그게 하고 싶었던 일이 되는 것 아닌가요? 하고 싶은 일을 하면 성공합니까? 특별한 자질을 가진 일부에게는 그렇겠죠. 하고 싶은 일에 자질이 있으면 성공을 부르겠죠. 그러나 일반적으로는 아닌 것 같습니다. 의욕이 충만하면 오히려 위험합니다. 과신하는 열정으로 나락에 빠집니다. 그렇지 않나요?

일단 작은 성공이라도, 성공을 맛봐야 자신감도 생기고 없었던 열정도 생깁니다. 그런 거 아닌가요? 그러니 중요한 것은 '하고 싶은 일'이 아니라 '되는 일'입니다. 작더라도 성공을 맛볼 수 있는 일을 하는 것이, 하게 하는 것이 현명하다고 생각합니다. 그러니 함부로 권하면 안 됩니다. 하고 싶은 일을 하게 하는 관대함만으로는 부족합니다. 할 수 있는, 될 수 있는 일인지를 따져주는 섬세함도 필요합니다.

미션이나 비전으로 상정된 목표를 달성하는 것은 결코 쉬운 것이 아닙니다. 과정 자체가 그야말로 '험난한 여정'이지요. 자칫하면 의욕과 열정은커녕, 지레 겁먹고 아예 포기하게 됩니다. 어떻게 해야 할까요? 차근차근 단계를 밟아나가야 하겠지요. 작은 성공부터 시작하여 조금씩 키워 큰 성공으로, 궁극적으로 비전과 미션에 도달하게 해야겠지요. 그런 방법이 기본적으로 '이에 도달할 수단'입니다.

1984년 도쿄 국제마라톤대회에서 무명의 선수가 우승합니다. 이변의 주인공 야마다 혼이치는 승리의 요인을 묻는 인터뷰에서 "머리를 좀 썼다."고 합니다. 생뚱맞은 답변에 기자들은 더 이상의 질문을 하지 않았죠. 그런데 2년 후 그는 이탈리아에서 열린 국제 마라톤대회에서 또 우승하고, 다시 "머리를 써서 우승했다."고 소감을 밝힙니다. 그런데도 아무도 그 말의 의미를 알아보려 하지 않았다 합니다. 야마다 혼이치는 은퇴 후 자서전에서 의미를 밝힙니다. 물어보지 않으니 스스로 밝힌 것이죠.

"나는 매번 대회를 치르기 전에 미리 마라톤 코스를 꼼꼼히 돌아봤다. 그리고 코스 주변의 몇몇 목표물을 정하고 아주 구체적으로 그들을 수첩에 적고 외우고 선명히 기억했다. 첫 번째 목표지점은 은행, 두 번째 지점은 큰 나무, 세 번째는 붉은색 건물…. 이런 식으로 전체 코스를 나누어서, 시합 당일에는 하나하나를 돌파한다는 기분으로 뛰었다. 처음부터 결승선을 생각하면 지쳐서 절대 도달하지 못했을 것이다."

《성경》〈마태복음〉에 있는 말씀입니다.

"내일 일을 위하여 염려하지 말라. 내일 일은 내일 염려할 것이요, 한 날의 괴로움은 그날로 족하니라."

보통 이를 '현재에 충실하라' 정도의 메시지로 해석하

기도 하는데, 저는 다르게 봅니다. 이는 '오늘은 오늘 할 수 있는 일을 하고, 내일 할 수 있는 일은 내일 하여, 종교가 지향하는 천국으로의 험난한 여정을 수행하라'는 뜻이 아닐까요? 오늘 일, 내일 일, 또는 은행, 큰 나무, 붉은색 건물, 하면서 지치지 않고 지나치게 괴로워하지 않으면서 단계별로 미션과 비전으로 나아가라는 뜻 아닐까요?

미션 > 비전 > 골 > 오브젝티브 > 전략 > 실행계획

비전과 같은 전략적 목표를 하위 단계별로 풀어나가는 것을 '캐스케이딩cascading'이라 합니다. 캐스케이딩은 '연속된 폭포의 물흐름' 정도로 해석하면 되는데, 아무래도 다음의 그림을 보는 게 좋겠군요. 그림의 최상단은 미션이고, 바로 아래는 비전입니다. 비전 밑으로 본격적인 캐스케이딩이 전개됩니다. 바로 아래에 장기적인 목표인 '골goal', 다음은 세부 목표인 '오브젝티브objective'죠. 사실 '골'과 '오브젝티브'는 혼용되기도 합니다. 중요한 건 더 큰 목표 밑에 그 목표를 이루기 위한 작은 목표가 온다는 점이죠. 이때 비전을 이루기 위한 골이 여러 개일 수 있고, 하나의 골을 달성하기 위해 다시 여러 개의 오브젝티브가 나열됩니다.

예를 들면 '국내 최고 재무전문가'의 비전 달성을 위해

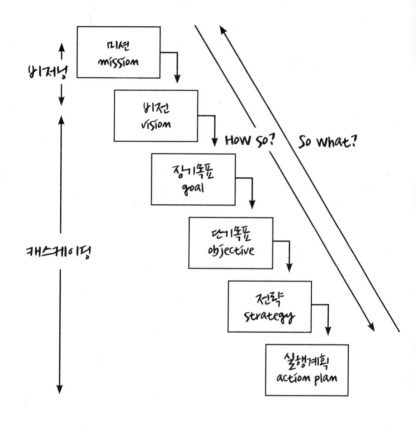

그림2_ 비저닝과 캐스케이딩

골로서 '국내 굴지의 ○○기업의 CFO 되기' 또는 ' 명문 ○○대학 재무전공 교수 되기'를 설정합니다. 2개의 골이 모두 비전에 부합하지만, 둘 중 하나만 되어도 가능한 예입니다. 이어서, '명문 ○○대학 재무전공 교수 되기'를 달성하기 위하여 '재무전공 박사학위 취득'과 '재무 관련 유수 학술지 논문 게재'를 오브젝티브로 삼을 수 있겠죠. 제 경험상 '명문 대학'에 부합하려면 이 2개의 오브젝티브는 동시에 달성해야 할 목표이고요.

이런 식으로, '오브젝티브' 밑에는 이를 위한 '전략(strategy)', 다음은 '전략'을 실천하기 위한 '실행계획(action plan)'이 순차적으로 전개되어 흘러갑니다. 마치 높은 곳에서 물을 부으면 계단을 단계별로 흘러가는 모습이죠. 마치 작은 폭포처럼요. 그래서 캐스케이딩이라 하는 거죠. 예를 마저 끝내자면, 박사학위 취득을 위해서는 대학원 입학 관련 전략, 대학원 학업수행 관련 전략, 대학원 학업을 위한 경제적 여건 관련 전략 등을 수립해야 하고, 또 대학생으로서 대학원에 입학하려면 지금 당장 실행계획으로 학점관리 계획, 영어시험 계획 같은 것들을 세워야겠지요.

비저닝은 그동안 강조한 사항을 숙지한 것으로 상당 부분 진척을 볼 수 있습니다. 그러나 지향능력의 화룡점정인 캐스케이딩은 그렇지 않습니다. 좀 더 들어가 보겠습니다. 캐스케이딩은 물의 흐름입니다. 이때 관건은 '흐름의 방향이 알맞느냐'입니다. 다시, '국내 최고 재무전문가'가 되어보기로 하죠. 이 비전을 달성하기 위한 하위 단계로서 '국내 굴지의 ○○기업의 CFO 되기'나 '명문 ○○대학 재무전공 교수 되기'라는 골을 설정했습니다. 또 이 중 '명문 ○○대학 재무전공 교수 되기'의 하위 단계 오브젝티브로 '재무전공 박사학위 취득'과 '재무 관련 유수 학술지 논문 게재'를 정했었죠. 이게 맞는 흐름이라면, 상위의 요소를 달성하기 위해 필요한 하위 요소가 적절히 나열되어 있어야 합니다. 그리고 그렇게 하려면 하위 요소에 들어갈 것들을 알고 있어야 합니다. '재무전문가'에는 'CFO'와 '재무전공 교수'가 있다는 것을 알아야 하고, '교수 되기'를 위한 방법으로 '박사학위 취득'과 '학술지 논문 게재' 등이 있다는 것을 알아야 한다는 것입니다. 그렇다면 상황에 따라 하위에 들어갈 수 있는 여러 가지 요소를 유연하게 떠올릴 수도 있게 되겠죠.

왠지 비슷하지 않나요? '분류' 장에서 나온 MECE와 말이죠. MECE로 하위의 것을 분류하면 도움이 됩니다. 단 다른 것은, MECE는 가능한 모든 경우로 구성하게끔 분류하는 것이죠. 캐스케이딩에서는 적합한 것들로만 구성하는 것이 바람직합니다. 무엇이 적합한 것이냐고요? 박사학위 취득과 학술지 논문 게재 말고도 교수가 되기 위한 다른 요인들도 있습니다. 이를테면, 운 같은 거죠. 좋은 자리일수록 워낙 경쟁이 치열합니다. 그때 그 대학의 그 자리와 자신이 여러 각도로 맞아떨어져야 합니다. 저명한 학위와 우수한 논문만 있다고 되는 건 아니니까요.

교수 사회에서 교수 임용은 그저 운때와 연때가 제일 중요한 포인트라는 공감대가 암묵적으로 형성되어 있습니다. 그렇다고 '운'을 오브젝티브로 넣을 수는 없잖아요? 그래서 당사자가 추구할 수 있는 것만을 추려 구성하기가 요구됩니다. 그것이 '적합한 것'입니다. 그러니 캐스케이딩이 쉽지 않은 것이고요.

또 이미 얘기했지만, '재무전문가'의 하위에 있는 'CFO'와 '재무전공 교수'는 '또는(or)'의 관계입니다. 둘 다가 아니죠. 반면에 '교수 되기' 밑의 '박사학위 취득'과 '학술지 논문 게재'는 '그리고(and)'입니다. 이런 것들도 고려하면서 물의 흐름을, 캐스케이딩을 전개하는 것이 요점입니다.

내려가며 하우 소? 올라가며 소 왓?

이렇게 위아래로 전개하는 논리 구조를 점검할 때 쓰는 방법이 있습니다. 보통 '와이 소why so/소 왓so what'으로 알려져 있는데, 저는 이를 지향능력에 맞게 '하우 소how so/ 소 왓so what'으로 하겠습니다.

비전이 골로, 골이 오브젝티브로, 다시 전략과 실행계 획으로 흘러 내려갑니다. 내려가며 묻습니다. '하우 소?' '어 떻게 하면 비전이 이루어질까? 그러기 위한 골은 무엇이 지?' 이렇듯 '하우 소?'를 반복하며 캐스케이딩을 전개하는 거죠. 구체적인 실행계획까지 정해졌다면, 이번에는 거꾸 로 올라갑니다. '이런 실행계획이면 이런 전략이 달성되나? 이런 전략을 이행하면 오브젝티브가 구현될까?' 하는 식으 로 올라가며 생각합니다. '소 왓?' 하는 거죠. 그러면서 검증 해봅니다. 내려가며 '하우 소?', 올라가며 '소 왓?'…. 이것을 반복하며 교정하고 개선해가는 방식입니다.

그냥 해도 될 일을, 왜 '하우 소/소 왓' 하며, 꼭 반복해 야 하는지 의구심이 들 수 있습니다. 그렇지만 알아야 합니 다. 인간이 보편적으로 지닌 사고의 편협성과 논리의 편향 성은 생각보다 심각합니다. 비록 평소에 편협하거나 편향 된 성향이 없더라도 논리 전개에 오류가 드러나는 일은 비 일비재합니다. 이것도 MECE와 마찬가지로 해보면 압니다. 시켜보면 압니다. 명료한 논리 전개와 캐스케이딩을 쉽게 찾아보기가 어렵다는 사실을요. 목적과 수단, 원인과 결과 를 혼동합니다. 근원이 되는 주원인과 파생되는 부가 원인을 헷갈립니다. 쉽지 않죠. 그러나 이렇게 저렇게 캐스케이딩하고 점검하다 보면 나아집니다. 지향능력이 쌓입니다.

다이어리 쓰죠? 그렇다면 프랭클린 플래너 써보았나요? 벤자민 프랭클린은 미국이 엄청나게 존경하는 미국인입니다. 어느 정도냐면 미국 달러의 최고액권인 100달러 지폐의 중앙에 떡하니 있는 이가 그입니다. 밑바닥 출신으로 오직 근면과 성실로 삶의 모든 영역에서 완벽한 성취를 이룬 그를 미국인들은 '아메리칸 정신'에 가장 부합하는 인물로 여겨, '최초의 미국인'이라고 부릅니다. 프랭클린은 50년 넘게 매일매일 꼼꼼하게 수첩을 적었습니다. 본인이 이루고자 하는 13개 덕목을 정의하고, 이를 실천하기 위한 계획을 세우고 또 실천 여부를 점검합니다. 그 정신을 승계한 다이어리가 프랭클린 플래너이죠.

뭐, 그렇다고 대단한 것은 아니고요. 시중에서 쉽게 구할 수 있습니다. 그러나 계획을 적다 보면 특별한 점 하나가 있다는 걸 알게 됩니다. 바로 '지향의 캐스케이딩'입니다. 먼저 자기를 지배하는 가치와 그에 대한 사명서를 적게 합니다. 미션이죠. 그리고 비전을 쓰게 합니다. 그렇게 두 요소를 염두에 두면, 연간 계획을 작성하는 면이 나옵니다. 그리고는 월간계획, 주간계획, 일간계획이 연이어 나오는 구성입니다. 이 상위 목표가 당신이 금년에, 이번 달에, 금주에, 오늘 무엇을 할 것인지를 묻고 있는 것이죠. 사실상 그런 식으로 계획을 세우라고 종용하고 있는 것입니다. 자연스레 캐스케이딩을 하게 됩니다. 자연스레 지향능력이 증진됩니다. 한번 써보세요.

저는 저를 지도교수로 택하여 저의 연구실에서 생활하게 되는 대학원생들에게 오랫동안 입학선물로 프랭클린 플래너를 선물했습니다. 이유는 얘기 안 해도 되겠지요? 그런데 한 번은 오버를 해버렸습니다. 원래 자식은 내리사랑이라고 막내아들이 특히 귀엽고 이쁘더라고요. 6살이 되던 생일이자 어린이날(불행하게도 어린이날에 태어났습니다)에 프랭클린 플래너를 선물했습니다. 아, 물론 색깔도 이쁘고 귀여운 어린이용 프랭클린 플래너였죠. 아무리 그래도 그렇지, 6살짜리 꼬마의 눈에는 실망감이 역력했습니다. 원하던 선물과는 딴판이었겠죠. 생일+어린이날이니 2배로 받아야 할 판인데 말이죠. 어쨌거나 이게 얼마나 좋은 건지 아느냐며 강제로 선물을 접수시켰습니다. 한술 더 떠 부담까지 주었네요. 플래너의 앞에 미래의 꿈(비전)을 적어 오라고 시켰습니다. 숙제를 준 거죠. 암튼 교수 아들의 숙명을 받아들인 막내는 기어코 써왔습니다. 저는 준비했죠. 자, 이제 네가 이런 꿈이 있으니 이를 이루기 위해서는 무엇을 해야 하고, 또 금년에는, 이번 달에는 뭘 하는 게 좋겠고 등등. 잔뜩 벼르고 펼쳐본 플래너의 '미래에 하고 싶은 일' 칸에는 이렇게 적혀 있었습니다.

'하와이에서 이쁜 여자와 춤추기'

"아 그래, 그렇다면 하와이 가려면… 이쁜 여자 만나려면, 더욱이 그녀와 춤추려면 앞으로…", 이렇게 말할 수는 없잖아요. 캐스케이딩은 거기서 끝났습니다.

주변에 물어보세요. 목표가 무엇인지, 하고 있는 일의 목적이 무엇인지. 의외로 애매하고 모호하게 말하는 이가 의외로 많습니다. 인기를 얻고자 하는 사람들, 표를 얻고자 하는 정치인들, 그들이 남발하는 약속과 공언에 대해 물어보세요. 캐스케이딩을 해보라 하세요. 뭐라고 답하는지. '하우 소/소 왓' 하고 있는지. 6살짜리 어린이가 아닌 이상 해야 합니다. 본인과 주변의 역량을 높이기 위해, 남들의 역량과 남들 얘기의 진위를 파악하기 위해서도 캐스케이딩을 알아야 합니다. 지향능력을 길러야 합니다.

손가락이 10개인 이유

누가 그러더군요. 좋은 계획은 영화 시나리오와 같다고. 그 누구는 금융계의 스티브 잡스라 부르는 레이 달리오입니다. 하여간 좋은 계획은 세부 계획들의 구성과 유기적인 관계, 즉 플롯이 좋다는 얘기겠죠. 그러다 보면 물 흐르듯 자연스럽게 목표들이 층층이 달성되리라는 뜻이겠죠. 그래서 캐스케이딩이 중요하다고 한 것입니다. 저 높은 곳에 위치한 미션의 성수聖水가 세속의 수원水源인 비전이 되어 아래로, 더 아래로 흘러갑니다. 걸리지 않고 그치지 않고, 자연스럽고 부드럽게 흘러갑니다. 한 편의 잘 만들어진 영화처럼요.

여기서 다시 곱씹을 것은, 물은 꼭대기에서부터 흐른다는 겁니다. 궁극적인 목적이자 목표인 미션과 비전이 꼭대기에 해당하죠. 궁극의 결과를 먼저 정하고 시작하는 겁니다. 자연스레 들리기도 하지만 이것은 사실 일반적이지 않습니다. 우리의 일반적 사고는, 원인이 있고 다음 과정이 있으며, 뒤이어 결과가 나옵니다. 즉, '인풋→프로세스→아웃풋'이라는 거죠. 개인이나 조직이나 자원과 여건을 감안해서 일을 하고 그에 상응하는 성과를 기대하는 것이 보통입니다. 그러나 비저닝과 캐스케이딩은 반대의 흐름입니다. 이는 경영전략 관점으로는 '성과 지향 자원 배분' 방식입니다. 주어진 자원만큼 투입하여 최대한의 성과를 내는 것이 아니라, 주어진 성과를 위해 최대한의 자원을 투입하는 꼴입니다. 목적 지향이나 성과 지향이나 초록동색이니 결국 같은 맥락입니다. 그런데 여기에 심각한 문제가 발생할 수 있습니다. 모든 일은 궁극의 목표와 성과를 상정하고 출발하는데, 만일 상정된 출발점이 잘못되면, 또는 변경되면 어쩌죠? 그러면 자연스러운 흐름, 캐스케이딩이 무슨 소용이죠?

'마시멜로 실험'은 유명합니다. 알다시피 대충 이렇습니다. 만 3~5세의 아이들에게 마시멜로를 쥐여준 어른은 잠깐 자리를 비우면서 말합니다. 다녀올 때까지 먹지 않고 기다리면 더 많은 마시멜로를 주겠다고. 이때 마시멜로를 먹지 않고 기다린 아이들이, 기다리지 않고 먹은 아이들보다 성인이 되었을 때 훨씬 성공적인 삶을 살고 있다는 결과를 공표해서 유명해진 것이죠. 그런데 혹 이렇게 생각해 볼 수 있지 않을까요? 마시멜로가 아이들에게 얼마나 대단한 음식인지는 몰라도, 누군가는 굳이 좀 더 먹겠다고 말랑말랑하고 끈적끈적한 마시멜로를 계속 손안에 들고 있기가 싫지 않았을까요? 그냥 손 편하게 먹어버린 것 아닐까요? 아니면, 다녀오겠다고 한 말을, 더 주겠다고 한 말을 믿지 않아서일 수도 있지 않을까요? 어차피 믿을 만한 부모가 실험을 진행한 것도 아닌데요. 마시멜로 실험은 아이들의 의지력과 훗날의 성공 간의 상관관계를 밝히기 위해 수행한 것입니다. 그런데 이것이 알고 보니, 아이들의 마시멜로의 기호도와 훗날의 성공 간의 상관관계이든가, 또는 아이들의 어른에 대한 신뢰도와 훗날의 성공 간의 상관관계의 문제였다면 어쩌지요?

물론입니다. 마시멜로 실험의 결과를 믿습니다. 제 막내한테도 실험해보았다니까요. 강조하고픈 요점은 궁극의 목표가 바뀔 수 있다는 것입니다. 간단한 일에도 처음의 목표가 바뀌는 경우가 태반인데, 하물며 연간 계획, 일생의 목표, 비전과 미션이 왜 바뀌지 않겠습니까.

손은 2개, 손가락은 10개

이제는 지향능력의 마지막 퍼즐을 맞추려 합니다. 지향은 '목표를 설정하고 이에 도달할 수단을 강구하며, 또한 목표와 수단에 변화를 줄 수 있는 능력'이라 했죠. 비저닝과 캐스케이딩으로 대부분이 설명되었고, 이제 남은 것은 '목표와 수단에 변화를 줄 수 있는'입니다. 그렇지만 이에 대한 뭔가 새로운 방법이 또 있지는 않습니다. 설정한 목표가 무의미해질 때, 목표에 변화를 주어야 할 때는, 처음으로 돌아가야 하겠지요. 비저닝으로 다시 목표를 설정하고, 캐스케이딩으로 다시 수단을 강구하고, 이러면서 변화를 주어야 하겠지요. 결국은 언제 목표가 무의미해지고 또 언제 목표에 변화를 주어야 하는지 파악하는 것이 관건입니다만, 그것은 일반화할 수 있는 문제가 아니니 이래라 저래라 할 맘은 없습니다. 대신 다른 얘기나 할게요.

오드리 햅번은 올드 무비 스타입니다. 올드한 것은 맞지만 그녀가 영화에서 보여준 패션, 헤어, 메이크업 스타일은 아직도 무척이나 현대적입니다. 그러나 그녀가 현재를 넘어서 앞으로도 기억될 이유는 영화보다 더욱 강렬한 것에 기인합니다. 그녀의 은퇴 이후 삶입니다. 그녀는 전 세계 50여 곳에서 장기간 유니세프 홍보대사로 활약하며 봉사의 날들을 보냅니다. 국제적으로 봉사하는 연예인의 원조 격입니다. 그녀는 죽기 1년 전 크리스마스 이브에 평상시 좋아했던 샘 레븐슨Sam Levenson의 시 '시간이 알려주는 아름다움의 비결(Time Tested Beauty Tips)'을 자식들에게 들려줍니다. 마치 유언처럼요. 전체적으로 감동적인 시이지만, 마지막 문장만 옮기겠습니다.

'나이가 들어감에 따라 그대는 알게 되리라. 손이 2개인 이유가 하나는 자신을 돕기 위해서, 하나는 다른 이를 돕기 위해서임을.'

나이가 들어감에 따라 예전의 미모와 세상의 관심을 잃어버려 힘들어하는 연예인들이 많습니다. 그러나 오드리 햅번은 완전히 새로운 인생의 미션과 비전을 설정하고 실천해갑니다. 그녀는 그다음 해에도 소말리아를 방문하여 봉사활동을 합니다. 이미 죽음의 그림자가 뒤덮은 암 투병 중인데도 말이죠. 그녀는 손이 2개인 이유를 몸소 실행에 옮기고 세상에 작별을 고했습니다.

평범한 우리 모두에게도 변화의 시기, 새로운 목표를 설정해야 할 시기가 닥칩니다. 그에 따른 수단도 다시 준비해야 하고요. 지향의 한자를 바꿔서 설명한 거 기억나죠? '지향'의 '지'는 뜻이나 의지의 '지志'입니다만 저는 손가락 '지指'로도 명명하고 싶어 했습니다. 목표를 가리키는 손가락으로요. 그렇다면 왜 손가락이 10개일까요? 인생의 주요한 목표가, 가리키고 쫓아야 할 목표가 10개는 되어서가 아닐까요? 꼭 거창하고 거룩한 얘기 아니더라도, 일상의 생활과 업무를 생각해보세요. 얼마나 많은 변화와 수정이 필요합니까. 하루에도 열 손가락이 모자랄 정도입니다. 그만큼 여러 목표가 있으니, 그토록 목표를 수정하며 살아야 한다는 애기 아닐까요?

미국에서 제 박사과정 지도교수는 전형적인 학자이셨습니다. 우리가 흔히 학자, 하면 떠오르는 모습. 세상의 다른 것들에는 그다지 큰 관심이 없고 본인이 매진하는 학문에 집중하는 모습을 보여주셨죠. 평상시에는 수줍어하는 성격인데, 학술적인 토론을 할 때만큼은 눈빛이 빛나고 언성까지 높이셨죠. 그런 모습이 존경스러웠습니다. 심지어 미국에서 태어난 첫째 애의 미국 이름(first name)은 지도교수님의 중간 이름(middle name)을 그대로 따서 지었다니까요. 저는 오드리 햅번이 사망한 해에 미국에서 꽤 괜찮은 대학의 교수로 임용되었습니다. 박사학위를 주실 때도 그러셨지만, 이때 지도교수님은 무척이나 기뻐하셨습니다. 그러곤 넌지시 표현하십니다. 제가 그와 같은 길을 걸어가고, 그와 같은 학자로서의 목표를 이루기를, 두고두고 학문에 매진하는 학술적 동지로서 애기 나누기를 바라는 마음을요.

그러나 교수가 된 지 얼마 되지 않아 알았죠. 저는 그런 사람이 못 된다는 걸요. 미국에서 교수로 살아가기는 의외로 단순합니다. 미국 같은 나라에서 사는 장점이자 단점이겠지요. 할 일은 뚜렷하고 그 외의 일은 뻔하니까요. 유학생으로 출발한 이방인 입장으로는 더더욱 그렇습니다. 그래서 목표를 바꾸었습니다. 열심히 배우는 사람은 누구나, 자신을 가르쳐주는 이의 영향을 받습니다. 저도 한때는 지도교수님의 뜻에 부응하는 미션과 비전도 세웠습니다. 하지만 결국 변화를 주었습니다. 그러곤 모국의 일자리를 알아보았고 지금의 대학으로 귀국하였습니다. 지도교수님의 기대와 아쉬움을 뒤로하고요.

처음부터 그 자리에 있던 화석처럼

새로운 목표는 언제 세워야 할까요? 또 무엇을 목표로 세워야 할까요? 유일한 답은 각자만이 아는 것입니다. 그러나 누구나 아는 것은 아닙니다. 늘 깨어 있고 치열하게 고민하는 자만이 알 수 있는 것입니다. 누군가가 그냥 알려주거나 저절로 알게 되는 것도 아닙니다. 이번 장을 시작한 차사고 얘기의 피해자가 고백하듯 쓴 문장입니다.

〈뉴요커〉와의 어느 인터뷰에서 내가 소설이란 땅속의 화석처럼 발굴되는 것이라고 믿는다는 말을 했을 때 기자는 내 말을 못 믿겠다고 했다. 그래서 나는, 안 믿어도 좋다, 다만 '내가' 그렇게 믿는다는 것만 믿어주면 된다고 대답했다. 그 말은 사실이다. (중략) 플롯은 좋은 작가들의 마지막 수단이고 얼간이들의 첫 번째 선택이라는 것이 나의 생각이다. 플롯에서 태어난 이야기는 인위적이고 부자연스러운 느낌을 주게 마련이다. (중략) 이 상황들은 모두 언젠가 —샤워 중에, 운전 중에, 또는 산책 중에— 내 머리에 떠올라서 소설로 써냈던 것들이다. (중략) 미리 플롯을 짜놓고 집필한 작품은 하나도 없다. (중략) 물론 수정작업을 거쳐 가다듬고 세부적인 내용을 덧붙이기는 했다. 그러나 대부분의 내용은 처음부터 그 자리에 있었던 것들이다.

좋은 영화는 구성과 플롯이 탄탄하다는 말을 정면으로 반박하는 것처럼 보입니다. 스티븐 킹이 쓴 소설은 100편 가까이 시나리오로 재탄생했었으니 말이죠. '좋은 계획은 좋은 플롯을 가지고 있다'는 지금까지의 주장이 무색해지는 고백처럼 여겨집니다. 그러나 저는 전혀 무색하게 느끼지 않습니다. 스티븐 킹의 맥락을 다르게 해석하기 때문이죠.

글쓰기는, 특히 좋은 글쓰기는, 쓴 것이 아니라 쓰인 것이라 생각합니다. 한 줄 한 줄 쓰는 것이 아니라, 어느 순간에 정신없이 미친 듯이 쓰이는 것이라 생각합니다. 훌륭한 책들은 그런 글들로 이루어져 있습니다. 한순간에 쓰이는 글은, 기실은 작가가 마음속에서 수도 없이 쓰고 지우고를 반복했던 글입니다. 샤워 중에, 운전 중에, 또는 산책 중에도 늘 치열하게 고민했던 것이 어느 순간 영롱히 빛나며 영글어진 모습을 드러내는 것입니다. 마치 처음부터 그 자리에 오랫동안 묻혀 있었던 화석처럼 말이죠. 오랜 기간에 걸친 작가의 문제의식과 목적의식, 관찰과 통찰이 한순간의 섬광으로 모이며 폭풍노도와 같은 글쓰기가 이루어집니다. 그러한 글은, 문장은 인위적이고 부자연스러울 틈이 없지요. 그래도 치열하게 고민하며 몇 권의 책을 썼던 작가로서 하는 얘기니 그냥 수긍해주세요. 늘 깨어 있다면, 치열하게 고민한다면, 물 흐르듯 자연스럽게 '목표와 수단에 변화를 줄 수' 있습니다. 이것도 수긍해주시고요.

현재의 대학에서 오랜 기간 나름 치열하게 일했습니다. 그래도 저를, 시간 대충 쓰고 적당히 여유롭게 지낸 교수라 할 사람은 없을 겁니다. 대학교수 본연의 업무인 교육, 연구, 봉사를 평균 이상으로는 했다고 할 겁니다. 남이 시키지도 않은 일을, 굳이 안 해도 될 일을, 스스로 찾아서 일해왔습니다. 이런 자만심에 힘입어 수년 전에 목표를 다시 세웠습니다. 비저닝과 캐스케이딩을 새로 했습니다. 그리고 '책 읽는 삶, 글 쓰는 삶'이라는 지향점을 정했습니다. 저의 미션과 비전, 골과 오브젝티브 어딘가에 끼어 있는 문구입니다. 그것이 저에게 가장 잘 맞는다고, 남은 저의 인생에 가장 잘 어울린다고 판단했기 때문입니다. 이런 명언에 힘입은 바 있습니다.

'인생에는 오직 한 가지 성공이 있을 뿐이다. 바로 자기 자신만의 방식으로 삶을 살아갈 수 있는가이다.'

어떤 이는 제게 그러더군요. "왜 자꾸 책을 쓰느냐? 왜 해야 할 일을 안 하고 책을 쓰느냐?" 제 분야에서 그간 나름으로 쌓아온 성과의 방향으로 왜 계속 가지 않느냐는 것이죠. '책 써서 얻을 수 있는 것보다 그쪽에서 얻을 게 훨씬 더 클 텐데, 그쪽이 가능성이 훨씬 더 높을 텐데…' 여기며 하는 충고입니다. 그러나 자기 자신이 제일 잘 알지 않겠습니까? 자기에게 맞는 게 무엇인지, 자기 방식이 무엇인지, 또 목표를 언제 새롭게 세워야 할지, 세워야 할 새로운 목표가 어떤 것인지, 자기가 가장 잘 알고 있지 않겠습니까? 만일 늘 깨어 있고 치열하게 고민했다면요.

세상에는 3가지 부류의 사람이 있습니다. 해야 할 일을 하는 사람, 해야 할 일을 하지 않는 사람, 그리고 해야 할 일을 모르는 사람. 당신은 어떻습니까? 지금 하고 있는 일에 대해서, 매일 매일의 일상과 업무에 대해서, 월간일정과 연간계획에 대해서, 그리고 일생에 대해서, 어떻습니까? 해야 할 일을 해야 합니다. 해야 할 일을 명확히 해야 합니다. 그리고 또, 해야 할 일을 모르는 사람을 도와줘야 합니다. 그러기 위해서 손가락을 써야 합니다. 지향하고, 지향능력을 연마해야 합니다.

3

일의 순서를 정할 때는

최대한 냉정하라

_ 취사 prioritization

바위와 자갈

어느 정도 나이가 있는 사람들이 기억하는 대학 수업에는 이런 장면들이 있습니다. 전날의 무리한 모임이나 과음으로 힘들게 겨우 출석했는데 강의실 칠판에, '오늘 휴강'. 아, 꿀맛이었죠. 데모하면 '이럴 때 무슨 수업이냐'며 휴강, 날씨가 좋으면 야외수업 명목으로 사실상 휴강. 이런 과도한 자율정신이 '대학의 낭만'으로 둔갑하기도 했지요. 그래서 그런지 아직도 사석에서 "요새 학생들은(실제 문맥상으로, 교수들은) 꼬박꼬박 수업하느냐?"고 물어보시는 어르신들이 있습니다. 그럴 땐 이렇게 말합니다.

"그럼요. 개강 첫날부터 빡세게 합니다."

개강 첫날에는 보통 수업개요와 진행방식 정도를 설명하고 가볍게 끝내는 경우가 많습니다(학생들도 은근히 그런 걸 기대하죠). 그렇지만 저는 첫날부터 빡세게 시간을 꽉 채웁니다. 일종의 기선제압이라고나 할까요. '나도 열심히 할 테니 여러분도 열심히 합시다.' 하는 메시지를 전하는 겁니다. 그러면서 꽉 채운 첫날 수업의 마지막에 들려주는 이야기가 있습니다. 바로 다음의 우화입니다.

아이들이 눈밭에서 놀다가 눈사람을 만났습니다. 햇볕이 따뜻해지니 수명이 얼마 남지 않았다는 것을 안 눈사람은 아이들에게 뭔가를 꼭 얘기해줘야겠다고 생각합니다.

"얘들아, 내가 재미있는 걸 보여줄게."

눈사람은 아이들의 시선을 붙잡고 커다란 항아리를 내놓습니다. 그리고 주먹만 한 돌을 집어넣기 시작합니다. 항아리가 가득 차자 물어봅니다.

"항아리가 가득 찼니?"

아이들은 모두 당연하다는 듯 "네." 하고 답합니다.

"정말 그럴까?"

눈사람은 처음 넣은 돌보다 약간 작은 돌을 꺼내서 큰돌 사이로 한참을 집어넣습니다. 그리고 다시 물어보죠.

"이번엔 항아리가 꽉 찼을까?"

"네! 찼어요."라고 말한 아이도 있었지만, 전부는 아니었습니다. 또다시 눈사람은 항아리를 채웁니다. 이번에는 더 작은 돌로. 그리고 또 물어보고. 이제는 아무도 대답하지 못합니다. 눈사람은 갸웃거리는 아이들 앞에서 모래로 항아리를 채웁니다. 모래는 주먹만 한 돌 사이에 작은 돌, 그 작은 돌 사이에 있는 더 작은 돌 사이를 비집고 흘러듭니다.

잠깐의 정적이 흐릅니다. 이제 절반 가까이 녹아버린 눈사람이 묻습니다.

"내가 보여준 것의 의미는 무얼까?"

똑똑하게 생긴 한 아이가 손을 들고 대답합니다.

"아무리 바빠도 조금만 생각해보면 시간을 내서 새로운 일을 할 수 있다는 겁니다."

녹아가는 눈사람을 애처롭게 바라보며 최선을 다해 답한 것이지요. 다른 아이들도 끄덕입니다. 그러나 얼굴의 형태조차 사라진 눈사람은 마지막 힘을 내어 말합니다.

"아니야, 그런 의미가 아니야. 내가 마지막으로 해주고 싶은 얘기는 이거야. 큰 돌을 넣어야 할 때가 있어. 그때가 지나면 영원히 큰 돌을, 가장 커다란 돌을 넣지 못해."

뜨거운 태양이 솟았고, 아이들의 새하얀 겨울도 눈사람과 함께 사라졌습니다.

큰 돌, 작은 돌

여러분의 큰 돌은 무엇입니까? 지금 꼭 넣어야 할 큰 돌, 바로 이 순간 항아리를 채워야 할 큰 돌은 무엇인가요? 혹시 작은 돌 아닙니까? 작은 돌과 모래로 당신의 소중한 시간과 한정된 에너지를 가득 채우고 있지는 않습니까? 작은 돌이 아니라 먼저 큰 돌을 넣어야 할 텐데요.

다들 바쁘게 삽니다. "바쁘시죠?"가 "안녕하세요?"와 같은 인사말로 쓰이기도 합니다. 대개는 "네, 바쁘네요. 바쁘시죠?"라는 답이 돌아오죠. 서로가 바쁘다는 것을 확인하고 피차 열심히 살아가는 사회인임에 공감합니다.

그런데 여기서 그치지 않고, "그런데 무엇 때문에 바쁘세요?"라고 계속 물어온다면 뭐라 답하나요? "제가 요즘 아주 중요한 일을 하고 있어서요."라고 하나요? 아마도 "아휴, 그러게요. 무슨 일이 이리 많은지 모르겠네요."가 일상적인 대답일 겁니다. 심지어 바쁘지 않으면 존재감이 떨어진 듯한 기분을 느끼기도 합니다. 바빠야 삶이고 그래야 일상에 활력이 넘친다고 생각하고요.

그러나 곰곰이 따져보면 실망할지도 모릅니다. 그토록 나를 바쁘게 하는 일들이, 나의 금쪽같은 시간과 에너지를 축내는 그 일들이 어떤 일인지 따져보면 말입니다. 내가 원하는 삶의 방식이나 지향하는 가치에 그 일이 얼마나 주요하게 기여하는지 따져보면 말입니다.

일이 주어지면 우리는 보통 '급한 일'과 '중요한 일'로 나눕니다. 이렇게 2가지 기준으로 나누는 것을 '아이젠하워 매트릭스'라고 합니다. 아이젠하워 미국 대통령이 즐겨 사용했다는 2×2 매트릭스죠. 급한가, 중요한가를 기준으로 일을 4가지 유형으로 구분합니다. 첫 번째는 '급하면서 중요한 일'입니다. 당장 해야겠죠. 두 번째는 반대로 '급하지도 않고 중요하지도 않은 일'입니다. 이건 그냥 잊어도 됩니다. 여기까지는 간단합니다.

그런데 나머지 세 번째와 네 번째는 고민해볼 필요가 있습니다. '급하지만 중요하지 않은 일'과 '급하지는 않지만 중요한 일'입니다. 먼저 '급하지만 중요하지 않은 일'에는 어떤 것이 있을까요? 늘 그때그때 반복적으로 해야 할 일, 때론 남의 일(남이 해도 되는 일)을 맡아서 하는 경우가 그렇습니다. 내가 지향하는 미션이나 비전, 장기적 목표나 단기적 목적과는 상관없는 일입니다. 그냥 나를 바쁘게 만드는 일이죠.

반면에 '급하지는 않지만 중요한 일'은 대개 다이어리 앞에 큼직하게 써놓은 일들입니다. 건강을 지키거나, 가족과 시간을 보내는 것 혹은 진학, 승진 등은 일정 기간에 걸쳐 해야 하는 일입니다. 그러니 급하지는 않겠죠. 그러나 이 일들은 큰 돌입니다. 작은 돌들에게 제자리를 빼앗겨서는 안 되는 큰 돌이죠.

'급하지만 중요하지 않은 일'에 밀려 '급하지는 않지만 중요한 일'이 퇴색됩니다. 급하지 않은 만큼 꾸준히 해야 할 일이고, 꾸준히 해야만 할 수 있는 일이니 어쩌면 최고로 중요한 일이겠지요. 그러나 순서가 밀리고 빛이 바랩니다. 다 그 "바쁘다."는 핑계로 말입니다. "가장 중요한 일을 별로 중요하지 않은 일의 자비에 맡겨서는 결코 안 된다."라고 괴테가 강조했다지요.

급한 일보다 중요한 일

중요한 일부터 해야 하는 것, 중요한 일에 우선순위를 두어야 한다는 것쯤은 누구나 알고 있습니다. 그러나 그것이 실천으로 이어지기 어려운 이유는 무엇일까요? 냉정한 톤으로 몇 가지 이유를 들어보겠습니다.

먼저 '급한 일'과 '중요한 일'을 혼동하기 때문입니다. 급하니까 중요해 보이는 거죠. 이것저것 다 제치고 해야 하니까 중요하다고 생각하는 것입니다. 그러나 갑자기 중요한 일이 터지는 경우는 의외로 드뭅니다. 우리가 추구하는 비전과 목표를 달성하는 데는 어느 정도 시간이 주어집니다. 건강, 가족, 진학, 승진 문제는 충분한 기간을 두고 달성해야 하는 일들입니다. 이런 일들이 급해졌다면 원래 급한 일이었다기보다는 미루고 미뤄서 급해진 것뿐입니다. '급한 일'은 태생이 '중요한 일'이 아닌 경우가 많습니다.

두 번째는 '중요한 일'이 무엇인지를 꾸준히 숙지하지 않아서입니다. 중요한 목표나 목적은 늘 의도적으로 깨우치며 인식의 전반에 영향을 미치게 해야 실현 가능성이 높아집니다. 시간을 내어 정기적으로 사색과 다짐의 시간을 가져야 합니다. 대개 급한 일은 쉽게 드러나 눈에 잘 보입니다만, 중요한 일은 그렇지 않습니다. 자주 숙지해야 구체화되는 일들이 많습니다. 그러나 또 그 "바쁘다."는 말로 일축해 버립니다. 깨우침 없이 하루하루 반복된 쳇바퀴를 돌면, 중요한 것조차 익숙한 것으로 둔갑합니다.

알고 있죠? 익숙한 건 편하고, 편한 건 중요하게 느껴지지 않습니다. 깨우치고 어쩌고 할 여유가 없다고요? 아닙니다. 저도 누구 못지않게 바빠 봐서 하는데, 아무리 바빠도 매일매일 시간을 정해서 무엇이 중요한지 스스로 깨우칠 수 있습니다. 그리하는 게 무엇보다도 '중요한 일'이니까요.

세 번째 이유는 더욱 현실적입니다. 자신에게 중요한 일이 무엇인지 알고, 또 늘 되뇌고 있지만, 실제로 그것들을 하기 어려운 상황입니다. 많은 이들이 겪는 안타까운 상황입니다. 바로 남의 일을 대신 해주는 게 본인의 업무인 경우죠. 직장에서 회사 일을 합니다. 거기다 상사가 지시한 업무도 합니다. 회사의 방침과 상사의 지시에 의한 일입니다. 이게 회사와 상사에게는 중요한 일일지 모르겠습니다. 그러나 나에게는 아닙니다. 뭔가 대가를 받고 남의 중요한 일을 마치 자신에게 중요한 일인 것처럼 하는 셈이죠.

게다가 그들은 급하다고 재촉합니다. 앞장 후반부의 명언, 아직 기억하죠? "성공한 인생은 자신의 방식으로 자신의 삶을 살아가는 것이다." 세상의 흔한 성공기준은 부와 명예입니다. 그러나 명언에 따라 성공한 인생의 척도를 달리 말하면, '나의 시간을 얼마나 나에게 중요한 일에 쓰고 있는지'가 되겠네요.

더 나아가 '나에게 중요한 일을 얼마나 남에게 시킬 수 있는지'도 인생의 척도가 되고요. 암튼 한정된 일생의 많은 시간을 남에게 빼앗기며 살고 싶지는 않겠지요. 남을 위해서가 아니라, 나를 위해 살고자 한다면, 나에게 중요한 일을 우선하는 것이 중요합니다.

진정한 생산성, 진정한 가성비가 뭘까요? 삶의 생산성과 가성비를 높이기 위해서는, 내 시간과 에너지를 최대한 '나에게 중요한 일'에 써야 합니다. 급하기만 할 뿐 중요하지 않은 일은 그저 현명하게 처치하고 요령 있게 처리하면 됩니다. 그런 일로 중요한 일이 가려져서는 절대 안 됩니다.

혹시 여전히 '바쁨이 보람이고 분주함이 성취'라고 생각하나요? 착각입니다. 중요한 큰 돌을 거둬내고 작은 돌로 채우렵니까? 아침에 눈을 떠서 스마트폰을 보고, 직장의

PC를 켜고 메일을 봅니다. 덤프트럭에 가득 실린 모래가 당신의 눈앞에, 책상 위에 쏟아집니다. 당신의 소중한 자갈을, 그보다 더욱 소중한 바위를 덮어버립니다. 정녕 그대로 놔두렵니까? 무엇이 중요한지, 그것이 얼마나 중요한지를 알고 그것부터 해야 합니다. 이번 장은 바로 그 능력과 방법에 대한 것입니다.

개강을 하면 캠퍼스에 생기가 돕니다. 학생들이 들어찬 강의실은 생동감이 넘칩니다. 그런 생기와 생동감이 그득한 첫 수업의 학생들에게 큰 돌, 작은 돌, 그리고 모래를 들먹였습니다. 무엇이 바위고 무엇이 자갈인지 생각해보라 했습니다. 지금 이 순간, 이번 학기에 꼭 채워야 할 큰 돌은, 바위는 무엇인지 생각해보라고 힘주어 말했습니다. 급하지는 않지만 중요한 일이니까요. 학기 내내 꾸준히 생각해보라고요.

그런데 이 글을 쓰며 불현듯 혼란스러워졌습니다. 앞서 소개한 개강 첫 시간, 빡세게 꽉 채우는 수업보다 혹시 야외 수업이 더 큰 돌 아닐까요? 학생들에게는, 몇 해 되지 않는 대학의 낭만이 큰 돌 아닐까요? 얼마 되지 않는 청춘의 시절에만 채울 수 있는 추억의 바위가 아닐까요? 무엇이 바위이고 무엇이 자갈인지 저부터 다시 생각해봐야겠네요.

상대가 있어야 알게 된다

대학생활의 낭만이라면 역시 미팅이죠. 요즘은 나이와 상관
없이 남녀의 만남이 비교적 자유롭지만, 이전에는 그렇지
않았습니다. 특히 입시 지옥을 벗어나 성년의 청춘을 맞은
대학생에게 남녀 간의 미팅은 일종의 특권과도 같았습니다.
미팅의 꽃은 소개팅입니다. 고마운 친구가 나서서 이성을
소개해주는 자리를 만듭니다. 1:1의 자리를 만들어 양쪽을
소개해준 후 유유히 사라지는 친구는 고마운 존재죠.

　　그런데 소개팅에도 법칙이 있다죠? 자신의 경쟁력을
극대화해 이성에게 어필하기 위한 법칙 말입니다. 마주 앉
은 이성이 마음에 들거나 안 들거나 일단은 그에게 혹은 그
녀에게 어필을 해야 유리한 고지를 점령하는 것 아니겠습
니까?

　　'소개팅의 법칙'을 운운하게 만드는 요인은, 바로 그 고
마운 친구입니다. 소개팅을 주선한 친구가 동성인 경우, 그

친구가 어떠냐에 따라서 진정 고마운 친구가 될 수 있고, 알고 보면 적일 수도 있습니다. 이런 경우를 생각해보죠. 어차피 첫 만남에서는 외모가 경쟁력입니다. 그래서 충분히 예상할 수 있듯이, 만약 당신의 외모가 더 낫다면(?) 그 자리에 친구를 나오게 해 일정 시간을 같이 있어야 합니다. 반대라면 빨리 보내거나, 아예 나오지 못하게 해야겠죠?

한편 당신과 친구 둘 다 멋지거나 혹은 둘 다 아니라면요? 그러면 좀 애매합니다. 행동경제학 전문가가 제시하는 답은, 전자의 경우 혼자 가야 합니다. 그냥 혼자 보아도 멋질 텐데, 굳이 둘이 같이 있어 봐야 당신의 멋짐이 친구의 멋짐으로 퇴색될 수 있으니까요. 반면 둘 다 별로라면 같이 가는 게 좋겠죠. 당신의 단점이 희석될 테니까요. 만일 친구의 단점이 도드라진다면 앞에 앉은 그 혹은 그녀는 어쩌면 당신의 장점을 애써 찾아낼지 모릅니다.

행동경제학을 가장 활발히 적용하는 분야는 역시 기업의 마케팅입니다. 소비자의 심리와 행동을 관련지어 기업의 상품 판매에 일조하게 하려는 노력이죠. 소개팅의 법칙도 적용 가능합니다. 자사 제품이 마트 진열대에서, 자사 서비스가 온라인숍 장바구니에서 비교됩니다. 공들여 개발한 신상품이 뒤따라 치고 오는 경쟁사의 신상품과 대비됩니다. 자사의 제품과 서비스의 장단점을 냉철히 파악하고 있다면 어떤 판매전략을 세워야 할지 힌트를 얻을 수 있겠죠.

하지만 고객의 입장은 어떨까요? 소개팅의 법칙이든 행동경제학이든, 기업은 자사 상품을 어떻게든 부각하려 노심초사하겠지만, 고객은 어떨까요? 고객의 관점으로 보면 당연히 현혹되지 말아야겠죠. 고객의 입장으로는 무조건 상대비교, 상대평가의 상황을 만들어야 합니다. 비교할 대상이 있어야 (어느 쪽이 더 좋은지) 알게 되니까요.

소개팅의 법칙을 완결하자면, 고마운 동성 친구가 데려온 소개팅 상대에게도 법칙이 필요합니다. 그 이성의 입장에서는 이럴 테죠. 다른 성별의 친구가 자신의 동성 친구를 소개해준다고 하면, 무조건 같이 나오라고 해야 합니다. 더 잘 알기 위해 비교해야 하지 않겠습니까? 취업 면접실에 들어가면 옆 사람이 신경 쓰입니다. 경쟁자잖아요. 옆 사람의 외모와 말투, 답변을 보고 들으며 내 상황을 판단합니다. 상황이 좋을 수도 있고 나쁠 수도 있겠지요. 그러나 면접관은 무조건 좋습니다. 무조건 여러 명을 동시에 앉혀놓고 동시에 보고 듣는 것이 좋습니다. 비교해서 알게 되니까요.

무엇이 더 중요한가?

무엇이 좋은지 아닌지, 중요한지 아닌지 판단하는 것은

일상의 일입니다. 늘 있는 일이지만 잘해야 하는 일이지요. 판단해야 하는 것을 나타내는 특질이나 수치가 좋은지 아닌지, 비교할 대상이 없다면 어렵습니다. 기준을 세울 만한 사전 지식이 없다면 그러한 절대평가 상황이 편치 않습니다. 처음 가본 나라의 숙박비가 싼 건지 아닌지, 새로 나온 신상의 기능이 쓸 만한지 아닌지, 평가가 어렵죠. 고작해야 우리나라 돈으로 환산해보거나, 비슷한 상품의 기능과 비교하겠지요.

남태평양 일대에 엄청난 태풍이 몰아쳐 많은 섬이 곤경을 겪고 있습니다. A섬은 인구 1,000명 중 60%가 이재민이 되었고, 인구 1만 8,000명의 B섬은 5%의 이재민이 발생했습니다. 당신이 국제기구의 집행자라면 어느 섬에 더 많은 원조금을 주겠습니까? 간단한 계산으로 B섬임을 알 수 있습니다. B섬의 이재민 수가 더 많으니까요. 그러나 비교 대상 없이 따로따로 심의해보니 A섬의 지원금이 더 많았다고 하네요. 60%나 되니까요. 인구수와는 별개로, 5%라는 수치보다 60%라는 수치가 얼핏 듣기에 훨씬 더 심각하게 느껴졌을 테죠. 정교한 판단을 하려면 절대평가 상황을 상대평가 상황으로 만들어야 합니다. 항상 상대를 찾아 비교해야 하는 거죠.

눈앞의 이성이나 손안에 제품은 그래도 낫습니다. 재

난의 상황도 눈에 보이고 이재민에게도 손을 뻗을 수 있으니 해볼 만합니다. 그러나 우리가 판단하고 결정해야 하는 많은 것들은 물리적인 것들이 아닙니다. 추상적인 개념이나 정신적인 작용들이죠. 사물이라면 좀 수월할 텐데, 이런 것들은 좋은지 아닌지, 설령 비교할 대상이 있다 하더라도 간단치 않은 일입니다.

소개팅 얘기를 했으니 결혼 얘기도 해볼까요. 진화론의 찰스 다윈은 고민을 거듭합니다. 진화의 고민이 아닌 결혼의 고민이었습니다. 훗날 43년의 결혼생활을 함께한 엠마 웨지우드Emma Wedgwood에게 청혼해야 할지 말지, 즉 그녀와 결혼해야 할지 말지를 고민합니다.

영국 케임브리지 대학교에 보관된 《다윈의 일지》의 한 페이지에는 가운데 선이 하나 그어져 있습니다. 다윈은 양쪽에 '결혼하기'와 '결혼하지 않기'라고 써넣고 각각을 지지하는 이유들을 적어 내려갑니다. 이를테면 '자녀를 갖게 됨', '동반자 생김', '여성의 수다가 주는 매력' 등은 '결혼하기' 칸에, '시간 손실', '여행 자유 부족', 그리고 '서적 구입비 감소' 등은 '결혼하지 않기' 칸에 채워졌습니다. 다윈은 양쪽을 보며 비교하고 고민한 끝에 이렇게 썼죠.

'결혼하자, 결혼하자, 결혼하자, 증명 끝.'

다윈은 결혼의 장점과 단점을 저울질하고 상대적인 중

요성을 가늠하여 결론 내립니다. 그리고 결론을 몸소 실천하여 결혼했습니다. 빌 게이츠도 멀린다 게이츠와 결혼하기 전에 화이트보드에 선을 긋고 결혼의 장단점을 적었다지요. 27년 후 결국은 이혼했지만요.

알고 보면 모든 일이 '무엇이 더 중요한지'를 따지는 것입니다. 이런저런 여러 일을 같이 처리할 때에는 무엇이 더 중요한지를 판단할 수 있어야 합니다. A와 B 중에서 무엇이 더 중요한지 알아야, A와 B뿐만 아니라 C, D, E가 닥쳐도 효율적으로 처리하죠. 꼭 여러 일이 아니라도 마찬가지입니다. 'A를 해야 할까, 말까?'를 고민할 때, 해야 하는 이유와 하지 않아야 하는 이유가 있습니다. 이때도 그 이유들 중에 무엇이 더 중요한지를 알면 A를 할지 말지 판단할 수 있습니다.

좀 더 포괄적으로 말해볼까요. A를 규정짓는 여러 특성이 있습니다. 이 특성 중에서 어느 것이 더 중요한지를 따져야 합니다. 특성들을 비교해서 무엇이 나에게 더 와닿는 중요한 것인지를 따져 그에 합당하게 대처합니다. 꼭 다윈이 아니더라도 누구나 압니다. 결혼이라는 것은 '자녀', '동반자', '경제적 부담', '자유 박탈', 뭐 이런 특성들로 설명된다는 것을요. 이들 간에 무엇이 더 중요한지 따져보고 비교하며 알아가겠죠. 그러곤 결정하겠지요.

비교할 대상들을 적어봅니다. 해야 할 이유와 하지 말아야 할 이유를 적습니다. 대상의 여러 특성을 써봅니다. 판단의 기준을 써 내려갑니다. 그리고 비교합니다. 그래도 비교할 상대가 있으니 해볼 만합니다. 그러나 사람들은 꼭 이렇게 하지 않습니다. 이런 방식이 합리적인 절차라는 것을 알지만, 우리는 쉽사리 우를 범합니다. 쉽사리 이런 방식을 피해갑니다.

우리가 아무리 이성적인 존재라 할지라도, 제아무리 학식과 논리가 풍부한 사람이라도, 판단과 결정을 할 때, 의외의 어리석음이 찾아듭니다. 이러한 사실을 지적하는 행동심리학의 용어들, 가령 '○○ 편향'이라든지 '○○ 오류'는 줄잡아 100여 개는 되니까요. 다 인간이 범하는 우를 지적하는 용어들이죠.

비교대상과 상대평가

멀쩡한 부부가 싸웁니다. 학식도 있고 이성적으로 사고하는 부부인데도 말이죠. 남편은 밖에서 돈 버는 게 더 힘들다 하고, 전업주부인 아내는 육아와 살림이 더 고되다고 합니다. 각자 자기 일이 더 중요한 거죠. 상대의 일과 차분히 비교해볼 생각이 없습니다. 자기 목전의 일만 생각합니다.

아, 이 경우는 '편향'이나 '오류'로 명명하지 않네요. '가용성 간편추론(availability heuristic)'이라 한답니다. 가용한 것만 가지고 간편히 추론하는 거죠. 참고로 앞의 이재민 예시는 '대표성 간편추론(representativeness heuristic)'이라 하고요. 하여간 한꺼번에 다 보고, 모든 이유와 특성을 다 조망하기가 그리 쉽지가 않은 모양입니다. 합리적·이성적으로 살피고 따져 무엇이 더, 얼마만큼 중요한지 이해하기가 어려운 모양입니다.

그러나 극복해야죠. 이를 극복하는 최선의 첫걸음은 비교의 대상을 의도적으로 의식하는 것입니다. 60% 이재민이 발생한 인구 1,000명의 A섬이 있지만, 5% 이재민의 인구 1만 8,000명의 B섬도 있습니다. 남편의 힘든 직장생활이 있지만, 아내의 고된 살림살이도 있습니다. 소개팅을 주선해준 동성 친구도 소개팅 파트너에게는 이성입니다. 결혼하면 좋은 이유가 있고, 하지 않으면 좋은 이유도 있습니다.

이들을 의도적으로 의식하는 것이 첫 단추입니다. 비교의 대상을 확보하고 상대평가의 길로 접어드는 것이 그나마 인간이 가진 고유의 한계에 도전하는 방편입니다. 첫 단추를 끼우고 첫걸음을 내디딘 당신, 제발 스스로를 과도하게 믿지 마세요. 비교할 수 있는 상대를 찾으세요. 상대가 있어야 알게 됩니다.

비교의 대상이 없어, 마땅한 상대를 찾지 못해 고생할 수 있는 직업이 있습니다. 바로 대학교수입니다. 아니라고요? 무슨 대학교수가 고생이냐고요? 사석에서 사람들이 물어봅니다.

"일주일에 강의 몇 시간 하세요?"

그럼 저는 대답합니다.

"6시간요."

대화가 잠시 멈춥니다. 그 찰나에 아마 이런 생각을 하나 봅니다.

'고작 6시간 일하고 월급 받는단 말이야?'

이렇게 생각했으리라고 확신하는 것은, 바로 다음에 튀어나온 말 때문입니다.

"근데 방학도 있잖아요?"

옆 사람은 한술 더 떠 "연구년도 가잖아요." 덧붙이고요.

아닙니다, 그렇지 않습니다. 대학교수의 업에 강의만 있는 게 아니거든요. 그렇게 생각한다면 그건 가용성·대표성 간편추론에 동시에 빠진 겁니다. 강의와 더불어 학생지도, 대학원 연구지도와 논문지도를 포함한 교육 분야 외에도 책 쓰고 논문 쓰고 과제하는 연구 분야, 학교 행정이나 정부 정책자문 같은 봉사 분야의 역할도 있거든요. 알겠습니다. 구구절절은 그만할게요.

대학교수의 진정한 고생은 스스로 판 무덤에 있습니다. 대학교수의 업은 기본적으로 비교할 대상이 없습니다. 스스로가 스스로를 평가해야 합니다. 물론 승진을 위해 평가받기도 합니다. 그러나 평균 이상의 적성과 능력이라면 승진은 큰 문제가 아닙니다. 그러니 교수의 업적은 사실상 절대평가이지 상대평가가 아닙니다. "저 사람보다만 잘하면 돼."라면 오히려 알기 쉬울 것입니다. 기준이 되는 상대가 있으니까요. 그렇지 않으니 어렵습니다.

교수는 자신이 설정한 목표를 위해 매진하는 직업입니다. 그 목표가 어떤 목표냐에 따라, 같은 대학교수라도 삶의 질은 천양지차 천차만별이죠. 누구도 이래라저래라하지 않고, 정해진 일과시간도 없습니다. 자칫 스스로를 관리하지 못하면 고생이 아니라 파경에 이르기도 합니다. 제가 다니는 공과대학의 교수님이 몇 년간 매년 1명씩 돌아가신 적이 있습니다. 40~50대 현직 교수들이셨죠. 당시 공대 교수님은 200명 남짓, 저도 그 연령대니 간편추론을 해보면, 사망확률은 매년 1/200…. 알겠습니다. 이것도 그만할게요.

상대가 없고, 상대평가도 없고, 상대적 업적과 성과도 없습니다. 그래서 교수들이 자기만의 세상에 빠지는 경우가 많은 모양입니다. 좁은 전공 분야의 학문에 정진하는 삶이 가뜩이나 그런 경향을 부추기기도 하고요. 한 실험 결과를 보니, 94%의 대학교수들은 자신들이 평균 이상으로 강의를 잘한다고 믿고 있다고 합니다. 웃기지만 씁쓸하네요. 하여튼 저는 제 식으로 해왔습니다. 이렇게 상대평가를 외치지만, 제 수업을 듣는 학생 평가만큼은, 여건이 허락하는 한 절대평가 합니다. 이율배반적이라고요? 아닙니다. 제가 교육하는 목적이 학생들을 서로 비교해서 누가 더 중요한 사람인지 알자는 것은 아니잖아요? 학생 한 명 한 명이, 제가 세운 수업목표에 도달했는지 아닌지로 평가해야 하는 것 아닌가요? 이럴 때는 절대적으로 절대평가 해야 맞겠죠. 저의 주 6시간을 남들의 주 40시간과 상대평가하지 말고요.

취사능력

우선순위에 집중하라 합니다. 많은 일, 밀어닥치는 일에 버거워하지 말고, 해야 할 일에 순서를 정해서 순위가 높은 일부터 우선하여 처리하라는 말입니다. 복잡한 세상의 바쁜 현대인에게는 불문율이고, 각종 자기계발서의 황금률입니다. 그 흔한 80:20의 법칙이 우리 앞에 쌓인 일에도 적용됩니다. 20%의 일이 나머지 80%의 일보다 훨씬 중요하니, 우선해서 할 일만 해도 대체로 큰 문제가 없다는 얘기죠. 좀 강한 표현을 담고 있지만, '스터전 법칙'이라는 것도 있습니다. SF 작가 시어도어 스터전Theodore Sturgeon이 SF 소설에 관해 내뱉은 말입니다. 그런데 이 말이 '법칙'이 되어 옥스퍼드 사전에도 등재되었습니다. 법칙으로 승화된 그 말은 이렇습니다.

"그 어떤 것도 그것의 90%는 쓰레기다."

80~90%는 별 볼 일 없다는 뜻이니, 더더욱 우선순위

에 집중해 순위가 높은 일을 우선하는 것이 맞습니다. 확실히 불문과 황금의 법칙이네요. 그런데 법칙 운운하기 전에 먼저 해결할 문제가 있습니다. 우선순위에 집중하고 싶기는 한데, 그렇다면 무엇이 '우선'이죠? 무엇이 우선인지, 무엇이 더 중요한지 알아야 그것들을 챙겨서 집중할 것 아닙니까? 결국은 '뭣이 중헌디'로 돌아옵니다.

전 세계적으로 꽤 많이 읽힌 존 맥스웰John Maxwell의《리더십 불변의 법칙》에도 하나의 법칙으로 '우선순위의 법칙'이 등장합니다. 반가운 마음에, 뭔가 '법칙'다운 시원한 걸 기대하면서 봤습니다. 그러나 그때그때 상황에 따라 다른 '뭣이 중헌디'를 어떻게 일괄적으로 정하겠습니까. '법칙'이라 하기는 언감생심 같았습니다. 대신 3가지의 'R'이라는 기준은 참고할 만합니다.

역할(Requirement), 성과(Return), 보상(Reward)을 우선순위를 정하는 기준으로 삼아야 한다는 것입니다. 어떤 일에 대해, '내가 꼭 해야 할 일인가?', '가시적인 성과와 만족감을 주는 보상은 얼마인가?'를 기준으로 하여 따져볼 수 있다는 것입니다. 좋은 얘기이지만 이것 역시 한계가 있습니다. 단지 우선순위를 정하기 위해서는, 먼저 우선순위의 기준부터 정해야 한다는 것을 배운 것으로 만족해야겠지요.

취하거나 버리거나

정리하자면, 순위를 정하기 위해 무엇이 중요한지를 알아야 하고, 무엇이 중요한지를 알기 위해 중요도를 따지는 기준을 알아야 합니다. 그런데 이렇게 정리하다 보니 점입가경이네요. 기준도 보통은 여러 개일 텐데, 여러 기준 중 어느 기준이 우선이죠? 3가지 R 중에 무엇이 먼저죠? 만일 기준끼리 서로 상충한다면, 기준마다 우선순위가 서로 다르다면 어느 기준에 따라야 하죠? 그렇습니다. 무엇이 중요한지 알기 위한 기준도, 그들 중에서도 무엇이 중요한지를 알아야 한다는 겁니다. 요컨대 우선순위의 기준에도 우선순위가 필요하다는 것입니다.

우선순위라는 간명한 표현이 강렬하지만, 정녕 간단치 않음을 알았습니다. 이제 마음 다잡고 차분히 다가가야겠습니다. 보다 면밀히 체계적으로 다가가겠습니다. 그래서 이쯤에서 '취사(prioritization)능력'을 생각해봅니다. '취사'는 '취할 것은 취하고 버릴 것은 버리는' 행위입니다. 그렇지만 저는 이렇게 정의해봅니다. **'대상이 되는 사물이나 업무에 대해 상대적인 중요도를 측정하고, 그 순서에 따라 필요한 행위를 수행하는 능력'**. 많이 다른가요? 취하고 버린다는 뜻의 단어에 너무 많은 의미를 부여했나요? 그렇지만 그렇지 않습니다. 쓸 것과 쓰지 않을 것을 구분하는 것은 출발점이자 사실상의 도착점입니다. '어떤 것을 취할 것인가 아니면 버릴 것인가?' 또 '둘 중에서 어느 것을 취하고 어느 것을 버릴 것인가?'는 시작이자 끝입니다. 곰곰이 생각해보세요. 취사는 사물과 업무의 중요성을 판단하는, 시작하는 행위이자 그것을 실천에 옮기는, 끝인 행위입니다. 심지어 버리기까지 하니까요.

'취사'가 주는 메시지도 '우선순위'만큼 뚜렷합니다. 뚜렷한 만큼 알기 쉽고요. 먼저 쓸 것인가 말 것인가, 취할 것인가 버릴 것인가로 시작합니다. 양분화된 판단인 만큼 해볼 만합니다. 비교도 대상이 2개일 때가 가장 수월합니다. 선택지가 3개만 되어도 주저하는 경우가 많습니다. 뒤에서 설명하겠지만, 다수의 대상을 비교하여 그들 간의 중요도와 우선순위를 파악하고자 할 때, 시작은 2개로 하는 게 좋습니다. 쌍대비교(pairwise comparison)라고 합니다. '상대비교는 쌍대비교', 이렇게 기억하고 계속하겠습니다.

취하거나 버리거나, 취사는 어감상 2개와 두 옵션, 즉 쌍대에 가깝습니다. 그러나 꼭 그렇지만은 않다는 것을 곧 알게 될 것입니다. 일단 여기서 출발해 '취사능력'이 말하는 도착지로 차근차근 전진해봅니다. 여정에서 또 하나의 단어를 습득합니다. '가중치(weight)'입니다. 말 그대로 '각각에 부여하는 중요도를 나타내는 수치'죠. 개별적인 중요도를 수치로 나타내니, 중요한 정도의 차이를 구체적으로 알 수 있습니다.

가령 결혼 상대자를 고를 때 외모는 안 보고 성격만 본다고요? 그렇다면 외모 기준은 버리고 성격 기준은 취하는 것입니다. 가중치로 말하자면 외모는 '0', 성격은 '1'이 되겠죠. 그렇지만 이런 극단적인 기준으로 평생의 반려자를 구하지는 않겠죠. 이를테면 외모보다는 성격이 두 배 중요하다는 식, 곧 외모 '0.33', 성격 '0.66'의 가중치로 합을 '1'로 만드는 것이 현실적입니다.

외모, 성격, 경제력 외에도 가정환경, 학벌, 종교도 따져보고, 요사이에는 반려동물을 좋아하는지 여부도 많이 본다죠? 하여튼 가중치를 도입한다는 건, 단속적인(discrete) 선택(이거 아니면 저거)에서, 보다 연속적인(continuous) 쪽으로 (어느 정도는 이거고, 어느 정도는 저거) 방향키를 잡았다는 것입니다. 그래야 현실의 용도에 가깝고, 또 우리가 바라는 취사능력의 의미에 가까워지니까요.

'가중치'라니 너무 학술적인 것 아니냐고요? 일상에서 쓰일 역량을 얘기하는 판에, 너무 '수리타분'한 것 아니냐고요? 앞장에 등장했던 벤자민 프랭클린이 지인에게 보낸 편지를 읽어보면 그런 생각이 달라질 수 있습니다.

불확실성을 극복하는 나만의 간단한 방법을 알려주겠다. 종이 1장에 세로로 줄을 죽 그어서 양쪽으로 나눈 뒤, 한쪽에는 찬성, 다른 한쪽에는 반대를 적는다. 그런 뒤 며칠 동안 여러 기준으로 떠오르는 장단점을 짧은 문장으로 찬성이나 반대쪽에 죽 적어 내려간다. 그렇게 해서 모든 것이 한눈에 들어오면, 그때부터 각각의 가중치를 추정하려고 노력한다. 양쪽에서 가중치가 같아 보이는 것을 하나씩 찾아내면, 둘 다 지운다. 또 찬성하는 이유 하나가 반대하는 이유 2가지에 상응한다면, 그 셋을 다 지운다. 마찬가지로 반대하는 이유 2가지가 찬성하는 이유 3가지에 상응한다면, 그 5가지를 지운다.

그런 식으로 죽 훑어간다. 더 이상 새로운 이유가 나타나지 않으면, 최종적으로 이유가 많이 남은 쪽으로 결정한다. 나는 이런 간단한 수학이 도덕이나 인생의 신중함에 큰 도움을 줄 수 있다고 생각한다.

다윈, 프랭클린, 그리고 빌 게이츠까지 자꾸 가운데에 줄을 긋는 것을 보니, 우리도 따라 해볼 만하지 않습니까? 또 따라 할 것은 가중치입니다. 프랭클린의 가중치는 수리적입니다. 숫자 개념이 명확하죠. 찬성 이유 1개가 반대 이유 2개에 상응하고, 반대 이유 2개가 찬성 이유 3개와 같습니다. 이런 관계는 수리 개념을 의식해 각각의 가중치를 추정해야 성립합니다.

우리가 어려서부터 수학을 그리 열심히 배우는 이유는 뭘까요? 모두 수학자가 될 것도 아니고, 웬만한 계산은 계산기나 컴퓨터가 다 해주는데요. 모두 고등수학까지 배워야 하는 입시제도가 문제이긴 합니다만, 기본적인 수리능력은 사람을 논리적이고 합리적으로 만들어줍니다. 수학은 세상의 이치를 냉정하게 알려줍니다. 심리학자이면서 노벨경제학상 수상자인 대니얼 카너먼Daniel Kahneman은 저서《생각에 관한 생각》에서, 우리의 생각에는 2가지 시스템이 있다고 합니다. 우리의 '직관적 사고'는 아주 빨리 작용하는 '시스템 1'을 따라가는데, 효율적이기도 하지만 오류로 이끄는 경우도 빈번하다고 합니다. 그래서 '시스템 1'은 항상 '계획적 사고'로 심사숙고하는 '시스템 2'의 지원을 받지 않으면 안 된다고 강조합니다. '시스템 2'는 수리적·논리적·합리적입니다.

무엇이 중요한지를, 무엇이 우선인지를 판단하는 일은 비일비재합니다. 그때마다 우리는 그간의 경험으로, 직관적으로 반응하고 판단합니다. 그러나 '시스템 2'로 한 번 더 판단을 가다듬어야 합니다. '○○ 편향'의 덫에 걸리거나 '○○ 오류'의 늪에 빠지지 않으려면, 냉정하게 숫자와 가중치를 들이대야 합니다.

숫자로 다가가면

수학 중에서 현실과 가장 밀접한 분야는 통계와 확률입니다. 지나치게 작거나 의도적으로 편중되게 구성한 표본만 아니라면, 이로써 산출되는 통계치와 확률치는 매우 유용합니다. 이를 근거로 내린 판단과 의사결정은 합리적입니다. 도박이 도박인 이유는, 확률적으로 잃을 확률이 더 큰데, 냉정을 잃고 욕심과 욕망으로 베팅하기 때문입니다.

럭셔리한 카지노 도박이라고 하면 룰렛이 떠오릅니다. 미국식 룰렛에는 1부터 36까지의 숫자가 빨간색과 검은색으로 절반씩 채워져 있습니다. 그런데 잘 보면, 딱 한 칸에 또 다른 색으로 '0'이 쓰여 있습니다. 이것이 카지노의 몫이고, 도박을 계속하다 보면 결국은 돈을 잃게 되는 포인트입니다.

빨강이나 검정에 판돈을 걸고 색이 맞으면 판돈의 2배를 번다고 하면, 18/36, 즉 1/2일 것 같지만 이 '0' 때문이 아닙니다. 2배를 벌 확률은 1/2보다 작은 18/37입니다. 그리고 1/2보다 큰 19/37의 확률로 베팅한 돈을 잃으니, 여러 번 하면 결국은 잃기 쉽죠. 베팅을 계속할수록, 표본의 수가 늘어날수록 통계와 확률이 제시하는 냉정함이 빛을 발하는 구조입니다. 그런데 만약 판돈의 2배가 아니라 3배를 준다면(물론 그런 카지노는 없겠지만) 어떨까요? 지구 끝이라도 가서 해야죠. 100원 베팅하면, 기대 수익이 18/37×300원+19/37×0원이니, 약 146원 나온다는 얘기네요. 연습 삼아 계산해보았습니다.

이왕 계산식을 펼친 김에 이것도 해볼까요. 여러분은 배우자감으로, 외모보다 성격을 2배 봅니다. 그런데 한 사람은 외모 80점에 성격 60점, 다른 한 사람은 외모 40점에 성격 70점입니다. 누구랑 결혼해야죠? 앞사람의 총점은 0.33×80점+0.66×60점=66점입니다. 뒷사람은 마찬가지 식으로 59.4점이고요. 그런데 어르신들 말씀이, 외모는 다 필요 없답니다. 어차피 살다 보면 그게 그거니 성격 좋은 게 최고라고요. 경험표본이 큰 어르신들의 얘기니 무시할 수 없습니다. 그런데 또 이런 얘기도 있지 않나요? 사람은 외모에서 다 드러난다, 나이가 들수록 자신의 외모에 책임을 져야 한다 등등. 이것도 어르신들 얘긴데요. 만일 외모가 그 사람이 풍기는 느낌까지 포함한다면, 당연히 저는 뒤쪽 어르신들 말씀에 한 표입니다. 아무리 성격이 2배 중요하다 해도, 외모가 2배인 사람을 거부할 수는 없지 않나요?

속으로 '너무하네', '공대 교수답다' 하겠죠? 이것은 저만의 발상이 아닙니다. '선뎀/티어니 이론'이라는 게 있습니다(가스 선뎀은 과학자고, 존 티어니는 칼럼니스트입니다). 유명인사의 결혼 지속기간을 예측하는 공식이랍니다. 명성, 나이, 교제기간, 결혼경력, 성적 매력 등의 자료로 예측합니다. 실제로 그 공식을 적용해 상당수의 유명인 커플의 결혼 지속기간을 맞혀서 〈뉴욕타임스〉에 보도되기도 했답니다. 어떻습니까? 간혹 숫자에 귀 기울여 보아도 괜찮지 않겠습니까?

확률에 그 확률의 일이 일어났을 때의 결과값을 곱한 것을 '기대치'라고 하죠. 18/37×300원=146원처럼요. 비슷한 모양새로, 가중치에 그 가중치의 중요도를 매긴 대상의 실제값을 곱한 것이 '중요치'입니다. 0.33×80점=26.4점이 외모 80점인 사람의 '외모 중요치'입니다. 확률을 확률로 끝내지 말고 '기대치'로 환산해야 실제의 의미가 있듯이, 가중치는 가중치로 끝내면 안 됩니다. 가중치를 매긴 항목의 실제값을 적용하여 실제의 '중요치'를 산출해야겠지요. 계산이 별로 골 아픈 건 아니었죠? 이제야 다음에 소개할 취사능력 습득 방법에 대한 사전 준비가 끝난 것 같습니다.

그런데 사전준비를 마치기 전에, 짚어볼 것이 있습니다. 모든 것을 숫자로 환산하고, 모든 것을 확률로 결정하라는 것은 아닙니다. 경험을 무시하고 직관을 차단하라는 얘기가 아닙니다. 세상이 숫자로만 표현될 수 없고, 인생이 숫자로만 결정될 수 없다는 것을 충분히 압니다. 저 역시 숫자의 한계를 어떤 공대 교수보다 강조해왔습니다. 그러나 우리 모두 어느 정도는 지금보다 더 숫자적일 필요가 있습니다.

가능성이 '있다', '없다'라고만 말하지 말고, 어떤 확률로 가능한지 기대치를 말해야 합니다. '이게 더 중요하다' 하지 말고, '얼마나 더 중요한지' 숫자로 중요치를 말해야 합니다. 냉정한 숫자로 머리를 차갑게 만들어야 각종 '편향'과 '오류'에서 벗어날 수 있습니다. 요사이 많은 일에 인공지능이 활용되죠? 특히 인간의 주관적인 감정을 배제해야 하는 곳이라면 더 적합합니다. 알다시피 인공지능은 숫자이고 데이터입니다. 룰이고 확률입니다. 당분간 인간을 대체하기는 어려워도 냉정한 '시스템 2'로는 각광받을 것입니다.

"인생은 직업, 가족, 건강, 친구, 그리고 영혼(나)이라는 5개의 공을 저글링하는 것이다. 그중에서 '직업'이라는 공은 혹시 떨어뜨리더라도 다시 튀어 오르는 고무공이지만, 다른 4개의 공은 유리공이어서, 만일 당신이 하나라도 떨어뜨리면 깨져서 다시는 회복할 수 없다."

이 말은 2000년 코카콜라 회장의 신년사 중 일부로 오래 회자되었습니다. 그렇다면 가족, 건강, 친구, 영혼은 중요하고, 직업은 덜 중요하다는 뜻인가요? 다 중요합니다. 이 5개의 공은 모두 중요도를 가늠하기 어려울 정도로 우선순위가 높은 대상이자, 또 모든 일의 우선순위의 기준이 되는 것들입니다. 각각을 따로 떼어놓고 보기도 어렵습니다.

직업이 고무공이면 떨어뜨려도 되나요? 직업이 있어야 경제적인 여유가 생겨 가족, 건강, 친구, 심지어 영혼까지 챙길 수 있는 것 아닌가요? 비행기를 타면 매번 듣습니다. 비상시 대처요령이죠. 어린이 동반의 경우, 비상시 천장에서 호흡기가 떨어지면 누구부터 씌우라고 하죠? 어린이가 아니라 본인부터입니다. 본인부터 챙겨야 어린이도 챙길 수 있죠. 중요한 대상과 중요한 일은 다릅니다. 이를 구분할 줄 알아야 합니다. 구분하지 못하면 고무공조차 깨지게 됩니다. 그러니 냉정해야죠. 여러모로 냉정해야 합니다.

어떻게 취사능력을 얻을 것인가?

한동안 직접 지도하며 같이 연구하는 대학원생이 무척 많았습니다. 전업으로 석박사과정을 다니는 학생 수만 30명이 훌쩍 넘었으니 아마도 규모 면으로는 여러 대학을 통틀어도 최고 수준 아니었나 싶습니다. 공대의 랩은 학생끼리, 교수와 학생 간에 상당히 밀접한 소통이 이루어집니다. 연구와 토론도 같이 하고, 밥도 차도 같이 먹습니다. 수가 되니 두 팀으로 나눠 축구도 했네요. 선거 때면 저희끼리 시행한 표본조사로 결과를 예측해보기도 했다니까요.

그리고 이런 것도 했습니다. 배우자 적합도를 따지는 기준을 만들어봤죠. 젊은 나이의 학생들이니 관심사이기도 했고요. 일관성 있게, 이 얘기를 좀 더 해보겠습니다. 배우자를 선택할 때 눈여겨봐야 할 조건은 정말 많습니다. 저희 학생들이 줄잡아 30개 남짓 나열했는데, 대략 6개의 기준으로 모아보니 외모, 성격, 학벌, 직업, 재산, 집안(환경)이었습

163

니다. 약간 겹치는 부분도 있지만, 결혼정보회사에서 주로 쓰는 기준과 거의 같아 그대로 확정했습니다. 이것들을 다시 세분화하는 작업도 했고요. 예를 들면, 외모는 얼굴, 키, 몸무게, 스타일 등으로, 직업은 연봉, 직위, 근무처, 장래성 등으로 말입니다.

너무 상세한 얘기는 불필요할 듯하니, 배우자 적합도의 6대 기준에 대해서만 언급하겠습니다. 이들 6개의 상대적 중요도를 매겨보니, 외모(0.35) > 성격(0.2) > 직업(0.15) > 재산(0.15) > 집안(0.1) > 학벌(0.05) 순이었습니다. 괄호 안의 숫자는 가중치로서, 물론 합은 1.0입니다. 이건 남학생들이 여성 배우자를 선택하는 기준이었고요. 여학생들의 기준은, 직업(0.4) > 재산(0.3) > 학벌(0.1) > 성격(0.075) > 집안(0.075) > 외모(0.05)로 나오더군요. 상당히 다르죠?

의외였던 것은, 여성이 보는 기준에서 성격의 비중이 낮은 것이었는데, 이에 대한 여학우들의 의견은 단호했습니다. 성격은 겪어봐야 한다고. 거기에 토 달지 않고 수용했던 게 기억납니다. 그러나 여러분까지 그럴 필요는 없습니다. 그래봤자 몇십 명으로 한정된 표본조사였으니까요.

그리고 적용해보았죠. 실명을 거론하긴 그렇지만 특정 유명인을 대입했습니다. 남자 대학원생들은 미국의 한 유명 상속녀에게 고작 총점 63.75점을 주더군요. 100점 만점에요. 재산과 미모가 압도적인데도요. 한편 국내의 한 연기파 남자 배우는 총 76.75점을 받았습니다. 외모에서는 낙제점이었지만 다른 기준에서 골고루 점수를 획득한 것입니다. 암튼 이 결과들을 대체로 수긍하면서 써봄 직한 방법이라고 입을 모았습니다. 졸업해서 결혼할 때 실제로 썼는지는 모르겠지만요.

무엇이 얼마만큼 더 우선하는지

취사는 취할 것과 버릴 것을 결정하는 것입니다. 기본적으로 양쪽을 비교해 결정하는 것이죠. 비교대상 간의 상대비교를 하는 행위입니다. 앞에서 얘기했죠? 상대비교는 쌍대비교라고. 인간은 비교의 대상이 2개일 때 인지와 판단을 가장 정확하게 합니다. 3개만 되어도 혼선이 초래됩니다. 누군가 이성을 볼 때, 외모보다 성격이 2배 중요하다고 말합니다. 또 학벌보다는 외모가 2배라고 하고요. 그렇다면 학벌과 성격은요? 수치적으로는 성격이 학벌의 4배여야 하지만, 만약 학벌과 성격을 그냥 직접 비교하라면 과연 4배라는 숫자가 나올까요? 또 그 4배라는 숫자가 맞기는 할까요?

인간의 편향과 오류를 최소화하기 위해서는 그나마 상

대를 상호 비교하는 쌍대비교가 제격입니다. 이 쌍대비교를 중심으로 다수 대상의 중요도를 측정하는 방법이 있습니다. 그것은 AHPAnalytic Hierarchy Process입니다. '분석적 계층화 방법', '종합평가법' 등으로 불리지만, 그냥 'AHP'라고 하는 것이 수월합니다. 쌍대비교를 근간으로 대상이 되는 것들의 상대적 중요도를 측정하여 합리적 의사결정에 도달하게 해주는 AHP는, 취사능력을 기르게 해줍니다.

AHP를 만든 토마스 사티Thomas Saaty는 다중기준 의사결정(Multi-Criteria Decision Making) 분야의 대가입니다. 그의 오랜 노력으로 AHP는 정부기관의 정책과 민간기업의 사업에 대한 의사결정뿐 아니라, 각종 성과측정 및 평가, 타당성 분석 및 검증, 갈등 조정 및 해소 등에 국제적으로 폭넓게 활용되고 있습니다. 이제 우리의 취사능력에도요.

위키피디아에 소개된 사례를 통해 AHP를 소개하겠습니다(다음 그림과 더불어, 상세한 계산은 위키피디아를 참고하길 바랍니다). 노파심에 한마디 하면, 계산은 이번 취사능력에만 나옵니다. 그러니 너무 노여워 마세요.

한 회사가 새로운 CEO를 선정하려 합니다. 후보는 3명으로 톰, 딕, 그리고 해리입니다. 이들을 4가지 기준으로 살펴보기로 했죠. 경험·학벌·추진력·나이로 말이죠. 먼저 경험에 대해서 쌍대비교합니다. 톰에 비해 딕이 4배 좋은 반면, 해리에 비해 톰이 또 4배 좋다고 평가합니다. 그런데 딕과 해리를 직접 비교하니, 이번에는 16배가 아닌 9배로 딕이 우월하다는 평가가 나옵니다. 2개로 하는 쌍대비교를 3개 이상의 대상들을 짝지어 비교할 경우 생길 수 있는 불일치(inconsistency)입니다.

사티는 이러한 불일치에 일관성을 부여하는 알고리즘을 제시합니다. AHP의 수리적 핵심이죠. 고유벡터(eigenvector)가 등장하는 알고리즘인데 따로 소개하지는 않겠습니다. 쉽게 구할 수 있는 간단한 소프트웨어로도 가동되니 걱정 안 해도 됩니다. 알고리즘을 적용하면, [톰 : 딕 : 해리 = 0.217 : 0.717 : 0.066]이 나옵니다. 역시 합은 1.000이고요. 얼추 계산해보아도, [톰 : 딕 = 1 : 4], [톰 : 해리 = 4 : 1], 그리고 [딕 : 해리 = 9 : 1]이 어느 정도는 보정되어 나온 수치임을 알 수 있습니다. 어쨌거나 이것이 경험 측면에서 본 3명의 후보자 간의 상대적 중요도, 즉 가중치인 셈이죠.

이번에는 학벌 기준으로 쌍대비교를 하니 [톰 : 딕 = 3 : 1], [톰 : 해리 = 1 : 5], 그리고 [딕 : 해리 = 1 : 7]입니다. 여기에 일관성을 가미한 보정수치는 [톰 : 딕 : 해리 = 0.188 : 0.081 : 0.731]. 경험에서는 딕이 우세한데, 학벌로는 해리가 월등하네요. 마찬가지 방식으로 추진력은 [톰 : 딕 : 해리 = 0.743 : 0.194 : 0.063]으로 이번에는 톰이 단

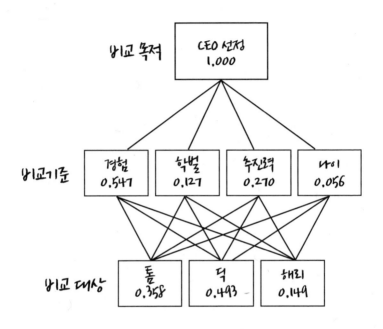

비교 목적 — CEO 선정 1.000

비교기준 — 경험 0.547 / 학벌 0.127 / 추진력 0.270 / 나이 0.056

비교 대상 — 톰 0.358 / 딕 0.493 / 해리 0.149

그림3_ AHP와 가중치

연 우수합니다. 각각의 장점이 극명하게 다른 후보군인 것 같습니다. 마지막으로 나이에서는 [톰 : 딕 : 해리 = 0.265 : 0.672 : 0.063]이라 합니다. 회사가 찾는 CEO의 연령대에 딕이 제일 부합하는 모양입니다.

자, 이제 4가지 기준을 종합해야겠지요? 그러기 위해서는 4가지 기준, 즉 CEO 적합도의 기준의 상대적 중요도도 알아내야 합니다. 이번에는 4개에 대해 쌍대비교를 해야 하니 총 6개의 짝에 대해 비교해야 합니다. 경험과 학벌, 경험과 추진력, 경험과 나이에다가, 학벌과 추진력, 학벌과 나이, 그리고 추진력과 나이, 이렇게 도합 6개의 짝을 비교하고, 여기에 일관성 알고리즘을 적용해서, 그림에서 보듯이 [경험 : 학벌 : 추진력 : 나이 = 0.547 : 0.127 : 0.270 : 0.056]이 산출되었습니다. 결국 CEO가 되기 위해서는 경험>추진력>학벌>나이의 순서라는 거죠.

너무 복잡하다고요? 전혀 그렇지 않습니다. 비슷한 패턴의 계산이 반복되는 거잖아요. 암튼 이젠 차기 CEO를 정해야겠죠? 지금까지 나온 수치를 종합하면 각 후보자의 점수가 쉽사리 나옵니다. 각자의 총점은, 4개 기준의 가중치에다 각자의 기준별 점수를 곱해서 모두 더하면 됩니다. 즉,

톰의 점수는, $0.547 \times 0.217 + 0.127 \times 0.188 + 0.270 \times$

0.743+0.056×0.265=0.358이고,

딕의 점수는, 0.547×0.717+0.127×0.081+0.270×0.194+0.056×0.672=0.493이며,

해리 점수는, 0.547×0.066+0.127×0.731+0.270×0.063+0.056×0.063=0.149입니다.

결국 100점 환산 점수로, 톰은 35.8점, 딕은 49.3점, 해리는 14.9점, 그래서 딕을 CEO로 추대해야 한다는 결론에 도달합니다.

재미없었죠? 그래도 별로 어렵지는 않죠? 조금만 신경 써서 읽었다면요. 고작해야 곱하기와 더하기인데요. 약간의 수리계산이지만 그 활용도는 무궁무진합니다. 여러분은 사람을 선택할 일이 없나요? 때론 점수를 매기고 싶기도 할 것이고요. 이것저것 중에서 골라야 할 일이 많지 않습니까? 때론 하나하나가 몇 점짜리인지도 알고 싶겠죠.

2명을, 2가지를 비교하는 일에서 시작해, 더 많은 사람, 더 많은 것을 비교하게 됩니다. 단지 취할 것과 버릴 것을 결정하는 것으로 끝나지 않습니다. 취하되 얼마나 좋아서 취하는지, 버리되 얼마나 기준에 미흡해서 버리는지 알게 됩니다. 상대적 중요도, 가중치, 숫자로 알게 됩니다. 요긴하지 않을까요? 무엇이 더 중요한지를 아는 것으로, 우선

순위를 아는 것으로 끝나지 않습니다. 무엇이 얼마만큼 더 중요한지, 무엇이 얼마만큼 더 우선인지를 아는 것입니다.

이런 방식과 이로써 얻어지는 취사능력이 정녕 탐나지 않나요? 주위를 둘러보고 주변을 살펴보세요. 이러한 능력을 확보해, 감정에 휘둘리는 이들을 앞서가고 때론 도와주고 싶지 않나요? 자신만의 숫자놀음, 알고리즘을 가져야 합니다. 그런 방향으로 나아감에 주저하면 안 됩니다. 냉정하고 냉철하게 나아가야 합니다. 숫자에 지나치게 의존하면 꼰대 되지만, 숫자를 지나치게 멀리하면 꼴통 됩니다. 하여간 앞으로는 이런 계산식 안 나오니, 마음 열고 받아주길 바랍니다.

혹 [그림3]을 보니 1장의 분류능력과 MECE가 생각나지 않나요? 옳은 발상입니다. 분류를 잘하고 MECE를 잘하면 [그림3]과 같은 체계를 만들기가 쉽습니다. 당연하죠. CEO를 뽑을 때, 경험, 학벌, 추진력, 나이를 주로 봐야 하는 걸 알아야 이 그림이 그려지니까요. 그러나 AHP는 MECE와는 달리 모든 것을 다 나열할 필요는 없습니다. 오히려 필요한 것만 나열하고 전개하는 것이 좋습니다. CEO의 특성에 외모나 종교 같은 것도 있겠지만, 굳이 그것들까지 넣어서 계산을 복잡하게 할 필요는 없으니까요.

다른 사람은 제외하고, 톰, 딕, 해리만 비교했듯이, 하나의 계층에 있어야 할 것만 있는 게 AHP입니다. 꼭 전체포괄(Collectively Exhautive, CE)일 이유는 없지요. 사실 AHP의 가장 어려운 부분은 수리계산이 아닙니다. 바로 체계를 만들어내는 부분이죠. 중요도 판단 기준들로 구성되는 체계를 만드는 바로 이 대목에 많은 노고가 들어가고, 그것을 분류 능력이 담당해줍니다. 그러니 분류와 취사는, 확실히 하나의 능력이 다른 하나의 능력을 배가시켜줍니다.

버려야 할 때 아까운 것들

'우선순위에 집중하라', '시간과 에너지를 중요한 일에 쏟아라'. 지당한 말씀입니다. 지극히 당연하고 너무나 잘 아는데, 그렇게 못하는 이유가 많습니다. 알고도 실천하지 못하는 이유는 이미 밝힌 바 있습니다. 이번 장 초반에서였죠. 거기에 덧붙일 것이 하나 있습니다. 질문을 하나 드리겠습니다. 당신에게 아주 중요한 일입니다. 지금부터라도 꾸준히 해야 하는 일인데, 아직 하지 않고 있습니다. 그 일은 어떤 일입니까? 아니, 훨씬 더 듣고 싶은 답은, 그 일을 하지 않는 이유는 무엇입니까? 안 하는 겁니까? 아니면 못하는 겁니까? 만일 안 하는 것이라면, 또는 실상은 안 하는 건데 못 하는 것이라고 생각한다면, 당신은 자제력이 부족한 것입니다. 꼭 게을러서가 아닙니다. 중요한 일을 덮어버리는 다른 일이 있어서입니다. 그 다른 일이 더 쉽고 편해서, 더 재미있어서 그렇습니다.

예를 들어 내일 시험이나 면접 혹은 제안 발표가 있는데, 친한 친구가 나오라 합니다. 간만에 좋은 곳에서 술 한잔하자 합니다. 소중한 친구를 택했나요? 그랬다면 자제하지 못한 것입니다. 소중한 친구라면 어차피 늘 곁에 있을 텐데요. 사실이 그렇습니다. 기분 나쁘라고 한 말이 아닙니다.

취사능력은 '대상이 되는 사물이나 업무에 대해 상대적인 중요도를 측정하고, 그 순서에 따라 필요한 행위를 수행하는 능력'이라 정의했습니다. 뒷부분, '그 순서에 따라 필요한 행위를 수행'하려면 실천력과 자제력이 있어야 합니다. 여기에 다시 2장에 등장했던 능력이 도움을 줍니다. 지향능력입니다. 목표가 명확하다면, 미션과 비전이 명쾌하다면, 그것들이 내면화되어 있다면, 자제할 수 있습니다. 실천하게 됩니다. 이래저래 취사능력은 다른 능력의 도움을 받아야 하는군요. 정의의 앞부분은 분류능력, 뒷부분은 지향능력이 한몫할 겁니다.

자제해야 할 것들은 버려도 그만인 것들일 가능성이 높습니다. 없어도 그만인 것들이죠. 그런데 그렇지 않은 상황, 버리면 아까운 상황도 많습니다. 상대적 중요도, 가중치가 적어서 버립니다. 상대적으로 중요도가 낮다는 것이지, 아예 중요하지 않다는 얘기는 아닙니다. 그러면 아까울 수 있겠죠. 아까워도 취사능력을 동원해서 버려야 현명합니다.

또다시 이성과 짝짓기 얘기인데, 지겹더라도 들어주세요. 런던에 사는 한 영국 남성이 자신이 만날 수 있는 이상형 여성이 얼마나 될지 궁금해졌습니다. 그리곤 계산해보았죠. 당시 영국 인구는 6,097만 5,000명이고, 그중 여성 인구 비율이 0.51, 런던에 사는 여성의 비율이 0.13이었습니다. 거기다 24~34세 여성 비율은 0.2, 대학졸업자인 여성 비율은 0.26이었죠. 또 외모가 뛰어난 여성 비율이 0.5, 미혼 여성 비율 0.5, 본인과 성격이 맞을 확률 0.1, 마지막으로 그 여성이 자신에게 매력을 느낄 확률 0.05랍니다.

이를 모두 계산하니 6,000만 영국인 중 약 262명! 이 숫자를 보고 그 남성은 좌절했을까요? 어땠든 이런 식으로 이상형을 찾는 게 가능해 보이지는 않습니다. 자신에게 매력을 느낄 확률을 고작 5%로 잡은 것만 봐도 그 사실을 아는 듯하고요.

그런데 이 방식은 유례가 있습니다. 일명 '드레이크 방정식'이라고, 미국의 천문학자 프랭크 드레이크Frank Drake가 인류와 교신이 가능한 기술을 지닌 지적 생물이 사는 행성이, 이 은하계에 몇 개나 있는지 추론하기 위해 계산한 식입니다. 그러고 보면 그 영국 남성은 나름의 지적 수준이 있는 거고, 그렇다면 버릴 줄도 알겠네요. 만일 한 가지 조건만 버린다면, 가령 이상형의 학력(대학 졸업)만 포기하면

1,000명이 훌쩍 넘습니다. 해볼 만합니다. 버릴 줄 알아야 얻을 수 있습니다. 아, 참 드레이크의 결과가 궁금하다고요? 대략 10개, 우리의 지적 수준 이상의 생명이 있는 행성은 10개 정도랍니다. 그러니 단순 생명체가 있는 행성은 훨씬 더 많겠지요. '인류와 교신이 가능한 기술을 지닌'을 버리면 말입니다.

중요한 것들이 상충한다면?

난감한 상황은, 중요한 것들이 서로 상충할 때 일어납니다. 중요한 것들이 공존하지 못하거나, 중요한 가치가 상호 이율배반적일 때 난감해집니다. 다 중요한데, 하나를 취하면 하나는 반드시 버려야 하는 상황이라는 거죠. 그것도 확실히 뿌리째 뽑아버리지 않으면 '죽도 밥도' 아닌 것이 됩니다. 심지어 회색분자 취급받기도 하고요. 이럴 때일수록 취사능력을 발휘해야 합니다.

애플의 제품은 가격 비싸기로 유명합니다. 시스템 호환성이 떨어지는 것도 유명합니다. 그들이 가성비를 모를까요? 개방성을 모를까요? 애플은 자신들의 충성 고객에게 무엇이 더 중요한지를 파악해서 그에 맞춰 취한 겁니다. 나머지는 버렸고요. 월마트나 코스트코는 널찍하고 실용적인 공간입니다. 별다른 인테리어가 없습니다. 싼 가격을 취한 대신 비싼 분위기는 버린 거죠. 비즈니스석은 저가를 버렸지만, 저가 항공은 기내서비스를 버렸습니다.

최고급 한우를 표방하는 갈빗집, 가성비를 외치는 갈빗집, 무한 리필을 자랑하는 갈빗집, 그들은 저마다 취할 것을 취하고 버릴 것은 버립니다. 삼국지연의에 등장하는 조조는 실리를 위해 명분을 버리고, 유비는 명분을 위해 실리를 버립니다. 하지만 조조도 명분이, 유비도 실리가 아깝지 않겠습니까? 성장을 외치는 자도 분배가 중요한 줄 알고, 분배를 외치는 자도 성장이 중요한 줄 압니다. 버리기는 하지만요. 무엇이 더 우선인지의 문제지요.

우리는 자신의 욕구와 욕망에도 어떤 우선순위가 있는지 알아야 합니다. 한가한 시간과 한적한 공간에서 한번 써보기 바랍니다. 남들에게 보이기 민망할 수 있으니 나중엔 찢어버리고요. 종이의 가운데에 줄을 긋지 않아도 됩니다. 그저 하고 싶은 것과 하고자 하는 것을 생각나는 대로 적어보고, 생각해보고 또 적습니다. 아주 원대하고 높은 레벨의 욕구일 수 있고 아주 세세하고 낮은 수준의 욕망일 수도 있겠죠. 그러곤 한꺼번에 쳐다보세요. 모순이 덩어리져 있음을 알게 됩니다. 그들의 상충관계가 한눈에 드러날 겁니다. 하나의 욕구는 다른 욕구와 충돌하고, 어떤 욕망은 다른 욕망과 경쟁합니다. 충돌과 경쟁은 사사건건 시시콜콜 마음의 갈등을 자아내고요. 어쩌겠습니까. 버려야죠.

지금껏 많은 얘기를 했습니다. 순서를 정하고, 더 중요한 것을 인식해서, 아깝지만 버려야 합니다. 우선순위를 정하면 (깨끗이 버리진 못해도) 적어도 갈등의 짐은 덜 수 있습니다.

'진리가 너희를 자유롭게 하리라.'

제가 다니는 대학의 교훈이자, 제가 좋아하는 성경 구절입니다. 진리를 세우세요. 그러면 갈등과 번민으로부터 자유로워집니다. 2003년 영화 '사랑할 때 버려야 할 아까운 것들'을 보면 나이 든 부유한 독신남이 진정한 사랑을 깨우치고 그간에 누렸던 자유를 버립니다. 아까운 많은 것들을 버릴 정도로, 역시 사랑은 인간에게 있어서 가장 우선순위가 높은 욕망입니다.

인간 심층의 내면을 얘기하다 보니, 더 곤혹스러운 상황이 떠오릅니다. 버려야 할 것을 아까워서 못 버리는 것은 그나마 나은 상황이고, 이번에는 버려야 할 것을 오히려 애지중지하며 우선순위의 제일 높은 곳에 모셔두는 경우가 있습니다. 옆에서 감히 버리라고 말하기도 어려운 경우죠.

확률이론 중에 아주 흥미로운 영역이 있는데, '베이지안 확률론(Bayesian probability)'이라는 것입니다. 목사 출신 통계학자 토머스 베이즈Thomas Bayes의 이름을 딴 것으로, 이를 신봉하는 학파를 '베이지안'이라고 합니다. 핵심은, 확률을 추정할 때 사전정보가 있다면 이를 적극 활용하자는 것입니다. 사전정보가 다소 주관적이어도 계속 보정하면 되니 문제가 없다는 입장이죠. 상당히 실용적인 방법입니다. 그래서 그 활용도가 증가하고 있으며, 특히 인공지능 분야에서 공헌하고 있습니다.

그런데 베이지안이 '문제없다'고 단정하는 범주에 포함되지 않는 경우가 있습니다. 사전정보가 완전히 잘못되었거나 더 이상 유효하지 않은 경우입니다. 마치 구시대, 이미 지나가 버린 세상에서 습득한 지식 같은 것이죠. 완벽히 다른 세상과 환경인데, 이전의 고정관념을 벗어나지 못하고 있습니다. 신념이란 이름으로 중무장한 철갑옷을 벗지 못합니다. 게다가 설상가상으로, 그것들로 전장에서 승리한 찬란한 기억까지 가졌습니다. 그러면 더더욱 못 버립니다. 스스로는 그간의 엄청난 빅데이터로 검증된 사전정보, 사전확률이라 생각하지만, 실상은 폐기처분 해야 할 소량의 데이터로 뒷받침된 자기만족일 뿐입니다. 들어보았죠? 인간의 각종 '편향'과 '오류'는 모두 자신감, 자만심, 자기만족에서 기인한 왜곡이라는 사실을요.

어떤 일이 일어날 확률이 앞의 상황과 전혀 무관한 경

우도 있습니다. 이때 사전정보가 무슨 소용입니까? 동전 던지기를 합니다. 3번을 던져 3번 다 앞면이 나옵니다. 그렇다면 다음은 앞면입니까, 뒷면입니까? 그동안 앞면만 나왔으니 앞면일까요? 반대로 그동안 앞면만 나왔으니 뒷면일까요? 그냥 1/2의 확률입니다. 동전에 이상만 없다면요. 독립된 사건들의 흐름을 애써 사전정보로, 선입감으로, 때론 혜안으로 간주하면 안 됩니다. 하여간 알게 모르게 스스로가 베이지안임을 주장하나, 토마스 베이즈는 절대 인정하지 않을 사람들이 많습니다.

버리지 못하는 원숭이

버려야 합니다. 어쩌면 선택은 취하는 것이 아니라 버리는 것입니다. 버리려면 냉정해야 하고, 냉정하려면 간단한 수학과 간결한 취사능력에 익숙해져야 합니다. 움켜잡은 그것을 놓아야 합니다. 우선순위를 알고 중요한 것이 무엇인지를 알고도, 실천하지 못하고 자제하지 못하는 이유는 버리지 못해서, 놓지 못해서입니다.

원숭이 잡는 법 들어보았나요? 이번에도 항아리가 나옵니다. 원숭이 손이 겨우 들어가는 항아리를 준비한 후 항아리를 들 수 없게 바닥에 고정합니다. 다음은 항아리를 원숭이가 좋아하는 먹이들로 가득 채우죠. 일단 원숭이가 항아리 근처로 오면 게임 끝입니다. 좁은 입구로 손을 넣어 먹을 것을 잔뜩 움켜쥔 원숭이는 사람들이 다가와도 도망치지 못합니다. 움켜쥔 것들을 버리지 못하기 때문입니다. 한심하고 애처롭습니다. 지금 우리의 모습일 수도 있고요.

얼마 전 응급실에 갔습니다. 부모님 때문에 간 적은 꽤 있지만, 제가 응급실에 누워보기는 처음이었습니다. 평생 욕구와 욕망을 채우려 분주하게 지냈으나, 부모님이 주신 건강한 몸으로 큰 병치레한 적 없었습니다. 4명의 의사와 간호사가 응급처치를 하는 응급의 순간, 저에게 그 순간은 왠지 정지된 느낌이었습니다. 몇 사람과 몇 가지 일이 떠오르고, 많은 것들이 버려졌습니다. 소수의 몇몇 이외에 남는 것은 없었습니다. 저의, 제 인생의 우선순위가 응급실의 희멀건 천장에 너무나도 선명하게 그려졌습니다.

비슷한 경험 있겠죠? 꼭 응급한 경우, 자신의 경우가 아니라도, 죽음을 생각해본 경험. 가까웠던 사람의 장례식에서, 동경했거나 존경했던 이의 부고 앞에서, 무엇이 중요한지를 생각해봅니다. 그때만큼은, 모두에게 잠재되어 있는 취사능력이 극도로 발휘됩니다. 마르쿠스 아우렐리우스는 "당장 세상을 하직할 수 있는 사람처럼 행하고 말하고 생각하라." 했고, 일본의 한 무사는 "아침부터 죽음을 각오하고 있어야 무사로서 합당한 행동을 할 수 있다."고 했다지요. 최근에는 《아침에는 죽음을 생각하는 것이 좋다》라는 책도 보았습니다. 왜 그때만 그럴까요? 왜 그때의 결심을, 그때의 취사능력을 이어가지 못할까요?

우리 모두는 '나'라는 원의 중심에 있습니다. 중심에 있는 나의 제일 가까운 쪽에 가장 중요한 것을, 가장 우선순위 높은 일을 두어야 합니다. 세상은 돌고, 여러분도 돌고, 모든 것들이 따라 돕니다. 그냥 두면 점점 멀어져 언젠가 원 바깥으로 내팽개쳐집니다. 중요한 것을 중심과 중앙에 밀어 넣고, 그렇지 않은 것을 밀어내고 버려야 합니다. 바위를 취하고 자갈을 버려야 합니다.

세상은 점점 빨리 돕니다. 돌면서 뿜어냅니다. 엄청나게 솟구치는 기술지식, 쏟아지는 경제 뉴스를 다 들고 가렵니까? 얽히고 엮이는 사람과 관계들, 역할과 업무들, 다 움켜쥐고 가렵니까? 취사능력을 단련해야 합니다. 최대한 냉정하게 순서를 정해야 합니다. 그래야 돌고 도는 세상을 좇아갈 수 있습니다.

4

자신의 한계를 알아야

자신을 알게 된다

_ 한정 limiting

너 자신을 알려면

저에게는 뿌리 깊은 편견이 있습니다. 사람에 대한 선입견인데, 뿌리째 뽑으려 노력해도 어느새 스멀스멀 새싹이 나더군요. 처음 사람을 볼 때 2가지 질문만 허락된다면, 저는 이렇게 묻습니다.

"혈액형이 뭐예요? 술은 좋아하세요?"

사람과 친해지는 자리로 술자리를 선택하는 세대의 1인인지라 상대방도 술을 좋아하는지 물어보게 됩니다. 게다가 이백李白의 시 '독작獨酌'의 끝부분 '단득취중취但得醉中趣 물위성자전勿爲醒者傳'을 외우고 다니는 사람이다 보니 어쩌겠습니까? 시의 뜻은 '단, 술 취할 때 얻은 정취를 술 안 취한 자와 나누지 말지어다'입니다.

술은 그렇다 치고 혈액형에 대한 편견은 더 고질적입니다. 혈액형은 타고납니다. 그러나 사람이 살아가면서 후천적으로 접하는 수많은 경험과 영향을 생각하면, 혈액형으

185

로 사람을 판단하는 것은 말이 안 되는 얘기죠. 그럼에도 전 국민의 1/3 이상이 '혈액형과 성격은 관련이 있다고 믿는 다'는 조사도 있습니다(이웃 나라 일본과 더불어 전 세계적으로 혈액형에 관심이 많은 유이한 나라라죠).

왜일까요? 혈액형별 운세, 혈액형 궁합은 말할 것도 없고, 실제로 유명 중매회사에 중매를 신청한 미혼여성이 특정 혈액형의 남성은 제외해달라고 요구하는 경우가 20%를 훌쩍 넘는다는 기사도 있습니다. 왜 그럴까요? 배울 만큼 배운 사람들이(심지어 저 같은 공학자도), 특별한 과학적 근거도 없는데 왜 사람을 고작 4가지로 나누려 할까요? 또 이력서에 혈액형은 왜 기재하라고 할까요? 입사하고 헌혈시킬 것도 아니면서.

그만큼 알고 싶어서겠죠? 사람을 아는 것은, 그 사람이 어떤 사람인지를 파악하는 것은, 어쩌면 세상을 살아가는 방편의 모든 것이라 할 수 있습니다. 그런데 손쉽게 물어볼 수 있고 손쉽게 판단할 수 있는 혈액형만큼 간편한 것도 없잖아요. 조금만 소심한 면을 보면 "역시 A형이야.", 조금 감정적인 행태를 보이면 "B형답군." 등으로 몰아갑니다. 누구나 소심한 면과 감정적인 행태를 갖고 있을 텐데요. 사고의 번거로움과 그로 의한 에너지 소모를 최소화하고자 자신만의 편견으로 차곡차곡 쌓아갑니다. 사람 피를 가지고 말이죠.

지금 가장 알고 싶은 사람은 누구인가요? 그 사람의 혈액형이 궁금합니까? 그런데 어떤 새로운 인연인지는 몰라도, 어떤 중요한 관계인지는 몰라도, 지금 당신이 떠올리는 몇몇 사람보다, 사실은 훨씬 더 알고 싶은 사람이 있습니다. 당신이 가장 궁금한 사람, 아니 가장 궁금해야 할 사람이 있습니다. 심지어 이미 혈액형도 알고 있습니다. 바로 당신입니다. 당신은 당신 자신에 대해 얼마나 알고 있습니까?

A4용지를 세로로 놓고 위에서 아래로 가운데에 줄을 긋습니다. 방금 전 취사능력에서 보았죠? 다윈, 프랭클린, 빌 게이츠도 했으니 우리도 해보자고 한 것이오. 이번에는 용도가 다릅니다. 왼쪽 위에는 '나의 장점', 그리고 오른쪽 위에는 '지금 내가 하고 있는 것'을 씁니다. 그리고 그 아래에 자신의 장점 20가지, 지금 하고 있는 크고 작은 일 20가지를 짤막짤막하게 써봅니다. 20가지를 1줄씩 양쪽에 쓰면 A4용지에 딱 맞을 겁니다. 이때 핵심은, 너무 오래 생각하면 안 된다는 것입니다. 괜한 잡념이 끼어들지 못하게 생각나는 대로 빠르게 적어야 합니다. 그래야 진솔한 '날 것'이 나오니까요. 그리고 종이를 한 장 더 꺼내, 다시 줄을 긋고 왼쪽 위에는 '내가 행복할 때'를, 오른쪽 위에는 '언젠가 내가 하고 싶은 것'을 적어봅니다. 이것도 역시 양쪽에 20가지

씩 짧게 쓰면 됩니다. 20가지씩 4개, 총 80가지입니다.

귀찮다고요? 번거롭다고요? 아닙니다. 저도 해보았는데, 놀랍더군요. '내가 이렇구나, 내가 이런 사람이었구나.' 한눈에 들어옵니다. 솔직하고 진실하게, 담백하고 담대하게 쓸수록 더욱 많이 알게 됩니다. 나 자신을요.

제 사례를 말하기는 쑥스럽고, 유사한 것을 학생에게 시켜본 사례가 있습니다. 한 학생은 '내가 행복할 때' 칸에 적은 것 중 하나가 '한 손에는 커피, 한 손에는 담배'더군요. 한참 웃었습니다. '내가 만든 빵을 다른 사람이 잘 먹을 때', '요리 성공했을 때'를 행복하다고 한 학생도 있었습니다. 아니나 다를까, 그 옆 '언젠가 내가 하고 싶은 것' 칸에 '7성급 호텔 주방장 요리 먹기'와 '미슐랭 3스타 받은 레스토랑 하기'가 있더라고요. 감이 오죠? 왜 한 페이지에 '나의 장점'과 '지금 내가 하고 있는 것'이 같이 있고, 다른 한 페이지는 '내가 행복할 때'와 '언젠가 내가 하고 싶은 것'이 서로 옆에 있는지요. 좌우를 대비하고 연관해 보는 '빅픽처'가 의미 있기 때문입니다.

써보아야 안다

사람을 유형으로 나누는 방법 중에는, 혈액형과 달리

학술적인 논거를 수반하는 것도 있습니다. MBTIMyers-Briggs Type Indicator가 대표적이죠. 정신분석학자 융의 심리 유형론을 기반으로 16가지 성격의 유형을 구분합니다. 한편 2가지로만 구분하는 것도 있는데, '타입 A' 유형과 그렇지 않은 나머지입니다. '타입 A' 유형은 열정적이고 성과 지향적이며, 짧은 시간에 많은 일을 하려 하는 사람들이랍니다. 이런 사람은 경쟁 성향이 강해서 지는 것을 못 참고, 시간에 대한 강박도 심해 기다리는 것도 못 참습니다. 그래서 의학계에서는 아예 심장혈관 계통 질병의 위험요인이 많은 사람을 지칭하는 용어로 쓴다죠. 쉽게 비유하자면 '타입 A'는 '모두 내 탓이요' 하는 내재론자이고, 나머지는 '모두 세상 탓이요' 하는 외재론자에 가깝습니다.

학술적이든 아니든 좋습니다. 2가지든 4가지든 혹은 16가지든, 그렇게 쉽게 사람을 알 수 있다면 참 편할 것입니다. 그런 방식으로 세상에서 제일 궁금한, 가장 지대한 관심의 대상인 나 자신을 알 수 있다면 얼마나 좋을까요? 그 정도의 숫자로, 구분으로 나를 안다는 것은 언감생심입니다. 그래서 써보자고 한 겁니다. 차라리 이것저것 나에 대해 써보는 편이 낫습니다. 나의 몸과 마음, 특성과 성향, 기억과 추억, 바람과 소망 등, 이런 것들을 쓰면서 나를 봅니다. '내가 행복할 때', '언젠가 내가 하고 싶은 것' 등을 써 내려가면서, 나를 나의 눈으로 봅니다. 내 안의 것을, 내 밖으로 끄집어내어서 봅니다.

융이 그랬다죠. "자신을 알려면 타인의 힘이 필요하다." 그러나 타인은 절대 알 수 없습니다. 도움을 줄지언정 타인이 여러분 자신을 충분히 알 수는 없습니다. 필요한 것은, 자신에 대한 객관적인 시선이지 타인 자체가 아닙니다. 그렇지 않습니까? 타인이 그렇게 객관적이던가요? 오히려 편한 대로, 유리한 대로, 제멋대로 나에 대해 생각하고 얘기하는 게 타인들 아니던가요? 때론 스스로를 왜곡하기도 하지만, 그래도 나 자신을 가장 잘 아는 사람은 나입니다. 그러니 결국 나서야 할 사람도 나입니다. 나에 대해 지금보다 더 알고 싶다면, 이것저것 써봄 직합니다. 남에게 알려진 나, 나라고 생각하고 싶은 나, 그런 것 말고 가급적 있는 그대로의 나를 알고 싶다면 한번 써볼 만합니다.

자꾸 쓰라고 강조하는 데는 물론 이유가 있습니다. 혈액형(혈액형별 성격유형을 믿는다면)이나 MBTI가 우리에게 알려주는 우리 자신은 상당히 개념적이고 포괄적입니다. 그리 상세하지 못하죠. 반면 자신에 대하여 써보는 것은 상세하게 쓰고자 하는 만큼 상세합니다. 간혹 남사스럽고 남에게 보여주기 민망해서 그렇지, 마음먹은 만큼 세세하게, 진솔하게 적을 수 있습니다.

그리고 더 중요한 건 이겁니다. 시간의 간격을 두어가며 자신의 미세한 영역들을 들춰내다 보면 무언가 자신에 대한 변화를 감지하게 됩니다. 혈액형은 중간에 바뀌지 않잖아요? 그리고 입학·취업할 때 검사받고 알아낸 MBTI 유형 역시 쉽사리 바뀌지는 않습니다. 그러나 한 번씩 써보는 '나'에게는 변화를 느낄 수 있습니다. 지난번과는 다른 '나'가 느껴집니다. 심경과 관점의 변화, 성향과 기호의 변천이 드러납니다. 그러한 변화와 변천을 파악할 수 있게 되는 것이, 쓰기의 커다란 장점입니다. 틈틈이 짬짬이 자신에 대해 글로 표현할 여유와 용기가 있다면 말이죠.

하지만 더욱 궁극적인 이유가 있습니다. 이번 장을 시작하자마자 이러자, 저러자, 뭔가 하자 하는 것은, 뭔가를 해야 한다는 것을 강조하기 위함입니다. 세상의 중심이자 출발점은 나입니다. 그러니 세상과 남을 알려면 나 자신부터 알아야 함은 너무나 당연합니다. 누가 이 말을 부정할 수 있을까요? 그렇다면 뭔가 구체적인 방법을 도모해야 합니다. 나를 알고 싶기는 하지만, 그저 마음에 담아놓고 생각에만 머물러 있다면 무슨 소용이겠습니까? 구체적인 무언가를 하자는 겁니다. 그래야 자신을 알 수 있고, 그래야 자신을 성장시키는 능력이나 역량을 증진할 수 있겠지요.

뛰어난 사람들의 '자기성찰지능'

　사람의 지적 능력을 다양한 각도로 보는 이론이 있습니다. 하워드 가드너Howard Gardner의 '다중지능이론'은, 사람의 지능을 IQ와 같은 획일적인 척도로 판단하는 것을 비판하며 현대 지능이론의 대세로 자리 잡았습니다. 크게 8가지의 지능 유형을 설정했는데, 언어지능, 논리지능, 공간지능 등입니다. 사람은 누구나 저마다의 강점(특화된 지능)을 가졌고, 이 8가지 지능 중 서로 다른 일부에 강세를 보인다는 거죠. 또 이 여러 지능이 모두 우수한 '전능의 슈퍼맨'은 사실상 존재하지 않는다는 게 그의 주장입니다.

　그런데 그의 연구 결과 중에 특별히 관심이 가는 주장이 있습니다. 우리가 흔히 인재라 부르는 사람들, 리더로서 출중한 업적을 배출하는 사람들은 각자의 장점과 고유의 지능으로 우뚝 선 사람들입니다. 그런데 그들에게 공통된 것이 있다고 합니다. 8가지의 지능 중 유달리 이 하나의 지능만큼은 그들 모두에게 발견되는 공통의 특질이라는 얘기입니다. 그것은 바로 '자기성찰지능'입니다.

　말 그대로 자기 자신을 성찰하는 지능입니다. 자신을 들여다보기도 하고 끄집어내 보기도 하는 능력입니다. 스스로의 사고 체계나 감정의 흐름을 잘 읽어내는 능력입니다.

읽기 위해서 때론 써보기도 하는 능력입니다. 어떻습니까? 이쯤 되면 해볼 만하지 않습니까? 성찰해야 하지 않겠습니까? 지금까지의 얘기, 수긍할 수 있지 않습니까?

10여 년 전쯤이었을 겁니다. 은행에서 차례를 기다리다가 고객 서비스 책상에 비치된 돋보기안경이 눈에 들어왔습니다. 몇 개가 도수별로 가지런히 놓여 있더군요. 심심하던 차에 하나를 써보았습니다. 그러곤 광명을 찾았습니다! 눈앞에 신세계가 펼쳐졌습니다! 이다지도 뚜렷하게 보이다니! 충격이었습니다. 책 보는 직업이니 평생 책을 끼고 살았지만 감사하게도 안경 (선글라스 말고는) 한번 쓰지 않았습니다. 그런데 이렇게 세상이 또렷하게 보이다니, 그동안 그렇게 침침한 눈으로 살았다니! 이렇게 나의 눈을, 노안이 온 나의 나이를, 나 자신을 모르고 살아왔다니! 진정으로 충격이었습니다.

나이가 들수록 자신을 잘 돌아보아야 합니다. 자신의 모습을 알아야 합니다. 흐릿한 시력으로, 뿌연 거울로 자신을 보며 생각합니다. '아직은 쓸 만하네.' 하지만 아닙니다. 자동 처리된 '포샵'으로 자신을 본 거죠. 자신의 진정한 모습을 모르니 안 어울리는 행색을 합니다. 안 어울리는 행동도 합니다. 혹시 여러분도 그러고 있진 않겠지요?

돋보기가 필요합니다. 돋보기를 쓰고 자기성찰을 하며

행동해야 합니다. 자신을 제대로 보지 못하면서, 알지 못하면서 어떻게 제대로 행색하고 행동하겠습니까. 그리고 무엇보다도 더 잘 보고 잘 알아야 할 것이 있습니다. 바로 자신의 한계입니다. 노안과 나이를 알아야 하듯이, 자신의 한계를 알아야 합니다. 그제야, 그때에야 비로소 자신을 정확히 알게 됩니다. 이것이 '은행 돋보기 사건'의 충격을 이겨내며 제가 얻은 교훈입니다.

검진은 종합이어야

언제 부터인가 '한계'가 피부에 와닿습니다. 하루쯤 밤새도, 며칠을 과음해도 끄떡없었습니다. 사람 이름, 일주일 일정이 입에서 술술 흘러나왔습니다. 지금은 아닙니다. 전혀요. 주변의 몸 관리, 건강 걱정이 남 얘기인 양 스쳐 흘러갔었습니다. 아닙니다, 지금은. 어쩌다 생긴 건강식품, 건강 보조제를 남주기 바빴는데, 지금은 흘리지도 않고 다 먹습니다.

나이를 인식하고 몸의 한계를 인지하자 아프지 않아도 병원을 찾게 되었습니다. 검진받기 위해서죠. 검진받기 전에 불안하고 받은 후에 안도하기를 해마다 반복하고 있습니다. 그러면서 매년 늘어나는 검진 종합소견 페이지의 분량을 보며, 피부를 간지럽히던 한계가 피부에 와닿다 못해 급기야 피부를 뚫고 들어오는 것처럼 느껴집니다.

종합검진은 일단 신체의 여러 곳과 여러 기능을 종합적으로 체크합니다. 사람의 몸이나 마음은 한두 가지로 설명되는 것이 아니니, 당연합니다. 또 여러 가지 기관들의 상태는 서로 관련이 있으므로 상호 관계를 보기 위해서라도 두루두루 살펴야겠지요. 그러나 '종합'의 의미는 그것만이 아닙니다. 내 수치가 남과 비교됩니다. 내 결과치가 보통 사람들의 표준구간에 속하는지를 봅니다. 신체 기능이 동일연령, 동일성별 대비 어떠한지를 보여줍니다. 상대평가인 셈이죠. 상대평가를 통해 내 위치와 상태를 알려줍니다.

여기서 생각해볼 것은, 상대가 어떤 상대냐는 것입니다. 병원에서 비교 대상으로 제공하는 수치는 다수의 사람들로부터 산출되는 평균치입니다. 무난은 하지만, 나만의 신체 특성과 건강 이력을 고려한 것은 아닙니다. 나 자신의 고유한 여건과 한계를 반영한 건 아니지요.

오히려 빛을 발하는 '종합'은 따로 있습니다. 시차비교입니다. 시차비교는 다른 상대가 없지만 상대비교입니다. 비교대상은 바로 나 자신이죠. 1년 전의 결과와 비교합니다. 매년 어떤 추세로 증가하는지, 감소하는지를 주시합니다. 자신의 수치, 그 수치의 변동을 보는 것이니 자신의 특성이 오롯이 드러나는 진단이지요. 시차비교는 한 걸음 더 나아갑니다. 일반적으로 특정 시점에서의 진단을 '수준평가'라 합니다. 어느 시점에서의 측정하고자 하는 항목들의 단순 수준이지요. 반면 '성과평가'라는 것도 있는데, 이는 무언가의 투입요소 대비 결과요소를 보자는 것입니다. 시차 비교는 성과평가로 확장됩니다. 일정 기간, 이를테면 1년이 흐른 후의 변동치를 보는 것이므로, 1년이라는 기간이 투입 되었고, 그 1년간 동원된 각종 노력에 의한 성과를 보는 것 이니까요. 예로 그간의 운동, 다이어트, 식단 개선으로 콜레 스테롤 수치가 얼마나 개선되었는지를 알고자 하는 성과의 평가입니다. 네, 수준평가에 시차를 가미하면 성과평가가 되는 셈이죠.

진단과 평가에 대해 이렇듯 많이 아는 체하는 데는 그 럴 만한 경력이 있어서입니다. 국내 기업의 경영진단, 디지 털 수준 및 성과평가를 다년간 수행해보았습니다. 정부의 정책사업을 직접 기획하고 수행한 덕에, 여러분이 생각하 는 것보다 훨씬, 아주 훨씬 더 많은 기업의 진단평가를 했었 습니다. 그러면서 진단모델과 평가시스템을 개발했고, 이런 연구로 국제 유수의 학술지에 논문도 여러 편 게재하였으 니 신빙성 갖고 귀 기울여도 됩니다.

기업의 진단도 사람의 진단과 원리는 다르지 않습니다. 당연히 종합적으로 합니다. 경영진단은 기업이 현재 얼마나 경영을 잘하고 있느냐에 대한 것이니, 경영의 복합적인 측 면을 두루 살펴야겠죠. 가장 먼저 떠올리는 것은 기업의 내 부자원입니다. 경영층과 조직구성원, 조직구조와 업무체계,

그리고 기업의 전략적인 방향성을 함축하는 전략계획이 그 것입니다. 다음은 대외관계입니다. 고객과의 관계, 협력업 체와의 관계뿐 아니라 새로운 시장을 꾸준히 개척하는 신 사업을 특히 주목해서 봅니다.

그리고 세 번째도 있는데, 그 중요성에 비하여 의외로 간과하는 측면으로, 저는 이것을 '연결체계'라 부릅니다. 기 업의 내부와 외부를 연결하는 기술의 시장가치, 기업투명 성, 디지털 활용도입니다. 현대 경영에서 이들의 중요성은 더 말할 나위가 없으며, 기업이 관여하는 모든 영역을 관통 하는 이들의 수준이 높아야 기업의 지속가능경영이 담보된 다고 하겠지요. 이러한 3가지 영역에 대해 각각 3개의 항목 씩 기술했지만, 이들은 또다시 세분화됩니다. 세분된 하나 하나를 측정하여 경영의 수준을 진단하고 평가하는 겁니다.

특정 기업을 진단할 때, 동종 기업들과의 상대평가는 몹시 예민하게 받아들여집니다. 특히 '경쟁사는 우수한데 우리는 부족하다', 뭐 이런 것들이 화두가 될 수밖에 없겠 죠. 그러나 제 경험상, 아무리 신경 쓰이는 경쟁상대라 해도 기업마다 지닌 고유한 상황과 여건, 특성과 장점이 있는 법 입니다. 단선적인 수치비교가 조심스러운 이유입니다. 오히 려 이 역시 주기적인 진단평가로 산출되는 시차비교가 매 우 유의미하다고 봅니다. 또한, 1년 전의 수준과 지금의 수준을 비교하면서, 지난 1년간 쏟았던 투자와 노력이 어떤 결과로 발현되었는지를 수치로 알게 됩니다. 그토록 기업이 중시하는 성과를 알려주는 진단인 거죠.

신기한 것은, 기업의 진단항목을 사람 몸에 빗대면 기가 막히게 맞아떨어진다는 겁니다. 내부자원에서, 모든 것을 관장하는 경영전략은 '뇌', 실제 일을 하는 기업의 인적자원은 '뼈', 일을 가능하게 하는 기업의 프로세스는 '근육'과 같습니다. 대외관계의 고객관계는 사람의 '청각', 협력업체 관리는 '운동능력', 신시장 및 신사업은 사람의 '시력'과 같고요. 사실 건강검진 받을 때 가장 많이 우려하는 부분은 따로 있습니다. 신체대사능력, 즉 순환계, 소화계, 신경계 들이죠. 그런데 이들이 바로, 기업투명성, 기술가치, 디지털 활용도입니다. 앞서 은근히 강조했던 연결체계죠. 그럴듯하지요?

대학교수가 대학의 전문성과 객관성을 담보하며 진단을 수행하니 꽤 설득력이 있었습니다. 규모가 있는 기업들 대부분은 자체적으로 경영진단 부서를 두죠. 그러나 진단평가는 각 부서의 문제점을 찾아내고, 성과평가는 부서 간 우열을 제시하는 경향이 있습니다. 그래서 자체적으로 수행하기가 부담스럽기 그지없습니다. 편향되었다고 지적받기도 일쑤고요. 저희 같은 전문적인 제3자가 평가하는 것이 여러모로 타당하고 객관적이라 생각하는 것 같습니다. 하여간 연구 분야를 참 잘 선택했다 생각하곤 했습니다. 진단하면서 기업도 알게 되고, 과제하면서 연구도 할 수 있으니까요.

내면의 관찰자

연구를 마치고 진단결과를 발표할 때는 으레 회사의 CEO가 배석합니다. 건강검진처럼 경영진단 역시 진단 대상자는 무척 긴장되겠죠? 발표 때 제가 꼭 견지하는 자세는 이렇습니다.

'비록 우리가 진단을 했고 결과를 발표하지만, 우리의 지식과 판단은 여기까지다. 이 이상의 해석은 우리의 몫이 아니다. 이 결과를 어떤 의미로 받아들일지, 그 의미를 어떤 식으로 활용할지는 여러분들의 일이다.'

진단을 하는 이유는 스스로를 알기 위해서입니다. '내가' 어떤지 알아야 하는 것은 결국 당사자인 '나'입니다. 남의 얘기만으로 자신을 충분히 알 수는 없습니다. 아무리 전문적이고 객관적이어도 자기 자신보다 자신을 더 잘 아는 남이 어디 있겠습니까? 남의 얘기를 참고해 자신이 생각하는 자신과 비교하고, 남의 평가를 고려해 자기 생각으로 자신의 강약점과 장단점을 파악해야 합니다. 결국은 스스로가 마무리해야 할 일이라는 말이지요.

이어서 '어차피 진단과 평가는 자발적으로 시작해서 자발적으로 알아가는 것이니, 앞으로는 스스로 자발적으로 할 방법을 강구하시라'는 톤으로 발표를 끝냅니다. 대체로 이런 끝맺음을 잘 받아들이더군요. 그러면서 다음 해에 또 저희 팀을 찾기도 하지만요.

자신을 아는 것, 스스로를 진단하고 평가하는 일은 무엇보다도 자발적이어야 합니다. 나이가 찬 후배에게 누군가 이런 말을 합니다. "결혼하기 위해 가장 중요한 건, 결혼을 하고자 하는 마음이다." 자신을 알기 위해 가장 중요한 건, 자신을 알고자 하는 마음입니다. '자신을 알려는 마음을 자발적으로 갖는 것'이 모든 것의 우선입니다. 남이 하라고 해서, 남이 자꾸 뭐라 해서, 어쩌다 보니, 어쩔 수 없이 하게 되면 안 됩니다. 그렇게까지 등 떠밀린 경우는 대개 상황이 여의치 않습니다. 남이 보다 못해서 여러분을 평가한다든가, 스스로를 진단해보라고 권하는 경우가 뭐가 바람직하겠습니까?

차가운 청진기를 몸에 대겠습니까? 아니면 날카로운 메스를 몸에 대겠습니까? 진단을 받으러 병원에 가는 것은 자발적이지만, 수술을 받으러 병원에 가는 것은 결코 자발적이지 않습니다. 제때제때 진단받았으면 수술받을 일도 없겠지요. 전염병이 창궐해 오랜 기간 마스크를 쓰고 다니다가 이런 포스터도 보게 됩니다. 포스터의 왼편에는 한 사람이 마스크를 착용하고 있습니다. 표정이 어둡지 않은 걸 보니 별문제가 없는 모양입니다. 반대로 오른편 사람은 문제가 많아 보입니다. 병실에 누워서 호흡기를 입에 부착하고 있군요. 포스터에 큼지막한 글씨로 써진 문구는 이렇습니다. '어떤 마스크를 쓰겠습니까? 남이 씌워줄 땐 늦었습니다.' 무섭습니다. 자발성의 중요성이 오롯이 드러난 수작이네요.

여러분은 여러분의 현재를 진단하고 있나요? 현재의 몸과 마음의 상태, 현재 중요한 일들의 상태를 스스로 자발적으로 진단하고 있나요? 그래서 현재의 여러분을, 여러분의 상황을 제대로 알고 있나요? 자발적이어야 합니다. 자발적인 방법을 만들어 자발적으로 평가해야 합니다. 그래야 나의 현재를 알 수 있습니다. 세상의 현재가 아닌 나의 현재입니다. 세상의 상황이 아닌 나의 상황입니다. 그리고 지속적이어야 합니다. 아침마다, 주말마다, 월말이나 월초, 송년이나 신년에 해야 합니다. 늘 되뇌고 되뇌어야 합니다. 그래야 꾸준히 알게 됩니다. 그래야 시차평가를 할 수 있고, 매일, 매주, 매월, 매년의 성과를 알게 됩니다. 그래야 그간의 노력과 에너지가 헛되지 않았다는 것을 알게 됩니다.

더 많은 것을 알고 싶다고요? 나라는 사람이 어떤 사람인지를 더 많이 알기를 원한다고요? 그러면 써야 합니다. 자신에 대한 이력과 역사, 기억과 추억, 기호와 취미, 특성과 성향, 습관과 행태, 사람과 물건에 대해 써보아야 합니다. 구체적으로 써야 구체적으로 알 수 있습니다. 번거롭고 번잡하지만, 낯간지럽고 낯뜨겁지만 써야 압니다.

SWOT 분석 알죠? 4사분면에 강점(Strength), 약점(Weakness), 기회(Opportunity), 위협(Threat) 요인들을 적는 거죠. 여러분의 강점과 약점, 당신이 처한 상황의 기회와 위협을 써보세요. 그 정도로는 한참 부족하니 훨씬 더 세세한 항목을 자세하게 써야 합니다. 그래야 여러분 스스로를 볼 수 있습니다. 높이 나는 새가 먼 곳을 본다고 했던가요. 그렇다면 깊이 헤엄치는 물고기가 깊은 곳을 봅니다. 깊이 보아야 깊이 알 수 있습니다.

애덤 스미스의 《국부론》은 현대 경제사회와 자본주의의 시금석과도 같습니다. 그러나 애덤 스미스는 원래 경제학자가 아닌 도덕철학자입니다. 그가 《국부론》보다 더욱 소중히 여겼던 책이 《도덕감정론》입니다. 이 두 저서가 가진 공통의 전제는 인간의 이기심이죠. 《도덕감정론》에서 애덤 스미스가 인간의 태생적인 이기심을 극복하기 위하여 강조하는 게 있습니다. 이름하여 '공정한 관찰자'입니다. 요새 유튜브에서 인기 높은 심리학자 조던 피터슨Jordan Peterson의 표현으로는 '내면의 비평가'이고요.

공정한 관찰자는 내면의 관찰자로, 남이 아닌, 바로 마음속에 있는 자기 자신입니다. 누구나 마음속에 저마다의 공정한 관찰자가 있어, 한 걸음 물러서서 자신을 객관적으로 바라볼 수 있다고 하네요. 마치 남처럼, 제3자처럼 자신을 보고 자신의 상태와 상황을 알고자 하는 겁니다.

누구에게나 있다면, 누구나 할 수 있습니다. 내면의 관찰자가 구체적이고 객관적으로 자신을 진단하며 자신을 알아가야 합니다. 지속적으로 꾸준히 업데이트하게 해야 합니다. 제가 기업에 꿋꿋하게 얘기했다고 했죠? 기업의 경영진단은 결국 기업이 자발적으로 시행하고 감당해야 할 일이라고요. 마찬가지입니다. 자발적으로 자신을 알아가야 합니다. 구체적이고, 객관적이고, 지속적이고, 자발적이어야 합니다. 검진과 진단은 이렇듯 종합적이어야 합니다.

한정능력

'아침형 인간'은 매력적입니다. 그런 유형의 인간이 매력이 있다는 뜻은 아니고, 아침형 인간이 되면 얻을 수 있는 이점이 매력적이라는 거죠. 새벽 4시경 일어나 자기만의 시간을 갖습니다. '저녁형 인간'에게 없는, 맑은 정신의 아침이 3~4시간 정도 있으니 이 얼마나 멋집니까? 게다가 아침 운동도 가능하고, 출근 시간의 교통 체증도 없고, 등등, 하여간 '밤형 인간'인 저는 이 매력에 군침이 돌아 벌써 몇 번째 인간개조를 시도했었습니다.

2010년 존경하던 법정 스님이 입적하신 후, 그분을 그리며 그분의 책 다시 읽기를 시작했습니다. 스님의 책은 역시 맑은 정신에 읽는 게 제격이죠. 격을 맞추려 다시 '아침형 인간' 프로젝트를 시동 걸었고요. 스님은 마르틴 부버 Martin Buber의 문장을 인용합니다.

너는 네 세상 어디에 있느냐?

너에게 주어진 몇몇 해가 지나고 몇몇 날이 지났는데,

그래 넌 너의 세상 어디쯤에 와 있느냐?

아, 참 좋습니다. 동도 트지 않은 새벽녘, 잠도 깨지 않은 머리로 읽으니 글자가 통째로 마음과 가슴에 박히는 듯 했습니다. 잠깐 되새김의 시간이 흐른 후, 됐다 싶어 다음 문장으로 넘어가려는데 스님은 놓아주질 않더군요. 어떻게 아셨는지 이렇게 이어 쓰십니다.

"이 글을 눈으로만 스치고 지나치지 말고, 나직한 자신의 목소리로 또박또박 자신을 향해 소리 내어 읽어보라."

법정 스님의 모습을 본 적 있다면, 스님의 글을 정독한 적 있다면, 그의 간명한 주문을 거부하기 어렵다는 걸 알 겁니다. 소리 내어 읽었습니다. 또박또박. 한 번 읽고, 몇 번을 다시 읽었습니다. 그때 마침 인기척이 났습니다. 가족 누군가가 화장실에 가는 모양입니다. 순간 방문 앞에 멈춰선 걸 느꼈습니다. 이상했겠죠. 사람이 평소 안 하던 짓을 하니 멈칫했겠죠. 그것도 깜깜한 새벽에 혼잣말로 "너는 네 세상 어디에 있느냐?" 어쩌고저쩌고 중얼중얼하니 이상했겠죠. 출근할 때 저를 보는 시선이 예사롭지 않더라고요.

앞에서 '내면의 비평가'를 내세운 조던 피터슨은 대중

에게 직설적인 화법을 쓰는 것으로 유명합니다. 들어보면 직설적이다 못해 독설적인데도 대중은 상처는커녕 치유를 받는다고 하니 그것도 다 그의 능력이지요. 그는 책에서, 영상에서 누차 강조합니다. "당신은 지금 어디에 있는지 알아야 한다. 당신이 지금 어디에 있는지 알지 못하면, 어디에나 있을 수 있다는 뜻이다. 어디에나 있다는 것은, 지극히 나쁜 곳에 있을 수도 있다는 말이다." 섬뜩합니다. 지금 어디에 있는지를 모르면, 어디에나 있는 것이고, 어디에나 있으면 지금 엄청 나쁜 곳에 있을지 모른다는 얘기잖아요.

그러나 저에게는 피터슨의 단호한 어조가 법정 스님의 단아한 어투에 미치지 못합니다. 무엇보다도 스님의 말씀에는 있고 피터슨의 말에는 없는 것이 하나 있기 때문입니다. 그것은 '너의 세상'이라는 문구입니다. 그곳이 어디인지를 물으며 자신이 어디에 있는지 알라 합니다. 많고 많은 시간, 넓디넓은 세상에서 어디인지 묻는 것이 아닙니다. 너의 시간, 너의 세상에서 어디인지를 묻고 있습니다. 나에게 한정된 나의, 바로 그 세상에서 나는 지금 어디에 있고, 어디까지 와 있는지를 묻습니다. 스스로 질문하고 스스로 대답하여 알라는 것입니다. 그것이 다릅니다.

나를 아는 것은 세상을 아는 것이고, 세상을 아는 것은 나를 아는 것이라 합니다. 왜일까요? 저 멀리 저만치의 세상은, 전혀 남남인 남들의 세상은 나와는 관련이 없습니다. 내가 보는 세상, 나를 보고 있는 세상이 나의 세상입니다. 나만의 세상, 나의 마음에 자리 잡은 수많은 관념으로 이루어진, 내가 만든 세상이 나의 세상입니다. 내가 정한 그 세상에서 어디 있는지를 알아야 할 것 아닙니까? 그렇게 나로 한정된, 경계가 그어진, 한계가 설정된 세상, 바로 그 나의 세상에서 내가 어디쯤 있는지가 중요한 것 아닐까요?

외연을 좁혀 내포를 넓힘

물론 2010년 저의 인간개조 프로젝트도 실패로 끝났습니다. 저의 세상에서는 어쩔 수가 없었습니다. 저녁에 사람도 만나고, 술도 한잔하고, 헤어지기 아쉬우니 한 잔 더 하고, 집에 와서 음악도 듣고, 달빛 별빛 보며 밤을 잊기도 하고, 또 잠도 꼬박꼬박 챙겨야 하는데…, 어떻게 매일 새벽 4시에 일어난단 말입니까. 저의 한계를 알아야겠지요. 그것만이 내 세상, 저에게 한정된 세상이니까요.

'한정'은 '어떤 개념이나 범위 따위를 제한하여 정하는 것'입니다. 얼핏 뭔가 억제하는, 소극적인 뜻의 단어처럼 보입니다. 그런데 좀 더 상세한 정의를 읽어보면 생각이 달라질 겁니다. 이렇게 쓰여 있군요. '사고의 대상이 되는 성질이

나 한계를 확실히 정하여 그것에 관한 개념을 명확히 하는 일로, 개념의 외연을 좁히고 내포를 넓히는 일을 칭함.' 어떤가요? 아주 적극적이지 않나요? 특히 '개념의 외연을 좁혀 내포를 넓힌다'는 말, 멋있지 않나요? 한계를 정함으로써 개념을 명확히 하고, 외연을 좁힘으로써 내포를 넓히는 것, 그것이 '한정'입니다. 개념을 명확히 하여 내포를 넓히고자 한계를 정하고 외연을 좁힌다니 정말 멋진 정의네요.

'한정(limiting)능력'은 이러한 멋진 정의에 입각한 멋진 능력입니다. **'대상의 한계나 문제의 조건을 (정확히) 파악하여, 대상의 개념과 문제의 범위를 (명확히) 설정하는 능력'**입니다. '정확히'와 '명확히'에 괄호를 쳤군요. 문장에서 빼도 됩니다. 알다시피 어떤 일이든 정확히 하여 명확히 하는 건 결코 쉽지 않습니다. 그러나 일상의 모든 면 또한 그렇지 않습니까? 정확하고 명확하면 얼마나 좋을까요. 대상의 개념과 문제의 범위를 알아야 하는데, 모호한 개념과 흐릿한 범위 때문에 얼마나 곤란했었습니까? 그런 일 때문에 혹은 그런 사람 때문에 얼마나 힘들었습니까. 그래서 가급적 추구하자는 의미에서 괄호를 동원했습니다.

세상의 모든 이들은, 일들은 결코 독립적으로 존재하지 않습니다. '천상천하 유아독존'은 없습니다. 모든 것은 서로 얽히고설켜 있습니다. 실타래처럼 이렇게 저렇게 연결되어 있으니 딱히 '이것은 여기까지, 저것은 저기까지'라고 말하기 어려운 경우가 대부분입니다. 하지만 어디선가 잘라내고 어떻게든 끊어내야 합니다. 그래야 개념과 범위가 한층 정확해지고 명확해집니다. 대상이 무엇인지 오롯이 이해할 수 있고, 문제가 무엇인지 또렷이 인식할 수 있습니다. 혹시 고작해야 한정능력이 조건이나 파악하고 범위나 설정하는 능력이냐고 실망하진 않았겠지요? 조건과 범위를 알아야 정체와 실체를 알 수 있습니다. 그렇게 하는 능력이 '한정'입니다. 이것이 얼마나 중요한지 다음의 이야기를 들어보세요.

제가 지금 다니는 대학에 부임한 지 얼마 안 되어서 대학본부에서 하는 회의에 참석한 적이 있습니다. 당시 학과장님을 대신해 참석한 건데, 30대 초반 신참 교수에게는 새로운 경험이었죠. 이 경험이 아직도 기억에 생생한 계기가 있었습니다.

당시 회의안건은 대학본부가 여러 학과로부터 각종 요구사항을 청취하는 것이었을 겁니다. 하필이면 제일 처음 저에게 묻더라고요.

"교육하고, 연구할 공간이 부족합니다. 공간 좀 주세요."

바르르 떨리는 목소리를 애써 숨기려 짧게 한 발언이었죠. 다음 차례는 옆자리의 교수님. 머리가 희끗한 인문대의 한 학과장님이 저를 힐끗 쳐다보더니 노련한 말투로 얘기를 꺼냅니다.

"작금의 우리 사회의 문제점은… (중략), 그에 따라 우리에게 필요한 교육은… (중략), 그러나 우리의 교육정책은… (중략), 특히 사립대학에 대한 정책은… (중략), 이에 따라 우리 대학은… (중략), 결국 우리 인문대학은… (중략), 우리 학과의 현실은… (중략)."

무슨 얘기를 하는지 종잡지 못하다가 길어지는 발언에 죄송하게도 살짝 졸음이 밀려옵니다. 하지만 죄송한 마음이 갑자기 화로 변하더라고요. 회의는 짧은 게 좋은 것 아닌가요? 제가 짧게 쓰고 남겨둔 시간을 대신 채우고도 더 오래 발언한 것은 그렇다 치고, '하시려는 얘기가 도대체 뭐지?' 하는 짜증이 치밉니다. 그런 마음으로 그 교수님을 힐끔 보는 찰나에 그는 말을 끊고 진짜 속내를 드러냅니다. "그러니까 공간이 부족합니다. 공간 좀 주세요." 결국 제 얘기와 같은 얘기더군요.

대학은 항상 공간이 부족합니다. 더더욱 금싸라기 땅에 자리한 대학에서는 매우 첨예한 문제입니다. 교수와 학생의 수가 보통 그 학과의 위상을 나타내는데, 그 수를 늘리려면 공간이 있어야 합니다. 그래서 공간의 문제는 이해가 상충하는 복잡한 문제입니다. 그렇다면 어떻게 접근해야 할까요? 각 학과의 요구사항만 보아야 할까요? 아니면 학과들이 소속된 단과대학까지 고려해야 할까요? 그것도 아니면 대학 전체를? 더 나아가 사립대학 정책, 또는 국가의 교육정책까지? 혹은 사회문제까지? 문제를 풀기 위해 대체 어디까지 가야 하나요?

사회에는 교육이, 교육에는 교육정책이, 교육정책에는 사립대학이 있는 것은 맞습니다. 사립대학 중에 우리 대학이 있고, 우리 대학 중에 단과대학이, 단과대학에 학과가 있습니다. 이들은 다 연결되어 있고 떼려야 떼기 어려운 관계입니다. 그러나 이 모두를 다 고려할 수는 없잖아요? 제가 노안이 왔다고 국가와 사회의 보건 이슈까지 들먹일 수는 없잖아요?

어딘가에서는 잘라내야 합니다. 저처럼 단도직입도 문제지만, 그 교수님처럼 구구절절도 문제입니다. 어디쯤에는 끊어내고, 문제의 범위를 한정해야 합니다. 그래야 문제가 뚜렷해지고 그제야 문제를 해결할 수 있습니다. 문제의 조건과 범위를 명확히 하는 것, 그것이 한정능력입니다.

'내 세상'의 영역과 경계

나를 알라, 검진하라, 진단하라 하더니, 갑자기 왜 문제

타령이냐고요? 생각해보세요. 나, 그리고 사람에 관련된 것이 중요한 문제이거든요. 어떻게든 해결해야 할 문제의 대상이거든요. 세상에서 나, 그리고 내가 대하는 사람만큼 관심이 가고 소중한 것이, 이슈가, 문제가 또 어디에 있겠습니까? 다 같은 얘기입니다.

나를 알기 위해 써봅니다. 나의 취향에 대해 씁니다. 취향에는 음식 취향, 옷 취향, 예술 취향 등이 있고, 예술 취향만 보자면 음악, 미술, 건축, 행위예술에다 요즘에는 영화, 만화, 게임 취향도 있습니다. 그중에서 음악 취향은 클래식, 재즈, 팝과 락, 가요와 트로트까지 있습니다. 대체 언제까지 쓰라는 거죠? 재즈도 보컬과 인스트루멘탈, 메인스트림과 퓨전, 쿨 재즈와 핫 재즈, 거기다 연대별, 국가별, 각종 악기와 아티스트 취향까지…. 도대체 어디까지 써야 할까요?

어디까지 해야 나의 취향을 알게 될까요? 분명합니다. 선을 그어 구획을 정해야 합니다. 상황에 맞게, 자신을 들여다보고자 하는 정도 딱 그 만큼에 맞게 한계선을 그어야 합니다. 그래야 분명해집니다. 다 마찬가지로 그렇게 한정해야 합니다.

인공지능을 예로 들어볼까요? 인공지능은 최근 관심이 폭발하는 기술입니다. 관심이 폭발하는 기술이니만큼 우리 삶과 업의 문제로 다가오죠. 인공지능의 연구대상은 인간이기도 합니다. 그러니 예시로 들기에 적합하겠죠? 인공지능은 나, 사람에 관련된 뜨거운 이슈이자 문제이니까요.

여러분은 인공지능을 어디까지로 보고 있습니까? 사람의 정신만 모방한 것인가요? 아니면 육체적인 행위까지 모방한 것인가요? 좋습니다. 육체적인 기능은 로봇에게 넘기고, 정신만 모방한 것으로 보겠습니다. 그렇다면 그중 사람의 인지과정을 답습하는 인공지능에 관심이 있나요, 아니면 그저 '지능적으로 일(계산) 잘하는' 컴퓨터로서 인공지능에 관심이 있나요? 후자라고요? 계속 가보겠습니다. 일 잘하는 인공지능을 개발하거나 활용하고 싶나요? 그렇다면 활용분야가 실생활인가요, 산업현장인가요? 산업현장 중에도 공장인가요, 마트인가요, 병원인가요, 은행인가요, 학교인가요? 더 해야 하나요? 한정해야 합니다. 한정능력이 있어야 문제를 정의할 수 있고 해결할 수 있습니다.

그렇다고 '한정'이 많은 요소들을 무조건 생략하거나 규모를 줄여서 생각하라는 것은 아닙니다. '정확히, 명확히'를 굳이 한 마디로 줄이면 '적절히'입니다. 아이러니하게도 이 단어는 참 정확하지도, 명확하지도 않네요. 하여간 적절하게 경계를 설정해야 합니다. 우리나라에 100년 넘은 기업이 몇 곳 안 되는데, 그중 한 곳인 동화약품은 국민 소화제 '까스활명수'를 생산합니다. 까스활명수의 경쟁제품은 무얼까요? 또 다른 회사가 만드는 까스명수, 뭐 이런 것들인가요? 맞지만 틀립니다. 그것만이 아니거든요. 일반 의약품 소화제, 민간요법(손 따고 발 따는), 탄산음료, 하다못해 매실도 경쟁자입니다.

그런데 혹시 아세요? 노스페이스가 동화약품의 경쟁사인 것을요? 가성비 좋고 가벼운 방한복으로 사람들은 겨울에도 저녁 식사 후에 집에만 있지 않습니다. 소화가 안 되면 이전에는 '까스활명수' 먹었을 테지만 이젠 '노페' 입고 동네 한 바퀴, 운동장 여러 바퀴 돕니다. 누구까지가 경쟁자인지를 알아야 합니다. 경쟁의 영역을 시의적절하게 설정해야 합니다. 줄이면서 때론 늘리면서, 그 경계가 어디인지를 적절히 해야 합니다. 그것이 '한정'이죠.

벌써 꽤 되었군요. 2012년 신세계 오너 부회장은 힘주어 말합니다. "이제 유통업의 경쟁자는 테마파크나 야구장이다." 이는 허언이 아님이 판명되었습니다. 신세계는 테마파크 요소를 섞은 '스타필드'를 이곳저곳에 개장하더니, 근자에는 아예 프로야구단을 인수합니다. 연고가 있는 야구단이니 야구장도 확보했고요. 급기야는 테마파크 요소가 있는 장소를 넘어, 매머드급 테마파크를 건설한다고 선언하기에 이릅니다. 부지 가격만 8,670억이라고 합니다. 1차 개장 2026년, 완전 개장 2031년이 기다려집니다. 유통산업의 진화에 획을 그을 신세계의 한정능력을 보게 될 그 날이 기다려집니다.

여러분은 여러분의 한계를 알고 있습니까? 여러분의 세상을 어디에서부터 어디까지로 구획 지을 수 있습니까? 여러분이 여러분의 세상 어디에 있는지, 어디까지 와 있는지 알고 있습니까? 그것을 알아내기 위해 '내 세상'의 영역을, 경계를 파악하고 있습니까? 한정할 수 있습니까? 또 여러분은 여러분이 처한 문제의 조건을 잘 알고 있습니까? 일상에서 처한, 업무 중에 닥친 문제의 범위를 잘 알고 있습니까? 적절히 잘라내고 끊어내고, 때론 적절히 붙여보고 확장하고 있나요? 한정능력을 발휘하고 있나요?

쉽지 않습니다. 쉽지 않으니 답답합니다. 문제해결에 필요하지 않은 잡일들과 문제를 더 복잡하게만 만드는 요인들이 뒤섞여 있습니다. 문제를 더 복잡하게 만들거나 불필요한 문제를 들이대는 사람들을 봅니다. 답답해서 속이 터집니다. 한정능력이 부족한 그들을 나의 문제에 끌어들인, 한정하지 못한 나를 탓해야지, 어쩌겠습니까. 이번 장은 어땠나요? 지루했나요? 별의별 얘기와 사례를 다 가져왔다고요? 어쩌겠습니까. 잘라내지 못하고 끊어내지 못한 저의 한정능력 부족을요.

어떻게 한정능력을 얻을 것인가

저는 '한계를 정하라'고 말했습니다. 그러나 많은 이들은 '한계를 넘으라'고 말합니다. 거기에 머물지 말고 한계를 뛰어넘으라고요. 한계를 정하는 게 옳을까요, 정하지 않는 게 옳을까요? 걱정하지 마세요. 옳고 그름의 문제가 아닙니다. 중요한 것은, 일단 한계를 정하고 알아야 넘을 수도 있다는 것입니다.

저 앞에 허들이 보입니다. 허들을 넘기 위해 뛰어갑니다. 적절한 가속을 붙여 허들 앞에서 적당한 힘을 씁니다. 그러곤 넘겠죠. 허들의 높이를 알아야 적절한 가속과 적당한 힘을 쓰지 않겠습니까. 허들 같지도 않은 허들 앞에서, 혹은 심지어 허들이 없는데 폴짝폴짝 뛰지 않으려면, 혹은 반대로 자신의 키보다 더 큰 허들 앞에서 무모한 도전을 하지 않으려면, 앞에 있는 허들을 잘 알아야겠죠. 자신의 한계, 지금 상황의 한계 말입니다. 그다음에 전속력으로 한계를 향해 달려갈지, 다른 곳에 눈 돌릴지 결정해야겠지요.

　한계를 아는 것이 중요한 이유는, 의외로 우리가 한계를 잘 알지 못해서입니다. 우리는 자신의 한계를 마치 도달하고픈 목표로 간주하는 경향이 있습니다. 그러면 한계를 지나치게 높게 설정합니다. 목표에 도달하면 실현되는 장밋빛 환상과 청록색 미래에 도취되어 넘지 못할 허들을 설치하는 것이죠. 한편으로는 '어차피 목표일 뿐인데' 또는 '높게 잡아야 낮게라도 이루지'와 같은 타협안의 복선을 미리 깔아두기도 합니다. 그에 따른 자원과 에너지의 낭비, 자존감 하락, 무력감은 염두에 두지 않고 말이죠.

　'민감도 체감성'이라는 것이 있습니다. 매출목표를 90억에서 100억으로 올릴 때는 여러 조건을 다 따져보며 신중을 기합니다. 그런데 다음 해는 100억에서 120억으로, 그다음 해는 150억, 다시 200억으로 잡습니다. 처음에는 10억 더해지는 것에 남다른 의미를 부여하더니, 다음의 20억, 30억, 50억은 쉽습니다. 그저 보기 좋게 적어낸 게 아니라면, 그냥 둔감해진 것이겠죠. 조건과 한계를 고려하지 못한 겁니다.

　그리고 한계를 낮게 잡는 일도 비일비재합니다. 이 경우는 둘 중 하나입니다. 자신을 과소평가하거나 자신의 삶을 과소평가하는 것이겠죠. 느슨하게 살고 싶다면 삶의 여러 기준을 낮추면 됩니다. 높게 잡든 낮게 잡든, 한계를 모르는 것은 매한가지입니다.

인간이 신과 다른 점은 '한계가 있다'는 것이죠. 절대자에게는 한계가 없습니다. 존재의 한계는 삶의 모든 면에서의 한계로 귀착됩니다. 세상이 변화한다는 건, 지금 바라보는 세상의 모든 단면에 한계가 있다는 뜻입니다. 변하면 변할수록, 그 변화가 급하면 급할수록, 빈번하게 한계가 드러납니다. 그렇다면 변화에 대응하려는 우리는 그 한계를 포착해야 하겠죠.

한계를 알아야 합니다. 한계를 넘을지 말지, '의지의 한국인'을 발현시킬지 말지는, 그다음 문제입니다. 우선 한계를 알아야 자신과 세상을, 자신과 세상이 처한 문제를 알 수 있습니다.

성숙모형

자꾸 알아야 한다고 이야기하니 혹시 한계를 '한계치' 같은 특정 수치라고 생각하나요? 만일 한계가 일정한 숫자라면, 그래서 우리가 그 수치를 앎으로써 우리의 한계를 알게 된다면, 차라리 쉬울 것 같습니다. 그러나 아닙니다. 한계는 구간으로 보는 것이 타당합니다. 일정한 구간과 영역 내에서 한계는 움직입니다. 그것을 알고 시작하는 것이 중요합니다. 한정능력을 향상하는 데에도 매우 중요합니다.

여러분의 주량은 얼마인가요? 주량의 한계가 몇 잔이죠? 소주 몇 잔, 맥주 몇 잔인가요? 그러면 섞으면 몇 잔이죠? 늘 그랬던가요? 몸의 컨디션, 마시고자 하는 의지, 다음 날 아침 일정…, 뭐 이런 것들로 확확 달라지지 않던가요? 한계는 고정된 것이 절대 아닙니다. 사람과 사물의 특질을 나타낼 때도, 개념과 문제의 특성을 표현할 때도, 딱 떨어지는 숫자를 쓰는 것은 현명하지 않습니다. 세상을 살면서 알게 된 많은 것들의 특질과 특성은 대개 어느 정도의 구간과 영역 안에서 설명되지 않았던가요.

한계는 그러한 구간이나 영역의 어디엔가 위치하는 유동적인 숫자이자 점입니다. 혹시 100도가 되면 물이 끓고, 액체가 기체가 되는, 단 하나의 포인트에 미련을 두고 있다면, 그것은 '임계치(threshold)'라 부르세요. 한계치라고 하지 말고요.

한계를 구간으로 인식했다면 이제 '성숙모형(maturity model)'을 알아보겠습니다. 성숙모형은 무언가의 성숙도를 단계적으로 표시한 그림입니다. 그 무언가의 크기나 세기, 또는 바람직한 수준을 몇 개의 단계로 구분한 것이죠. 알기 쉽게 내신등급을 예로 들까요? 9등급은 너무 많으니 고전적인 '수, 우, 미, 양, 가'로 나눌게요.

　　다음 페이지의 [그림4]에서 위에 있는 그림을 보겠습니다. 일단 A에는 5단계가 있군요. '내신'을 예로 들기로 했으니 A를 '국어'라 해보죠. 최상의 단계는 '수', 그 밑은 '우', 그리고 최하는 '가', 이런 식입니다. 자, 여러분의 국어 성숙도는 무엇인가요? 성숙모형의 어느 단계에 속하고 있나요? 다르게 물어보면 어느 수준까지 올라갈 수 있나요? 어디가 한계인가요? 한계치가 무언가요? 아니, 한계의 구간, 한계 영역이 무엇인가요? [그림4]는 국어의 한계영역이 '우'라고 합니다. 점수로는 3점과 4점 사이, 퍼센트로는 60~80% 구간입니다. 그 이상은 어렵다고 하네요.

　　아래 그림에는 원이 있습니다. 문제의 범위를 어디까지 잡으렵니까? 유통업의 경쟁자들을, 까스활명수의 경쟁제품을, 인공지능의 관심 범위를 어디까지로 보겠습니까? 대학의 공간 문제를 해결하려면 어떤 문제 조건과 범위에서 답을 찾아야 할까요? '가'만 보거나, '마'까지 가지 말고 '다' 정도까지만 국한하자는 그림입니다. 그런 것들을 스스로에게 물어보고, 한계를 정하라고 독촉하는 그림입니다.

　　한정능력을 얻는 첫걸음은 성숙모형을 그리는 것입니다. 자신에게 아주 중요한 측면들에 대한 성숙모형을 그리세요. 몇 개의 수준과 정도에 따라 단계를 나누세요. 당면한

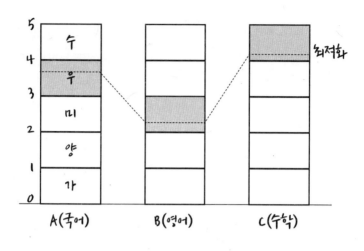

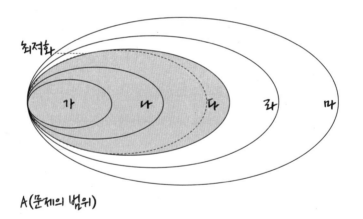

그림4_ 성숙모형과 최적화

중요한 문제에 대해서도 그려보세요. 문제의 조건과 범위에 따라 단계를 나누세요. 어떤 것은 막대그래프가 좋고, 어떤 것은 요소가 겹쳐지는 원그래프가 어울릴 겁니다.

어떤 그림을 써도 좋지만, 대신 각 단계에는 수준을 나타내는 이름을 붙이기 바랍니다. 이를테면, 수(빼어남), 우(넉넉함), 미(좋음), 양(양호함), 가(가능성 있음)처럼요. 성숙의 정도를 나타내는 이름이겠죠. 이때 유의할 게 있습니다. 위 단계의 성숙 수준은 아래 단계의 수준을 포함한다는 사실을요. 당연하죠?

사람 사이에 친한 수준을 '먹는 것 3단계'로 나누자면, 1단계 차 마시는 사이, 2단계 밥 먹는 사이, 3단계 술 마시는(먹는) 사이라고 하겠죠. 술 먹는 사이면 밥 먹는 거야 별일 아니지만, 차 마시는 사이인 사람에게 갑자기 술 마시자고 하면 오버겠죠? 단계를 고려하며 성숙모형을 그려야 합니다. 막대그래프보다는 원그래프가 이 사실을 잘 제시합니다. 소위 '양파지도'라 하는데요. 몇 껍질을 까도 온전한 양파의 모습입니다. 그 안의 내용을 온전히 다 포함하고 있으니까 그렇죠.

성숙모형을 그릴 때 또 하나 따라줬으면 하는 게 있습니다. 웬만하면 최하의 단계부터 최상의 단계까지 모든 성숙단계를 빼놓지 말고 넣어서 그려주세요. 나와는 상관없다고, 굳이 빼도 상관없다고 누락시키지 말고 전체의 성숙 수준을 다 도식화하길 바랍니다. 100m를 10~13초에 달리는 게 너무 높은 단계라고, 국어 성적 '가'가 너무 낮은 단계라고 빼지는 말라는 얘기입니다. 성숙모형의 효용성 중 하나는 한눈에 보인다는 것입니다. 자신 한계가 어떤 수준인지, 또는 문제 조건을 얼마큼 한정했는지 일목요연하게 보려면, 빼지 마세요.

최적화 마인드로

다시 한번 되새김해야 할 것은 한계가 '구간'이라는 겁니다. 한정해서 알아야 하는 한계는 고정된 숫자나 점이 아니라, 구간과 영역이라는 것입니다. A가 국어든 영어든, 달리기든 높이뛰기든, 주량이든 소화량이든, 또 취미나 기호의 수준이든, 가치관이 확고한 정도든 편향된 수준이든, 참을성이나 인내심의 정도든, 모든 한계는 구간이라는 겁니다. 영역이 있습니다. 문제의 조건과 범위를 어디까지 잡을지에도 여지가 있다는 것입니다. 이 여지가 한정능력을 높이는 또 하나의 큰 걸음으로 안내합니다. 바로 '최적화(optimization)'입니다.

'최적화'는 '주어진 조건 내에서 추구하는 가치를 최대화'하는 것입니다. 만일 '추구하는 가치'가 아니라 '회피하고픈 비용' 같은 것이라면, 최대화가 아닌 최소화가 최적화겠지요. 최적화는 일상에서, 업무에서 매우 효용이 높은 도구입니다. 바람직하다고 생각하는 의사결정과 판단은, 따져보면 모두 주어진 조건에서 '이익을 최대화하거나 비용을 최소화'하는 것입니다. 장점과 강점을 극대화하고 단점과 약점을 극소화하는 게 처신과 행세의 기본이잖아요.

그렇지만 최적화의 기반은 사실 최대화나 최소화가 아닙니다. '주어진 조건'이 기반입니다. 흔히 '제약조건(constraint)'이라고 부르는 것인데, 이 조건의 범주 내에서 뭔가를 도모하는 게 최적화죠. 원금이 보장된 조건에서 수익률이 높은 금융상품을 찾고, 얼굴 살은 잘 빠지지 않는 조건에서 다이어트를 하고, 기존 제품의 시장을 잠식하지 않는 범위의 신제품을 개발하고, 다른 학과가 수용하는 범위에서 우리 학과에 공간을 배정하고…, 다 그런 거죠.

이 '주어진 조건'이 한정하는 범위에서 최대치 혹은 최소치를 강구하는 겁니다. 어떤가요? 감이 오죠? 한계의 구간과 영역에서 최적화를 하는 겁니다. 그러니 한계의 구간과 영역을 아는 것이 선행되어야 함은 지당하겠죠?

세상에 좋은 것을 무한정 최대로, 나쁜 것을 무한정 최소로 하면 얼마나 좋을까요. 다 한계가 있습니다. 한정된 범위 내에서 구가해야 하는 일들입니다. 이것이 좋아지면 저것이 나빠지고, 저것이 어려워지면 이것이 수월해지는 게 세상의 이치입니다. 좋아지고 나빠지는 양극단의 중간 지점 어딘가가 최적의 점입니다. 그 최적의 점을 찾는 게 최적화입니다. 너무 한쪽으로 좋지도 않고 나쁘지도 않은 적절한 트레이드오프trade-off의 답을 찾는 게 최적화입니다.

최적화를 고려하는 대상이 여러 개일수록 문제는 복잡해집니다. 복잡해지는 만큼 훈련과 연습이 필요합니다. 훈련한 만큼 돌아오는 대가와 묘미가 있으니 쉽게 포기할 능력이 아닙니다. 앞에서 본 [그림4]를 다시 볼까요. 막대그래프 A와 원그래프 안쪽에 현실적으로 가능한 범위를 나타내는 한계영역이 표시되어 있습니다. 회색으로 말이죠. 그 안에 있는 점선이 우리가 어떤 시점에서 최적으로 설정한 한계치이고요. 그런데 B와 C도 동시에 고려해야 한다면 어떨까요? A가 '국어', B가 '영어', C가 '수학'이라면 어떨까요? 정해진 학습 시간, 정해진 에너지로 이들의 성숙 수준, 한계치를 최대로 높이자면 어떻게 해야 할까요? 복잡한 문제입니다. 트레이드오프해야 하는 문제가 됩니다. 저녁 술자리에 마주한 사람이 술을 가득 따라줍니다. 마음을 담았다며 한잔 쭉 들이켜서 그 마음을 받아달라는 눈빛입니다. 그러나 술잔에는, 내일 아침 면전에서 발표해야 하는 대상인 사장님의 얼굴이 비칩니다. 한계 주량은 이미 술잔의 술처럼 넘쳤는데요. 어떻게 해야 할까요? 어떻게 최적의 트레이드 오프를 해야 할까요? 실상 세상의 문제가 다 이러니 어쩌겠습니까? 최적화 마인드로 무장할 밖에요.

한정능력은 '대상의 한계나 문제의 조건을 파악하여, 대상의 개념과 문제의 범위를 설정하는 능력'이라 했습니다. 성숙모형을 그립니다. 성숙의 수준을 몇 개의 단계로 표식합니다. 고려하는 대상의 한계나 문제의 조건이, 어느 단계에 속하는지를 봅니다. 바로 그 단계가 한계영역입니다. 한계의 구간이자 조건의 영역입니다. 파악하고자 하는 대상의 한계, 또는 문제의 조건입니다.

이제 최적화의 눈으로, 트레이드오프의 마인드로 구간과 영역을 보고 또 보며 대상의 개념과 문제의 범위를 결정합니다. 자꾸 그렇게 해봅니다. 그것이 한정능력이자 한정능력을 키우는 방법입니다. 정확하고 명확한, 대단한 방법을 기대했나요? 그런 것은 없습니다. 그 누구도 그런 것을 알려주지 않습니다. 이 방법이 주어진 조건에서 최적의 방법입니다. 믿고 따라 해보세요. 따라 해보면 믿게 됩니다.

앞에서 얘기한 눈사람과 항아리 얘기 기억나죠? 항아리에 넣는 바위와 자갈 얘기. 무엇이 바위인지를 인지하고, 바위부터 넣으라는 것 말입니다. 취할 것은 취하고 버릴 것은 버리는 능력인 취사능력에서 나온 얘기였습니다. 그런데 그 얘기에서 슬쩍 빠트린 것이 있습니다. 바위와 자갈만 운운했지, 항아리는 빠트렸죠? 바로 그 항아리가 법정 스님이 꼭 짚은 '너의 세상'입니다. 당신의 한계, 문제의 조건이자 범위입니다. 항아리를 기억하고 그 크기와 모양을 아는 것, 그것이 한정능력으로 우리가 할 일입니다.

당신의 정체, 문제의 실체

산을 좋아하지만 가까이하진 않았습니다. 사람이 죽을 때가 되면 종교를 찾고, 나이가 들면 산을 찾는다죠. 그렇게 찾은 산은 처음부터 저를 반겨주지는 않았습니다. 산이라고 해봐야 동네 뒷산인데, 숨은 헉헉, 심장은 쿵쾅, 땀은 흠뻑입니다. 이 이상은 무리다, 싶어 마땅한 산 중턱에 걸터앉아 목을 축이니 시원한 물이 식도를 흘러 속 깊은 위벽에까지 닿는 게 느껴지더군요. 그리곤 속 깊은 생각에 빠졌습니다.

'아, 나이의 한계가, 몸의 한계가, 이건가.'

사념이 깊은 속으로 흘러 들어가 '내가 이렇게 한계에 부닥친 적이 또 언제 있었지?'에 머뭅니다. 생각났습니다. 하는 대로 되던 시절, 벌리는 대로 되던 시절, 욕심으로 가득 찬 마음을 이기지 못한 몸이 '제발 몸 좀 챙기라'고 경고를 보냈습니다. 시간 단위로 가득 찬 일정을 이기지 못한 정신이 '제발 정신 좀 추스르라'고 신호를 보냈던 것 같습니다.

'은행 돋보기 사건'보다 훨씬 전의 일입니다. 걸터앉은 곳은 산은 아니고, 제가 근무하는 대학의 숲길, 청송대의 벤치였지요. '그랬구나. 그곳에 오래 앉아 있었지. 오래도록 따져보고 다짐했지. 한계를 알고 정신 차리자고. 욕심 버리자고.' 그런데 걸터앉은 기억이 거기서 끝나지 않습니다. 기억의 편린은 흐르고 흘러, 더 깊은 속으로 흘러 들어갑니다. 마침내 멈춘 장소는, 미국 대학의 뒷산이었습니다.

　별 계획도 준비도 없이 시작한 유학생활은 녹록하지 않았습니다. 공부야 의지의 한국인, 대한민국 건아답게 당당하게 헤쳐갔지만, 예상치 못한 난관의 실체가 드러났지요. 캠퍼스에 인접한 좁은 찻길을 뛰어 건너는데, 어디선가 있었던 경찰이 불러 세웁니다. "Jaywalking!" 무단횡단이랍니다. 그래봐야 2차선 캠퍼스타운 도로인데요.

　화가 치민 건 그다음입니다. 경찰의 외침에 횡단하다 멈춰선 이는 저 말고 또 한 사람이 있었습니다. 경찰은 그를, 그 백인을 힐끔 보더니 그냥 가라고 하더군요. 경찰이 저에게 위압적인 언행을 하던 중에도 주변에서는 사람들이 계속 횡단을 합니다. 원래 그런 길이니까요. 그 경찰은 저에게만 관심이 있었나 봅니다. 신기한 것은, 위급한 상황이 되니 어찌 그리 영어를 잘하던지요. 잘 안 나오던 영어가 그때만큼은 유창했습니다. 정확히 말하면, 잘했다기보다 많이 한 것이죠. 말도 안 되는 영어를 폭풍으로 쏟아내는 저를 쳐다보던 경찰은 어이가 없다는 표정으로 보내주더군요. 아마도 횡설수설 외계인과 더 말해봐야 소용없다고 생각한 것 같았습니다.

절박한 상황을 벗어나니 서글픔이 밀려왔습니다. 도저히 가려던 길을 갈 수 없었습니다. 상처받은 마음을 끌어안고 주변의 뒷산을 찾았습니다. 헉헉 쿵쾅은 없었지만, 흠뻑 젖은 땀 대신 가녀린 눈물이 흐릅니다.

'이러려고 여기 왔나. 여기서 내가 대체 뭐 하고 있는 거지.'

딱히 할 말 못 한다는 얘기는 들어본 적 없습니다. 특별히 남과 다르다고 차별받은 적도 없이 살아왔습니다. '이 자유의 나라에서, 이 진보의 도시에서 이런 대접을 받다니…' 그런데 순간 알게 되었습니다. 퍼뜩 깨달았습니다. 나는 미국인이 아니고, 백인도 아니며, 여기는 한국이 아니고, 한국의 도시도 아니라는 걸요. 너무 당연한 사실이지만, 명백하게 드러난 거죠. 애매한 미국 대학원생과 캘리포니아 거주민의 포장을 벗겨내니 분명하게 드러난, 나의 정체와 유학 생활의 실체가요.

한계가 명확할수록 정체성은 뚜렷하다

우리가 간직해야 하는 현대의 역사학자 이름 둘은, 아놀드 토인비Arnold Toynbee와 에드워드 카Edward Carr입니다. 역사에 대한 가장 쉬운 접근은, 역사를 연보나 연대기로 보는 것입니다. 연대적으로 중요한 사건을 기록한 것, 그것이 역사라는 인식은 상당히 보편적입니다. 나의 역사, 우리의 역사를 적으라면, 언제 어떤 일이 있었는지를 적습니다. 기업의 홈페이지에 들어가면, 어김없이 등장하는 연혁 역시 '언제 무슨 일이 있었는지'입니다. 왕이나 군주별로, 국가별, 시대별로 언제(when)와 무엇(what)을 아는 것이 역사이고, 그것이 역사 공부라 생각하기도 합니다.

토인비는 이를 '문명'의 단위로 전환합니다. 문명의 변천과 명멸하는 문명 간의 상호작용을 역사로 봄으로써, 유기적이고 동태적인 역사학을 개척합니다. 에드워드 카는 더 나아갑니다. 개별적이고 주관적인 역사학자의 '선택하는 눈'을 강조하며, 마치 저 멀리 손에 닿지 않는, 변하지 않는 남의 얘기인 것 같은 역사를, 역사학자, 때론 우리 한 명 한 명의 것으로 끌어다 줍니다. 보는 사람에 따라 다른 해석, 즉 다른 역사가 가능하다는 거죠. 소위 '사관史觀', 즉 역사를 보는 관점이지요.

변하는 것에는 한계가 있다는 말, 기억하죠? 한계가 있으니 변합니다. 한계가 없으면 변할 일이 없습니다. 역사를 보는 관점의 변화는 결국, 역사를 보는 사람의 한계로 귀착됩니다. 그리고 그 한계는 남, 남의 얘기와 나, 나의 얘기를 구별하는 것으로 명료해집니다. 남과 다른 나의 차이가 남과 나 사이를 구분하는 경계이자 나의 한계인 셈이죠. 요컨대, 그 한계를 인식하는 것이 나를 아는 것이고 나만의 것을 알게 되는 것입니다.

고로 역사는, 역사 공부는 남을 공부하는 것으로 그치지 않고, 나 자신에 대한 공부로 확장됩니다. 남들의 얘기에서 나 자신의 위치, 나의 정체를 밝히는 게 역사라고 생각합니다. 저는 역사의 중요성은 '언제'와 '무엇'이 아니고 '누구(who)'와 '어디(where)'에 있다고 생각합니다. 언제 어떤 일이 일어났는지를 아는 게 아니고, 그래서 내가 누구인지(know who I am), 어디로 가야 할지(know where I go)를 아는 것 말입니다.

유학을 가게 된 계기는 엉겁결에 응시한 시험에서 합격해서입니다. 최종 면접 때, 한 면접관이 질문하더군요.

"유학 가서 그쪽 사람들이 한일강제합병이나, 한국전쟁을 들먹이며 우리를 얕잡아 보면 어쩌겠습니까?"

유학을 떠날 운명이었을까요? 문득 수일 전에 읽었던

에드워드 카의《역사란 무엇인가》의 한 구절이 떠올랐습니다. "역사는 현재와 과거 사이에 이루어지는 끊임없는 대화이다." 그래서 이렇게 대답했습니다.

"과거의 불행한 역사는 사실이지만, 우리는 그에 머물지 않고 교훈으로 삼아 현재 엄청난 발전을 이루고 있다고 힘주어 말하겠습니다."

면접관의 얼굴에 미소가 흘렀고, 합격을 예감한 순간이었습니다. 미국 유학으로, 미국 대학의 뒷산으로 저를 이끌었던 결정적 순간이었습니다.

정체성은 '변하지 아니하는 존재의 본질'이라죠. 자신의 내부에서 일관된 동일성을 유지하는 것이라는 정의도 크게 다르지 않고요. 변하지 않는 성질이니 한계 내에 있는 것입니다. 한계를 운운하는 것은 변하는 영역에서의 일입니다. 사람들은 종종 변하지 않는 것을 변하게 하려 하고, 변하는 것을 변하지 않게 하려 합니다. 정체성이 확고하지 않아서입니다.

나와 남 사이에 금을 긋습니다. 금 주위에는 적절한 여유 공간이 있습니다. 마치 휴전선 주변 남북으로 비무장지대가 펼쳐진 것처럼요. 한계영역입니다. 그 한계 남쪽이 남한이고, 그 한계 안쪽이 나입니다. 북쪽이 북한이고 바깥쪽이 남입니다. 확실한 안쪽이나 바깥쪽에는 변하지 않는 사상과 정체성이 있습니다. 한계가 명확할수록, 한계를 느낄수록 정체성은 뚜렷이 확립됩니다.

내가 할 수 있는 수준과 할 수 없는 수준이 있습니다. 그 사이의 한계영역의 어디엔가에 한계선이 있습니다. 그 한계선으로 내가 정의되고 나의 정체성이 정립됩니다. 정체성이 있어야 자존감이 생기고 자신감이 솟습니다. 한정판이 왜 인기 있는지 알죠? 한계가 있고 정체성이 있어서입니다.

나를 표현하고 싶나요? 그렇다면 먼저 나의 정체를 알아야 합니다. 남을 수용하고 싶나요? 그렇다면 남과 다른 나의 정체를 먼저 알아야 합니다. 그러니 한계를 알아야 합니다. 꼭 영어를 유창하게 할 필요는 없습니다. 미국인이 아닌 미국 유학생일 뿐입니다. 미국인과 똑같이 대접받을 필요 없습니다. 고루한 미국인 눈에 비친 이방인일 뿐입니다. 제가 원하는 것은, 미국에 유학까지 가서 얻고자 원했던 것은, 미국인으로서 미국인 대접을 받으며 미국 사회에 기여하고픈 것이 아니었습니다. 그러려고 거기에 간 것이 아니었습니다.

그날 저는 한계를 느꼈습니다. 그러나 그로 인해 정체성을 회복했습니다. 내가 누구인지, 어디로 가야 할지를 곱씹었습니다. 그러면서, 바지에 묻은 서글픔을 털어내며 그곳을, 남의 나라의 뒷산을 내려왔습니다.

찬실이가 복이 많은 이유

　이민자에 비하면 유학생은 아무것도 아니겠지요. 미국 이민 가족의 애환과 애정을 그린 '미나리'의 스타는 단연 윤여정 배우입니다. 담백하고 센스 있는 그녀의 말투는 오스카 시상식에서도 빛났습니다. 그녀의 어록 곳곳에 묻어납니다. 그녀의 빛나는 진솔함은 스스로 인정하는 그녀의 한계에서 비롯되었다는 사실을요. 자신의 한계를 직시하는 자존감과 자신감을 바탕으로 자신의 존재를, 정체를 당당히 드러내는 것이죠.

　윤여정이라는 배우의 매력은 그녀가 무상으로 출연했다는 2019년 영화 '찬실이는 복도 많지'에도 흐릅니다. 하지만 그 영화에는 또 다른 매력을 가진 연기자가 있습니다. 찬실이 역을 맡은 강말금 배우입니다. 그녀의 연기는 압권이더군요. 그해 모든 시상식에서 신인여우상을 휩쓸었다면서요.

　찬실이는 영화 PD입니다. 그것도 상업성이 결여된 예술영화 PD이죠. 밑에서 전속으로 일하다시피 했던 감독의 갑작스러운 죽음으로 그녀는 그토록 사랑하는 영화판을 떠날 지경에 이릅니다. 그러며 자신의 삶과 정체성의 혼돈을 겪습니다.

찬실이는 그동안의 역할, 해왔던 일을 다시 하고 싶은 겁니다. 이전과 똑같이 하고 싶은 겁니다. 그런데 그간에 해왔던 일이 부정당하자 어찌할 바를 모릅니다. 그 일을 하는 것이 유일하게 영화판에서의 자기 역할이라고 생각하고 살았으니까요. 영화를 사랑할, 영화 일을 할 수 있게 하는 조건이 그것만 있는 줄 알았으니까요. 그것이 안 되니 영화를 떠나려 합니다. 영화를 사랑하고 영화 일을 하는 방법이 그것만 있는 게 아닌데 말이죠. 문제의 조건과 범위를 잘 모르니, 문제의 실체를, 자신의 정체를 모릅니다. 그러니 방황합니다.

한계를 알아야 합니다. 한계는, 한계가 엄연히 있다는 둥, 그런 서글픈 무력감으로 받아들일 단어가 아닙니다. 그렇다고 한계를 과감히 뛰어넘자는 둥, 그런 어설픈 자만심으로 받아들일 단어도 아닙니다. 한계는 나입니다. 나를 그리는 한계선이고 나를 형상화하는 한계영역입니다. 한계는 문제의 조건과 범위를 설정해줍니다. 나의 정체와 문제의 실체를 알게 해줍니다.

그저 딱 그뿐입니다. 서글플 필요도 어설플 필요도 없습니다. 찬실이가 왜 복이 많았을까요? 그 이유는, 결국 자신이 원하는 것을 알았기 때문입니다. 마치 복 많은 제가 미국 대학의 뒷산 중턱에서 깨달은 것처럼 말이죠. 자신의 한계를 알아야 자신을, 자신의 정체를 알게 됨을 명심하세요. 그러기 위해 한정능력을 키우세요. 성숙모형을 그려보고 최적화를 도모해보세요. 영화에서 찬실이가 마지막으로 한 대사처럼, '믿고 싶은 거, 하고 싶은 거, 보고 싶은 거'를 다 써보세요. 정말 써보세요. 자신의 한계를, 자신을 알기 위해 다 써보세요.

5

무미하게 쓰고 건조하게 말하라

_ 표현 expression

지적인 사람에 대한 오해

누구나 매력적인 사람이 되고 싶습니다. 매력은 '남의 마음을 사로잡아 끄는 힘'입니다. 누구나 자신의 무언가가 남의 마음을 사로잡아 자신이 원하는 방향으로 끌고 가기를 바라죠. 인간의 외면이나 내면에는 다양한 매력 포인트가 존재하지만, 저 같은 대학교수에게 기대해볼 만한 매력이 하나 있습니다. 지적인 매력이죠.

교수는 지식으로 점철된 직업입니다. 교수가 되기 위해 지식을 얻고, 교수로 일하며 계속 지식을 쌓습니다. 연구하면서 지식을 생성하고, 교육하면서 지식을 전수합니다. 업의 본질이 지적 활동입니다. 그렇다면 대학교수는 지적인가요? 대학교수라는 직업을 가진 사람은 모두 지적 매력이 있을까요?

대학교수에게 심심치 않게 붙는 수사는 '지식인'이죠. 단순히 '지식을 갖고 있는 사람'이면 모를까, 쉽게 명명하기 어려운 명칭이 바로 지식인입니다. 노암 촘스키는 《지식인의 책무》에서 단언합니다. 지식인의 책무는 '중대한 의미를 가진 문제에 대한 진실을 대중에게 알리는 것'이라고요. 자기가 가진 지식과 믿고 있는 신념에 대해, 다른 이들에게 떳떳이 표방하고 알리는 것이 지식인의 책무이고, 또 그런 자가 지식인이라는 얘기입니다.

여기에는 '당당한 표현'과 '정당한 참여'의 의미가 큰 비중을 차지합니다. 그렇다면 그것이 저와 같은 대학교수를 모두 지식인이라 할 수 없는 이유입니다. 그나마 다행인 것은, 이미 오래전에 장 폴 사르트르가 《지식인을 위한 변명》을 해두었다는 것입니다. 지식인은 항상 진리의 편에 서야 하지만, 특성상 사회적·경제적 독립성을 확보하지 못해 권력과 부에 의지하는 존재라고요. 그래서 후원 세력의 입맛과 형편에 맞게 지식을 재구성하는 경향이 있다는군요. 대학교수에 붙일 만한 무난한 호칭은 지식인이 아닌 '전문가'이므로, 진정한 지식인이 되지 못한 다수의 대학교수들을 이해하자는 정도로 사르트르의 변명을 해석함이 맞겠죠.

지식을 아는 것과 표현하는 것은 별개입니다. 달리 말해, 알고 있다고 해서 표현할 수 있는 것은 아니라는 겁니다. 어떤 경우가 그럴까요? 알지만 표현하지 못하는 것은, 사실 충분히 알고 있지 못해서일 가능성이 높습니다. 머리에서만 혹은 입안에서만 맴도는 생각은 글이나 말로 표현하기 쉽지 않습니다. '얘는 고양이고 쟤는 강아지다'처럼 단순한 팩트야 문제없지만, 뭔가의 선후관계, 상관관계가 포함된 논리적인 내용은 글과 말로 표현하기 어려운 경우가 있습니다. 제대로 알지 못해서 적절한 표현을 찾지 못한 경우죠.

이렇게 생각해보면 확실합니다. 이런 적 있죠? 어렴풋한 생각이, 글로 쓰다 보니 혹은 누군가에게 말하다 보니 또렷이 정리된 적 있죠? 표현을 하면서 생각이 정리되었다는 것은, 그전에는 충분히 알지 못했다는 것입니다.

물론 표현을 많이 안 해봐서 그럴 수도 있습니다. '나 너 좋아해', '너는 지적이지 않아'와 같이 민감한 감정이 개입된 상황은 논외로 하고, 글로 쓰려는데 손이 굳거나 말로 하려는데 입이 타는 경우입니다. 하지만 냉정히 말해 그것 역시 잘 알고 있지 않아서입니다. 과묵해서가 아닙니다. 해 버릇하면 나아지기는 하겠지만 버릇만 가지고는 모자랍니다. 잘 알지 않으면, 우리가, 당신이 원하는 수준의 표현력에는 미치지 못할 겁니다.

그리고 마지막의 경우는, 좀 독특한데, 비겁해서입니다. 너무나 잘 알고 있으면서도 일부러 애매모호한 어투로 말하는 사람들이 있습니다. 알고 있는 진실에 대해 언행하기가 두렵기 때문이겠죠. 무늬만 지식인인 사람들처럼요.

이번에는 반대를 따져볼까요? 제대로 표현한다면 제대로 알고 있는 것일까요? 네. 그렇습니다. 알고 있는 것입니다. 그러니 제대로 표현할 수 있는 것입니다. 그렇지 않은 예외적인 경우는 유일합니다. 사기꾼까지는 아니더라도 현란한 말빨과 글빨로 무장된 사람의 경우죠. 조금 알아도 많이 표현하는 사람들이잖아요.

그러나 그 문제는 그들만의 문제가 아닙니다. 그들에게 넘어가는 우리에게도 문제가 있습니다. 잘 알죠? 사기꾼은 사기를 당할 만한 사람을 고른다는 사실을요. 사기꾼의 비장의 무기는, 의도된 거짓을 누구나 인정하는 사실과 교묘하게 섞는 것입니다. 사실 사이에 파묻힌 거짓이 사실로 둔갑하는 식이죠. 그 믹스와 레시피가 얼마나 기막힌가가 사기의 기술입니다. 사기꾼의 요리에는 상한 식자재가 섞여 있습니다. 온전한 상품, 온전한 지식이 아닙니다. 피해자가 그렇다고 믿을 뿐이죠.

결론적으로 어떤 사람이 지적이죠? 어떤 이가 지식인인가요? 표현하는 자가 지식인입니다. 가진 것, 아는 것을 제대로 표현하는 사람이 지적입니다. 안다고 꼭 표현하는 것은 아니지만, 표현한다면 아는 것이라 할 수 있으니 말이죠. 표현해야 합니다. 표현할 수 있어야 합니다. 생각을 빠짐없이, 논리를 빈틈없이 표현해야 합니다. 그래야 지적입니다.

아는 것은 많지만 무슨 말을 하는지 모르겠고, 많은 책을 보지만 무슨 생각하는지 모르겠는 사람이 멋지던가요? 매력 있던가요? 온갖 전문지식을 동원해 자신의 소탐을 채우려 하는 사람, 그런 식으로 대의를 저버리는 전문가가 매력적이던가요? 그들에게 지식인이라는 거룩한 칭호를 헌납할 수 있을까요? 표현해야 합니다. 지적으로 표현할 줄 알아야 합니다. 그런 사람이 매력적인 사람, 지적인 사람입니다.

5,000원으로 회복한 것

수년 전 일입니다. 집에 가는 차 안에서 울적한 마음을 주체하기가 어려웠습니다. 오후에 참석한 어떤 회의 때문이었습니다. 나랏일과 관련된 일이었는데 아무리 생각해도 못마땅했습니다. 못마땅한 건 회의 자체나 다른 참석자들이 아니었습니다. 저 자신이었죠. 관련 분야에서 꽤 비중이 있고 언론의 이목도 집중된 회의였습니다. 그런 자리의 참석자는 으레 한마디씩 합니다. 그 한마디가 회의에 참석하는 이유이자, 참석자의 권리이고 의무죠. 이제는 나름 이쪽 분야 베테랑답게 힘차게 얘기를 시작했습니다.

"이렇게 중대한 국가의 일에는… (중략), 목적이 중요하다면 다양한 수단을… (중략), 그러니 그들에게 공헌할 기회를…" 그러나 나름의 뜨겁고 힘찬 발언이 차갑게 식으며 힘이 빠지고 있음을 느꼈습니다. 회의의 전체적인 기조나 전반적인 톤과 맞지 않았던 거죠. 새로운 시대적 사명을 새로운 방식으로, 새 술은 새 부대에 담자는 회의의 구성과 구성원의 관점과는 거리가 있는 발언이었습니다.

말리는 이도 없었고, 눈치 주는 이도 없었습니다. 단지 수긍과 동조의 끄덕거림이 아닌 무표정한 응시만 있었습니다. '싸한' 느낌과 함께 저의 목소리는 희미하게, 논지는 흐릿하게 바뀌고 있었습니다. "…그런 생각도 해봄 직하다는 생각이라는 말씀을 드리고 싶은 생각도 들었다는 생각입니다. 이상입니다."

뭐, 이런 식으로 마쳤죠. 정말 언짢았습니다. 자괴감이 들더군요. '명색이 지식인이라는 자가….' 옳고 그름의 문제가 아닙니다. 누구나 각자의 의견을 얘기하고, 다양한 의견들이 더 나은 의견으로 수렴되는 것이 회의의 목적 아닙니까. 그 다양성의 하나를 담당하라고, 소신을 당당하게 표현하라고 저에게 그 자리를 준 게 아닙니까. 그런데 분위기에 타협이나 하고 말이죠. 도대체 무엇을 위해서 그랬을까요?

언짢은 속내는 그날 저녁 다른 모임의 술자리까지 이어졌지만 드러내지는 않았습니다. 부끄러운 얘기니까요. 그러고는 돌아오는 차 안입니다. 막히는 교통 상황에 대리운전 기사가 이렇게 말합니다.

"손님, 시간이 너무 경과되었으니 5,000원 더 주셔야 합니다."

드디어 폭발했습니다. 스스로에게 화내지 못하고 뭔가 계속 핑계를 찾던 중에 터진 것이죠. 평상시에 쓰지 않는 매몰찬 말을 했습니다. 걱정 마세요. 폭언은 아니었습니다. 어쨌거나 강한 말투에 기사는 섬뜩했나 봅니다. 좁은 공간 속 두 아저씨의 입은 다물어집니다. 차 안에는 어색한 정적이 감돌고 제 마음속에 참담한 후회가 몰아칩니다.

'아, 명색이 대학교수라는 자가….'

도저히 그대로 끝낼 수는 없었습니다. 그대로 상황이 끝난다면 그날 밤 도저히 잠들 수가 없을 것 같았습니다. 목적지가 가까워졌을 때 더 늦기 전에 용기를 냈습니다.

"아저씨, 아까는 제가 잘못했습니다. 오늘 많이 예민했었나 봐요. 양해해주세요."

다시 정적이 흐릅니다. 차가 멈춘 후, 대리운전 기사가 말합니다.

"그렇게 말씀하시니 제가 더 죄송하네요. 암튼 감사합

니다. 그냥 안 받을게요. 그 5,000원."

표현해야 합니다. 표현할 줄 알아야 합니다. 자신의 신념을, 생각을, 느낌을 제대로 표현할 줄 알아야 합니다. 알고만 있고 생각만 하면 무슨 소용입니까? 표현해야 지식인 되고, 지적인 사람이 되고, 최소한 건전한 사회인이 됩니다. 궁금하죠? 그 5,000원이 어떻게 되었는지. 대리기사가 처음에 원했던 대로 제가 5,000원을 더 드렸습니다. 마음속에서 무너진 것들(지식인으로서의 자만심, 대학교수로서의 자부심, 사회인으로서의 자존심)을 조금이나마 회복한 대가치고는 무척 쌌으니까요. 그리고 사실, 서로 5,000원짜리 잔돈도 없었거든요.

살짝 민망한 마음이 드니 화제를 돌리겠습니다. 잠깐 앞으로 가서 이 책의 목차를 보면 9가지 능력이 차례로 나옵니다. 먼저 '세상을 쫓아가는 능력'인 '분류-지향-취사'를 종이에 써봅니다. 다음은 줄을 바꾸어서 '세상과 함께하는 능력'인 '한정-표현-수용'을 순서대로 쓰고, 다시 줄을 바꿔 셋째 줄에는 '매개-규정-전환'의 순으로 씁니다. '세상을 앞서가는 능력'들이죠.

자, 이제 볼까요. 이 9가지 중 한가운데 위치한 능력은 무엇인가요? 바로 '표현'입니다. 가운데, 제일 중앙입니다. '표현'은 이토록 중요합니다. 만일 제가 가진 능력 중에 아끼고 사랑하는 사람에게 딱 하나만 전수할 수 있다면, 그건 바로 '표현'입니다. 표현할 수 없다면 다 무슨 소용일까요. 표현할 줄 알아야 다른 능력들도 가능해지며, 잘 표현하면 다른 능력의 가치도 배가됩니다. 꼭 지적인 사람이 되기 위해서만이 아닙니다.

범위를 좁혀 '표현'의 양옆을 볼까요. '한정-표현-수용'이니 왼쪽에는 '한정'이 있군요. '한정'은 대상의 개념과 문제의 범위를 설정하는 것이라고 했습니다. 자신의 정체와 문제의 실체를 아는 것이라고도 했습니다. 아는 것이죠. 알았다면 표현으로 이어져야 합니다. 한편, 아직 나오지는 않았지만, 오른쪽의 '수용'은 남을 이해하고 받아들이는 능력입니다. 표현의 상대는 남이니, '표현'이 맞닿은 곳에 '수용'이 있음은 자연스럽습니다. 나와 남 사이의 소통, 나의 정체성과 남의 다양성 사이의 가교가 결국 표현이니, 그 사이에 있을 만하네요.

이번 장의 목차도 볼까요. 그런데 여기서는 눈에 쉽게 들어오는 목차 말고 내용상의 목차입니다. 미리 말해두지만, 첫째 내용은 '한정'과 관련 있습니다. '너의 콘텐츠를 알라(know your contents)'인데, 자신이 표현하는 콘텐츠에 대한 것입니다. 표현하려는 내용을 제대로 '한정'하는 방법에 대한 것입니다. 왼편의 '한정'입니다. 둘째 내용은 오른편의 '수용'에 관한 것으로, '너의 청중을 알라(know your audience)'입니다. 표현하는 상대, 즉 청중(또는 독자)을 염두에 두라는 겁니다. 표현의 상대를 제대로 '수용'하라는 뜻으로 귀착되겠지요. 이 둘 외에도 주문이 하나 더 있지만 후에 추가하도록 하고, 어쨌든 '표현'은 양편을 아우르는 개념입니다. 양편의 중앙에서 중대하고 중요한 중심을 잡는 것입니다.

글쓰기는 프로레슬링과 같다

글쓰기와 말하기는 대표적인 표현입니다. 대표적인 만큼 누구나 글을 쓰고 말을 합니다. 하루 내내 글 쓰며 업무하고 말하며 생활합니다. 누구나 글 쓰고 말하는 요령은 압니다. 그래서 그런지 무라카미 하루키가 말하더라고요. "글(소설)쓰기는 프로레슬링과 같다." 레슬링이 쉽다는 것은 아니지만, 누구나 몸만 쓰면 일단 할 수는 있으니까요. 마찬가지로 누구나 손만 쓰면 글도 쓸 수는 있잖아요. 문제는 그냥 레슬링이냐, 프로레슬링이냐 차이겠지요.

이와는 달리 릴케는 아주 빡빡하게 말합니다. "글을 쓰지 않고도 살 수 있을 거라 믿는다면, 글을 쓰지 마라." 하루키의 회유나 릴케의 엄포는 모두 일상의 글쓰기와는 거리가 있습니다. 수천 명의 관중 앞에서 연설하고, 온갖 곳에 송출되는 카메라 앞에서 강연하는 명사들의 말하기는 우리네 일상의 말하기와 거리가 있습니다. 그러나 과연 그럴까요? 그렇게 전문적이어야 하는 상황이 우리 일상의 삶과 업에서 그토록 멀리 떨어져 있을까요? 보고서를 써야 하고, 발표를 해야 하지 않나요? 문자로 전화로 정확하게 의사표시를 해야 하지 않나요? 비단 작가나 명사가 아니라도 제대로 쓰고 말해야 하지 않을까요?

적극적으로 표현하는 삶을 영위하는 사람이 부쩍 많아졌습니다. 작가로 등단하고 유튜버로 입문합니다. 좋은 일입니다. 적극적인 표현은 적극적인 삶을 사는 방편이고, 전문적인 표현은 전문적인 업을 영위하는 방법입니다. 우스갯소리로, 요새는 책을 읽는 사람보다 책을 쓰는 사람이 더 많고, 영상을 보는 사람보다 영상을 올리는 사람이 더 많다고 합니다. 대단한 기대나 과도한 관종(?)의 마음만 없다면, 좋은 방향입니다. 그렇다면 더욱, 제대로 쓰고 말하는 능력을 키워야 하지 않을까요?

세상 사람을 3가지로 나눠볼 수 있습니다. 아는 것을 표현하는 사람, 표현하지 않는 사람, 그리고 표현할지 말지 고민하는 사람으로요. 당신은 어디에 속하나요? 혹 고민하고 있나요? 잘할 자신이 없어서, 잘할 방법을 몰라서요? 그래서 표현하지 않는 사람이 되려 합니까? 그러지 마세요. 지적인 매력을 갖고 싶지 않나요? 저처럼 자괴감과 부끄러

움을 느끼렵니까? 표현해야 합니다. 표현하는 능력을 키워
야 합니다.

소설 쓰지 마세요

제대로 쓰고 제대로 말하자고 했죠? 잘 표현하자고도 했습니다. 어땠나요? 어떻게 하자는 것인지 제대로 잘 이해되었나요? '제대로'와 '잘'의 성찬(정확히는 고통)을 제대로 잘 대접받은 적이 있습니다. 학위 논문 심사 때의 일입니다. 공대 교수이니 보통은 공학 학위 대상자들의 논문 심사를 합니다. 그런데 어찌해서 그날은 인문학 박사학위 심사에 참여했습니다. 심사 대상자의 발표를 듣는데 이런 식입니다.

"연구의 중요성을 제대로 파악하기 위하여 관련 문헌을 잘 찾아보았습니다. 많은 연구자는 다수의 요인을 적절히 선택하여 적당한 방법으로 제대로 잘 검증하였지만…."

듣다 못해 껴들어 질문했습니다.

"얼마나 많은 연구자가, 얼마나 다수의 요인을, 어떻게 적절히 선택하여, 어떠한 적당한 방법으로 검증했다는 얘기죠?"

"네, 충분히 많은 연구자가 상당한 다수의 요인을 바람직하게 선택하여 괜찮은 방법으로…."

아, 더 물어보면 안 되겠더라고요.

"앞으로는 좀 구체적으로, 숫자를 동원해서 명시적으로 준비해주세요. 제대로 해주세요."

심지어 저도 '제대로'가 튀어나오더군요.

"알겠습니다, 교수님. 잘하도록 하겠습니다."

거기까지였습니다. 제대로 잘할 수 있을지 의구심만 남았던 심사였습니다.

물론 그 학생이 유달리 독특했습니다. 특정 학문의 연구 접근법 얘기가 결코 아니고, 인문학과 공학의 차이를 지적하려는 것도 절대 아닙니다. 다른 교수님들의 지적도 이어졌었으니까요. 그저 그 학생의 (제 기억에는) 남다른 '모호형용증'에 대한 얘기입니다. 두리뭉실 두루뭉술 형용하는 습관 말입니다.

모든 학문, 모든 논문에서 중요한 것은 '왜(why)'입니다. 논문은 논리를 주장하는 글이죠. 논리는 '논論'과 '리理'로 이루어졌고요. '말한 것'의 '이유'를 대는 것이 논리이니 '제대로 잘'로 끝나면 안 됩니다. '얼마나 제대로', '얼마큼 잘'을 구체적으로 말하고 써야 논리이고 논문이겠지요.

약간의 수상 경력이 있는 사람이, 사실 더 곤란합니다.

거창한 상은 아니고요. 초중고등학교 다닐 때 백일장 등에서 상 받아본 적 있나요? 장려상이라도요. 신기합니다. '어떻게 글을 쓸 것인가', '어떻게 시, 소설, 수필을 쓰는가'를 체계적으로 배운 적도 없는데, 백일장과 경진대회는 왜 그리 많았을까요? 뭘 장려하는지 모를 장려상은 또 왜 그리 많았을까요? 국어와 논술의 비중이 그토록 큰데, 평균적인 학생들의 글쓰기 솜씨는 왜 평균 이하일까요? 문학을 알고 공부도 하지만, 문학으로 표현하는 방법을 배우지 못했으니 그러겠죠.

시를 공부하려면, 일단 외워야 합니다. 시 단락별로 주제를 알고 각종 기법도 알아야 합니다. 시의 시대적 배경이나 시인의 정서적 환경도 숙지합니다. 선생님의 설명을 깨알 같이 받아 적고, 참고서의 해설을 밑줄 그어 암기합니다. 자기만의 느낌, 자기만의 해석은 금물입니다. 시험에서 낭패 보지 않으려면요. 신경림 시인의 시 '가난한 사랑 노래'는 중학교 교과서에 실렸습니다. 그 시에 관한 어느 중학교 시험문제를 신경림 시인에게 풀어보라고 했더니 시인은 10문제 중 3개만 맞추었다고 하네요. 자신의 시인데도요. 소설도 마찬가지입니다. 소설가 김영하는 자신의 작품이 교과서에 실리는 것을 반대했다고 하죠. 그 역시 자신의 소설로 만든 문제 5개 중 2개만 맞혔답니다.

예술은, 작품에 대한 저마다의 느낌과 감동이 다를 때 그 가치가 높습니다. 사진 같은 정물화보다는 미로 같은 추상화를 더 쳐주지 않습니까. 문학도 같습니다. 그렇게 단선적으로 분석하고, 단언적으로 답을 내라고 쓴 건 아니겠죠. 제가 좋아하는 작가 김연수는 '30초 안에 소설 쓰는 법'을 알려줍니다.

"봄에 대해 쓰고 싶다면, 이번 봄에 무엇을 느꼈는지 쓰지 말고, 어떤 것을 보고 듣고 맛보고 느꼈는지를 쓰세요. 사랑에 대해서 어떻게 생각하는지 쓰지 마시고, 사랑했을 때 연인과 함께 걸었던 길, 먹었던 음식, 봤던 영화에 대해서 아주 세세하게 쓰세요."

봄, 사랑에 대해 쓰고 싶다면, 그것들이 어떻다 직접적으로 쓰지 말라는 거죠. 대신 주위에 맴도는 다양하면서도 누구에게나 다 다를 수 있는 그런 것들을 쓰라는 거죠. 답이 1개가 아니라 충분히 여러 개일 수 있는 것, 문학은 그런 겁니다.

논문은 진부한 말을 진부하게 써야

그러나 논문은 아닙니다. 논문은 문학 작품이 아닙니다. 봄이나 사랑에 대해 쓰고 싶다면 바로 그것을 써야 합니다. 에두르거나 돌리지 말고, 단도직입적으로요. 무엇을 보고 듣고 맛보고 느꼈는지를 쓰려 한다면, 그것들이 어떠한 이유로 봄과 관련 있는지, 왜 꼭 그것들을 써야 하는지를 설명해야 합니다. 그것이 논문이니까요. 문학적 표현이란 진부한 말을 새롭게 표현하는 겁니다. 그러나 논문은 아닙니다. 진부한 말을 진부하게 써야 합니다. 새로운 표현을 억제하고 자제해서 가급적 독자나 청자가 가장 알아보기 쉽게, 알아듣기 쉽게 해야 합니다. 논문은 그런 것이니까요.

어떤 종류의 글을 쓰느냐에 따라 쓰기의 자세와 표현의 품세가 달라집니다. 논문은 '테크니컬 라이팅technical writing'입니다. 논문발표는 '테크니컬 프레젠테이션technicel presentation'의 하나이고요. 테크니컬 라이팅은 표현하고자 하는 내용을 최대한 분명하고 알기 쉽게 전달하는 것이 목적입니다. 전달하는 내용이 많을수록, 내용을 구조화하고 구성논리를 담보하는 데 주력해야 합니다. 어쨌거나 테크니컬 라이팅의 최상위 목적은 '분명하게, 알기 쉽게'입니다.

분명하고 알기 쉽게 써야 하는 글은 이런 것들입니다. 보고서, 제안서, 연구논문과 학위논문, 전공자를 위한 전문서적, 매뉴얼, 공식 편지, 그리고 업무 메일과 문자 등. 어떻습니까? 사회인으로서, 직업인으로서, 학생으로서 대부분의 글쓰기가 이런 것 아닙니까? 이 책에서 언급하는 글쓰기와 말하기는 테크니컬 라이팅과 프레젠테이션입니다. 소설이 아닙니다.

"글쓰기는 예술이 아니라 기술이다(Writing is not 'art', but 'technique')."

테크니컬 라이팅을 분명하고 알기 쉽게 표현한 한 문장입니다. 지금까지 한 얘기를 왜 또 진부하게 반복하냐고요? 테크니컬 라이팅은 그런 것이니까요. 예술이 아닙니다. 다양한 느낌과 모호한 감성은 금물입니다. 어쭙잖은 문학도 자세와 장려상의 기억은 잊어야 합니다. 제가 심사했던 그 박사과정 학생은 아마도 높은 수준의 문장력을 지녔으리라 생각합니다. 문학적 문장력이요. 그러나 구분해야지요. 문학 작품을 논문처럼 쓰면 안 되는 것처럼, 논문발표를 문학 작품 낭독처럼 하면 안 되겠지요. 충분히 구체적이고, 충분히 무미건조해야 하는 게 논문이고 테크니컬 라이팅입니다.

글쓰기가 '기술(technique)'이라 하는 데는 또 다른 함의가 있습니다. 누구나 훈련과 연습으로 익힐 수 있는 능력이라는 것입니다. 그럼에도 주위를 둘러보세요. 학위를 받느냐 못 받느냐의 기로에서, 일생일대의 기회(승진의 기회, 수십 수백억 프로젝트를 따낼 기회), 그리고 하루하루의 소소한 기회 앞에서 어떻게 하고 있죠? 모두 알지만 모두 하지는 않습니다. 노력조차, 심지어 관심조차 없습니다. 그저 남이나 잘하는 일이라고 미루고 포기하면서요. 관련 책과 블로그, 영상이 넘쳐납니다. 적어도 이 책에서 간략하게 제시하는 내용만 숙지하면 향상시킬 수 있는 스킬이자 테크닉일 뿐입니다.

어떻게든 3번 말하기

첫째 '너의 콘텐츠를 알라'고 했습니다. 당연히 첫째로 선행할 일입니다. 표현할 것을 알아야 표현을 하든가 말든가 하죠. 우선 콘텐츠는 '메시지'입니다. 글과 말에는 반드시 전달하고자 하는 무언가가 있을 겁니다. 이런저런 사족이 있겠지만, 그래도 분명 핵심 주장, 즉 메시지가 있습니다. 그 메시지가 무엇인지 스스로 뚜렷이 인식하고, 남에게 뚜렷하게 표현하는 것이 중요합니다.

누가 꼭 만나자고 합니다. 바쁘겠지만 잠깐이나마 만나 달라고 합니다. 그 정도면 예의상 만나야겠죠. 그런데 만나 보니 좀 의아합니다. 여러 얘기를 하고 갔는데 '대체 무슨 말을 하고 싶었던 거지? 오늘 온 이유가 뭐지?' 하고 헛갈립니다. 그리곤 잊습니다. 어차피 제가 만나자고 한 것도 아니니까요.

저도 사람들을 만납니다. 만나자고 합니다. 1시간에 1명씩 하루에 10명 넘게 만난 적도 있습니다. 하지만 그사이의 시간에, 단 몇 분이라도 마음을 가다듬습니다. '내가 이 사람을 만나서 꼭 할 얘기는 뭐지? 이것만큼은 확실히 얘기하고, 또 얘기를 들어야지.' 가장 중요한 한두 가지의 메시지를 곱씹습니다.

보고서나 제안서도 마찬가지입니다. 보고 읽어도 무엇이 메시지인지 모르겠습니다. 그저 스쳐 가는 활자일 뿐이지요. 제안 발표를 공들여 준비했어도 메시지가 명확하지 않으면 허공으로 날아가는 공허한 잡음에 불과합니다. 아는 것과 표현하는 것은 별개라 했지요? 간절하게 전하고픈 메시지가 있다면, 어떠한 방식으로든 그것을 상대의 눈과 귀, 그리고 마음에 구겨서라도 밀어 넣어야 합니다. 이렇게 하세요.

"말하고자 하는 메시지를 (미리) 말하라(Tell them what you are going to tell them)."

"말하라(Tell them)."

"말한 메시지를 (다시) 말하라(Tell them what you told them)."

그토록 중요한 메시지라면 적어도 3번은 말하라는 겁니다. 발표를 시작할 때, "오늘 발표의 핵심은 이것입니다.

이 부분을 특히 귀담아 들어주십시오." 하고 미리 말합니다. 그리고 해당 부분이 나오면 엄청 강조해서 말합니다. 마지막으로 끝날 때 "여러 내용을 말씀드렸지만, 이것만은 꼭 기억하시고 또 감안해주시면 감사하겠습니다." 하고 재삼 말하라는 것입니다. 그래야 청중은 기억할 테니까요.

많은 이들이, 책들이 얘기합니다. 간단히, 간략하게 쓰고 말하라고요. 그것은 결국 군더더기 다 빼고 핵심, 본질, 진수인 메시지 중심으로 얘기하라는 뜻입니다. 메시지에 집중하지 않으면 간략할 수가 없거든요. '1페이지 보고서' 들어보았죠? 그렇다면 '엘리베이터 테스트'는요? 회사의 높은 분들이 주로 있는 건물 꼭대기 층에서 엘리베이터를 타고 지상층에 도착할 때까지 그 짧은 시간 동안 이야기를 마무리하고 상대가 핵심을 파악할 수 있는지 보는 테스트입니다. 그러려면 간략해야겠죠. 오롯이 메시지에만 초점을 맞추고요.

반면에 소설은 디테일이 있어야 합니다. 살을 덕지덕지 붙이는 세부묘사로 현실감과 생동감을 불어 넣습니다. 디테일로 이야기의 롱테일을 만드는 소설이 아닌 다음에야, 보고와 제안은 '짧고 굵게', '무미하고 건조하게' 해야 합니다. 짧고 굵어야 분명하고 알기 쉽습니다. 다들 인정하듯이, 짧고 쉽게 표현할 수 있다는 것은 자신의 콘텐츠를 잘 안다는 증거니까요.

구성 자체가 콘텐츠다

자신의 콘텐츠를 제대로 알기 위해서 놓치면 안 되는 것이 또 하나 있습니다. 바로 '구성'입니다. 콘텐츠가 어떤 흐름으로 흘러갈지를 구조화하는 것인데, 이 구성 자체가 콘텐츠임을 잊으면 안 됩니다. 소설과는 지금 거리를 두고 있습니다만, 소설도 구성을 중시합니다. 스토리의 전개가 그럴듯하고, 그럴듯한 와중에 반전이 있고. 이런 것들이 소설의 구성, 즉 플롯이지요. 흔히 소설은 플롯 중심, 캐릭터 중심으로 나눌 수 있는데, 캐릭터 내면의 심리적 묘사가 많고 사건 진행이 더딘 소설이 캐릭터 중심입니다. 반면 외부 사건이 빠르게 진행되는 소설은 플롯 중심입니다. 스토리텔링을 하고 싶나요? 테크니컬 라이팅과 프레젠테이션에서 그 효과를 보고 싶나요? 그렇다면 플롯을 들여다보아야 합니다. 인물의 얘기를 한답시고 자칫 캐릭터에 주안하다 보면, 스토리의 진행은 늘어지고 논리 전개는 삼천포로 빠질 수 있어서입니다.

여기서 노파심이 드네요. 혹시 구성을 '서론-본론-결론'이나 '기-승-전-결' 정도로 생각하는 건 아니지요? 단

30초짜리 CF를 만들 때도, 꼼꼼하고 세밀한 스토리보드를 제작합니다. 구성을 콘텐츠의 틀이나 얼개 정도로 간주하면 안 됩니다. 구성이 얼마나 꼼꼼하고 세밀하냐에 따라 현실감 있는 흐름, 설득력 있는 논리의 완성 여부가 결정됩니다. 글과 말의 설계도를 상세하게 그리세요. 비록 그 단계가 지루하고 지치기 쉽지만, 치밀한 설계의 탄탄한 기반 위에 금자탑을 세우고 싶다면요.

그리고 또 하나. 애꿎은 박사과정 학생은 뭐라고 해놓고, 저는 왜 자꾸 '제대로', '잘'을 쓰냐고요? 이 책은 테크니컬 라이팅이 아닙니다. 이러한 대중 서적을 쓰기 전에, 제가 집필했던 전공 서적을 보면 압니다. 얼마나 무미건조한지. 그러나 여기에서는 플롯과 캐릭터를 다 동원했습니다. 역량의 필요성과 능력의 절실함을 느꼈던 저의 사례를 계속 얘기하고 있으니까요. 여러분의 공감을 끌어내기 위해 무미건조는 어느 정도 포기했으니까요. 그렇지만 뚜렷한 메시지와 촘촘한 설계도로 이 글을 구성했다는 것은 장담할 수 있으니, 어서 다음으로 가보죠.

표현능력

자신을 표현하고 상대와 소통하는 것은 인간 고유의 능력입니다. 게다가 기술 발전으로, 과거에는 꿈도 꾸지 못했던 표현과 소통의 신세계가 펼쳐지고 있습니다. 그 정점에 무선 휴대전화가 있죠.

　1973년, 한 사람이 맨해튼 6번가를 걸으며 뭔가를 꺼내 듭니다. 그리곤 그것에 대고 혼잣말을 지껄이니 길 가는 사람들이 의아한 눈빛으로 쳐다봅니다. 그는 모토로라의 엔지니어 마틴 쿠퍼입니다. 그는 경쟁자인 AT&T의 조엘 엥겔에게 전화를 걸어, "조엘, 휴대전화로 건 겁니다. 진짜 휴대전화죠. 손에 들고 다니는, 휴대할 수 있는 진짜 휴대전화 말이에요."라고 하죠. 인류 최초의 휴대전화 통화 내용입니다. 쿠퍼는 회상합니다. "그가 뭐라 답했는지는 정확히 기억나지 않아요. 하지만 얼마 동안 침묵이 이어졌다는 것은 확실해요. 아마 이를 갈고 있었을 겁니다." 제대로 한 방 먹인 거죠. 가장 확실한 상대에게 가장 확실한 방법으로 가장 확실한 내용을 표현했으니까요.

《표준국어대사전》에 따르면, 표현은 '생각이나 느낌 따위를 언어와 몸짓 따위의 형상으로 드러내어 나타냄'이랍니다. 이러한 정의를 조금 바꿔보았습니다. '표현(expression) 능력'은 '**자신이 전달하고자 하는 메시지나 논리를 상대가 받아들이게 하는 언어적 또는 비언어적 능력**'입니다. 어떤가요? 제가 말하는 표현, 표현능력에 선명하게 자리 잡은 것은 '상대'입니다. 단순히 드러내고 나타내는 것이 아니라, 그것을 받아내는 상대의 존재를 명시한 것이죠. 허공에 외치거나 주먹질, 발길질하는 게 아니라, 엄연하고 뚜렷한 상대를 대상으로 하는 것이 표현입니다. 자신의 메시지나 논리를 상대가 받아들이게 하는 능력입니다. 마틴 쿠퍼가 조엘 엥겔에게 한 것처럼요.

발표는 설득이다

인간의 성장은 표현의 성장이라 해도 과언이 아닙니다. 성장과정에서 표현의 성장은 보통 2단계를 거친다고 합니다. 유아 시절에서 유년으로 성장하며 자기표현도 성장합니다. 이때는 특히 표현의 '구체성'이 증가합니다. 다음 단계,

청소년에서 사회생활의 폭이 넓어지는 성인으로 성장하면서 증가하는 것은 자기표현의 '적극성'입니다. 표현이 적극적이라는 것은 상대의 존재를 인식하고 그들과 소통에 적극적이라는 뜻입니다. 그것이 사회생활이니 그렇습니다. 먼저 구체성, 다음은 적극성입니다. 먼저 표현의 콘텐츠, 다음은 표현의 상대라는 거죠. 이제야 두 번째, '너의 청중을 알라'가 나올 순서가 되었습니다.

표현은 단방향이 아닙니다. 끊임없는 상호작용이 수반된 양방향입니다. 굳이 '표현'과 '소통'의 의미를 구분하지 않아도 되는 이유입니다. 모든 글과 모든 말, 모든 보고서와 모든 프레젠테이션이 모두에게 훌륭할 수 없습니다. 청중(또는 독자)에 따라 평가는 달라집니다. 그러니 청중을 알아야 합니다. 청중의 전문성과 관심도, 청중의 기분과 취향, 청중의 입장과 관점을 알아야 합니다.

콘텐츠를 메시지와 구성이라 했지요? 메시지는 바꿀 수 없지만, 구성과 흐름은 바꾸어야 합니다. 청중의 입맛에 맞게, 청중이 받아들이게 말이죠. 다시 표현능력의 정의를 보세요. 부각하고 있는 '상대' 다음에 나오는 단어는 '받아들이게 하는'입니다. 이 대목에서 또 하나 기억할 문장이 있습니다.

"발표는 설득이다(To present is to persuade)."

테크니컬 프레젠테이션의 금과옥조 문장입니다. 설명하고 발표했는데 상대가 못 알아듣고 못 이해합니다. '아, 어찌 이다지도 모른다는 말이냐.' 하늘을 쳐다보고 아쉬워하거나 땅을 치며 속상해하렵니까? 그 대신, 당신이 상대를 설득하려 했다고 생각해보세요. 상대방이 설득되지 않았다면 누구의 잘못이죠? 못 알아듣는 청중의 문제가 아닙니다. 설득하지 못한 당신의 문제지요.

이 금과옥조는 발표자료를 대동한 프레젠테이션에만 해당하는 것이 아닙니다. 각종 토의와 토론, 인터뷰와 면접, 심지어 스토리텔링과 유머까지 모두 해당합니다. 물론 테크니컬 라이팅에도 그렇습니다. 단지 글보다는 말이, 보고서보다는 발표가 긴급하고 절박한 상황이 많아 영어 문장에 'to present'가 부각된 것입니다. '1페이지 보고서'와 '엘리베이터 테스트'만 보아도, 어떤 경우가 더 긴급하고 절박한지 알 수 있죠?

표현을 상대의 관점으로 전환하고, 성공적인 표현을 설득 여부로 판명하기로 했습니다. 그렇다면 지금부터 쏟아내는 질풍노도 주장을 폭풍흡입 할 수 있을 겁니다.

보고서 많이 쓰죠? 혹 목차를 이렇게 쓰나요? 서론, 본론, 결론. 논문 쓸 때는, 연구의 배경과 목적, 기존 연구, 연구 방법, 실험 또는 사례연구, 분석 및 결과, 추후 연구 방향, 이렇게요? 깔끔하고 보기 좋다고요? 아닙니다. 잘못하고 있는 겁니다.

저는 직업도 그렇고 취향도 그래서 책이 엄청 많습니다. 제 연구실에 방문한 분들이 한 번씩 어렵사리 묻습니다. "저 많은 책을 어떻게 다 읽으셨어요?" 저는 쉽사리 한 번에 답합니다. 미쳤냐고요. 저 많은 책을 어떻게 다 읽었겠느냐고요. 하지만 덧붙여 힘주며 말합니다. 저 책들을 읽지는 않았지만 무슨 내용이 있는지는 다 안다고요. 필요할 때 잘 찾아 활용한다고요.

읽지 않고 어떻게 아냐고요? 저는 책을 책꽂이에 들일 때 목차를 아주 꼼꼼히 봅니다. 머리와 마음에 새길 정도로요. 그런데 목차가 서론, 본론, 결론이면 얼마나 황당하겠습니까? 아무런 정보도 주지 않잖아요. 목차는 그러라고 있는 것입니다. 글의 내용과 흐름을 미리 보라고 있는 것입니다. 제목도 그렇죠. 혹시 '신사업 추진 기획'이나 '청소년 역량교육 방안', 이런 식으로 붙이나요? 그러지 마세요. 무슨 신사업인지, 어떤 역량교육인지 정도는 써놓아야죠. 보안에 신경 쓰지 않는다면 컴퓨터 파일명도 그렇습니다. 상대의 입장을 생각해보세요. 구체적으로 내용을 일견할 수 있게 공들여 작성해야 합니다.

너의 청중을 알라

단어는 뜻이 명확하고 쉬운 것을 써야 합니다. 애매한 단어나 모호한 형용을 피해야죠. 미사여구, 다양한 동의어도 잊으세요. 전달하려는 뜻을 정확하게 나타낼 수만 있다면, 같은 단어를 줄줄이 반복해도 상관없습니다. "난해한 문장은 독자의 독해력에 어리광을 부리는 짓"이라고 《미움받을 용기》의 저자는 말합니다. 난해하고 어렵게 쓰세요. 독자에게 미움받을 용기가 있다면요.

문장은 길어야 2줄, 단락은 기껏해야 5줄입니다(이 책은 테크니컬 라이팅이 아니라 했으니 자꾸 앞뒤를 보며 세고 따지지 말고요). 물론 번호를 붙인 개조식個條式은 더 좋습니다. 어쩔 수 없이 길어지는 문장에는 쉼표를, 너무 긴 단락은 행을 바꿔 쓰는 것에 주저하지 마세요. 어떤 문장은 읽다 보면 살의가 느껴집니다. 쉼표 하나 없이 길어지는 문장을 읽다가 숨이 턱턱 막히니까요. 설마 그런 의도는 없겠지만요.

표와 그림은 많을수록 좋습니다. 여러분의 보고서를 상사나 고객이 얼마나 세세히 볼까요? 책상에 바르게 앉아서 눈에 힘주고, 손에 볼펜 쥐고 밑줄 그어가며 집중해서 정독할까요? 오산입니다. 그저 '보고 싶은 만큼만' 봅니다. 그런데 대체로 별로 보고 싶지 않으니 문제죠. 정확히는 '그저 보이는 대로' 봅니다. 그런데 대체로 빡빡한 글은 안 보이니 문제죠.

보기는 해야겠고 보는 척이라도 해보려니, 결국 보기 쉬운 그림과 표에 눈이 갑니다. 그걸로 본 것으로 치는 거죠. 그렇다면 핵심 메시지는 모두 그림과 표로 보여주어야겠네요. 그림과 표 주위, 앞뒤에 그림과 표로 강조하려는 메시지를 글로 쓰는 것도 잊지 말고요.

프레젠테이션에 쓰는 발표자료 PPT는 기본적으로 이러한 지침에 따라 만듭니다. 표와 그림이 많고 글자 크기도 시원시원합니다. 청중을 배려하는 정신이 살아 있습니다. 그런데 배려가 지나친 방향으로 흘러가기도 합니다. 현란한 장표, 화려한 사진, 다 좋지만 지나치면 오히려 역효과를 불러옵니다.

'질승문즉야質勝文則野, 문승질즉사文勝質則史.'

《논어》의 〈옹야雍也〉 편에 나오는 문구입니다. 실질質이 문文채를 능가勝하면 투박野하고, 문文채가 실질質을 능가勝하면 사치史스럽다는 뜻이죠. 여기서 실질實質은 내용이고 문채文彩는 형식입니다. 형식이 내용을 능가하면 사치스럽다는 거죠. 결국 청중이 원하는 것은 내용입니다. 내용이 그에 못 미치면 현란하고 화려함은 사치입니다. 사치스러운 발표가 청중을 설득하는 법은 없습니다. '문질빈빈文質彬彬',

즉 형식과 내용이 조화와 균형을 이루어야, 청중은 그제야 인정하고 받아들입니다. 굳이 공자의 가르침을 들먹이지 않아도요.

차라리 아예 투박해야 하는 경우가 많습니다. 테크니컬 라이팅의 글은 어차피 감정이 없습니다. 감정적으로 호소하기도 어렵고 감정을 유발하기도 어렵습니다. 그나마 대면으로 하는 발표도 투박함을 견지하는 게 일반적입니다. 형식은 무미건조함을 유지하며 내용으로 승부하는 논문 심사 발표 같은 것이 그렇지요. 발표자와 청중의 관계적 위치에 따라 '문'과 '질'의 레시피를 결정해야 하는데, 논문 심사의 경우, 발표자는 심사 대상인 학생이고, 청중은 심사자인 교수입니다. 어떻겠습니까? 사치스러움은 금물일뿐더러 종종 나쁜 쪽으로 치명적인 결과를 낳기도 합니다. 반면에 발표자의 위상이 높을수록 '문질빈빈'의 중요성은 줄어들겠죠. 존경받는 유명인이나 권력 있는 윗분의 말씀이 좀 사치스러우면 어떻습니까? 혹은 좀 투박하면 어떤가요? 어차피 존경하는, 또는 존경해야 하는 분인데요.

청중을 알아야 합니다. 청중을 알고 청중의 관점으로 발표해야 합니다. 내용에 대한 청중의 '지식수준'만큼 '관심수준'도 확실히 알아야 합니다. 다시 강조하겠습니다. 당신의 발표를 청중이 이해 못했다면, (비록 지식수준이 맞지 않아서 이해하지 못했더라도) 잘못은 청중이 아니라 당신에게 있습니다. 설득 못 시킨 당신의 부족이죠. 청중이 설령 관심 없이 앉아 있어도 그들의 관심을 끄는 것 역시 당신이 할 일입니다. 이래저래 그럴 맘 없다면 차라리 마이크를 잡지 말아야 합니다.

그리고 청중의 '호감수준'도 있습니다. 관심이 있다고 호감까지 있는 건 아닙니다. 알죠? 어쩌나 보자 식으로, 팔짱 끼고(트집 잡을 준비) 발표를 듣는 이들도 적지 않습니다. 그냥 이렇게 가정하면 어떨까요? 여러분이 설득해야 하는 청중은, 일단 기분이 좋지 않습니다. 아침 출근길에 부부싸움도 했습니다. 어제 늦게까지 과음한 게 이유였죠. 어쨌거나 머리는 아프고 몸은 쑤십니다. 해장하려 먹은 점심은 소화도 안 되고, 무심하게 졸음까지 쏟아집니다. 게다가 졸지도 못할 정도로 할 일은 많은데, 불려와서 여러분의 발표까지 들으라고 하니 언짢습니다. 할 수 없이 강연장에 앉았는데 발표자 외모가 영 마음에 안 듭니다. 에라, 잠이나 자자 하는데 목소리는 왜 이리 시끄러운지, 무슨 말인지 하나도 모르겠는데 말입니다.

그냥 청중이 이렇다고 생각하면 어떨까요? 자신감 떨어지라고 하는 말이 아닙니다. 지금 하는 발표가 그렇게나 중요하다면, 이 설득이 그토록 절실하다면, 이런 가정으로 발표를 준비하고 진행해야 한다는 의미였습니다.

　　그런 못마땅한 청중에게 어쭙잖은 유머를 합니다. 졸리고 피곤한 청중을 뚫어지게 쳐다보며 재미도 없고, 흐름에도 안 맞는 유머를 던지며 웃음을 강요합니다. 유머는 열린 마음일 때 통하는 기법입니다. 열지 못했다면 차라리 진지함으로 어필하세요. 쓴웃음을 화답의 웃음으로 착각하지 말고요. 계속 쳐다보는 발표자를 불편해하지 않을 청중은 없습니다. 모두를 보지만 아무도 보지 않는 시선 처리가 제격입니다. 연마해야 가능하죠.

　　명심해야 합니다. 청중은 결코, 결단코, 결사코 당신에게 반하지 않았습니다. 발표를 사랑고백 하듯이, 보고서를 러브레터 쓰듯이 해서 되겠습니까? 진실하다는 진심이라는 이유로, 자신의 솟구치는 감정으로 상대의 가라앉는 마음을 덮어버리겠습니까? 표현능력의 정의를 최대한 줄이면, '상대가 받아들이게 하는 능력'입니다.

어떻게 표현능력을 얻을 것인가

심사위원으로 들어갔습니다. 이번에는 논문 심사가 아니라 프로젝트 제안심사 자리입니다. 수백억 규모의 국가 프로젝트에 기업들이 응하면, 저 같은 전문가들이 심사해 선정하는 거죠. 지금은 심사위원을 하지 않습니다. 후배 교수들에게도 젊을 때 배운다는 심정으로 심사 경험을 쌓는 건 좋지만, 어느 시기가 되면 들어가지 말라고 합니다. 암튼 그때 저도 배우는 마음으로 들어갔습니다.

20분 발표에 10분 질의응답. 한 기업의 제안 발표자가 능수능란하게, 멋진 자료로 프레젠테이션을 합니다. 옆자리의 다른 심사위원이 연신 고개를 끄덕입니다. 그럴듯한 발표였거든요. '이 기업이 되겠구나' 하는 생각이 든 지 얼마 안 되어서, 심사위원장이 말합니다.

"발표시간이 1분 남았으니 마무리 부탁합니다."

그리고 1분, 1분, 또 1분이 지납니다. 발표자는 "네, 금방 끝내겠습니다." 하면서도 준비한 내용을 다 말해야 직성이 풀리는 모양입니다. 심사위원장이 한 번 더 재촉할 때마다, 심사위원들은 굳어갑니다. 옆자리 심사위원도 더 이상 고개를 끄덕이지 않고, 심사위원들의 생각도 '이 기업은 안 되겠구나'로 굳어집니다. 발표자의 침이 제 앞의 테이블까지 튀었지만, 그의 열변은 이제 웅웅거리는 소음에 불과합니다. 그 순간, 굳어가는 마음을 비집고 슬며시 한 사람에 관한 추억이 떠오릅니다.

그는 인도계 미국인입니다. 미국 유학 시절 같은 과에서 박사과정을 같이 수학한 친구입니다. 학위 취득을 눈앞에 두고, 그는 당시 꿈틀거리는 실리콘밸리의 한 유망 기업에 취직하고자 했습니다. 워낙 좋은 조건의 일자리라 전 세계에서 희망자들이 몰렸다고 합니다. 서류심사를 통과한 이들에게 남은 건 프레젠테이션. 20분 발표에 10분 질의응답. 비슷한 상황이죠? 저는 심사위원이 아니고 그저 친구로 그의 발표를 듣고 보았습니다. 그것도 아주 아주 여러 번요. 친구라는 이유로 말이죠. 대학원생들이 오고 가는 학과 복도에 어김없이 붙는 쪽지, 'Free Pizza.' 그 친구의 연습 발표를 들으며 준비한 피자를 먹으라는 겁니다.

한 번, 두 번, 열 번, 스무 번, 발표를 들었습니다. 매번 같은 내용인데 지겹지 않았냐고요? 아닙니다. 절대 공짜 피자 때문만은 아닙니다. 나중에는 마치 제가 발표한 느낌이었습니다. 그의 프레젠테이션 실력과 능력은 발표할 때마다 늘었습니다. 20분이 어찌 흘렀는지 모를 정도로 그는 청중을 쥐락펴락하며 완급을 조절했습니다. 언제 힘 빼고 언제 힘줄지를 알았죠. 마지막 몇 번의 리허설에서는 이랬습니다. 과장을 좀 보태면, 발표를 마치고 잠깐의 정적이 흐른 후, 친구들이 1명씩 차례로 자리에서 일어나 박수를 쳤습니다. 우리의 입은 감동으로 굳게 닫혔고, 어떤 여학생은 감격으로 눈가가 촉촉이 젖었습니다. 질의응답? 의문이나 의구심? 그런 10분은 없었습니다.

기억에 남는 건, 박수를 받을 때 그는 항상 시계를 보았다는 사실입니다. 자신의 발표가 20분을 채웠는지, 20분을 넘겼는지 꼭꼭 챙깁니다. 'Free Pizza' 포스터에 이런 문구도 있었죠. '정말 쉬워요. 피자가 식기 전에 끝나거든요.' 그 20분, 따뜻한 피자의 20분, 우리의 소중한 20분, 약속된 20분, 심사위원장이 정중히 지켜주기를 부탁한 20분, 결국 다 같은 20분인데요. 시간을 지켜야 합니다. 아무리 좋은 내용, 아무리 좋은 형식도 시간을 지키지 않는다면, 좋은 것이 아닙니다. 청중의 시간을 무시하고, 심사위원과의 약속을 지키지 않는 발표자에게, 그런 발표자를 내세운 기업에 수백억짜리 프로젝트를 맡길 수는 없으니까요.

여러분은 시간을 잘 지킵니까? 여러분은 발표시간을 지키지 않는 강연자의 중언부언을 참을 수 있습니까? 노래방에서 자기 차례를 기다리는 사람들 앞에서 노래를 마치고 눈치 없게 "한 곡 더, 한 곡 더!"를 외치고 있지는 않겠죠? 그런 자의 마이크는 끄거나 빼앗아야 합니다.

궁금한가요? 그 친구, '프레젠테이션의 신'의 취업 결과요. 1차 면접은 당연히 통과했고, 우리 모두 그 친구의 최종 합격을 의심치 않았습니다. 그러나 3명을 대상으로 한 최종 면접에서 불합격했습니다. 얼핏 들은 얘기로는, 최종 면접 시작 직전 갑자기 회사 측에서 20분이 아닌 5분만 발표하라고 했다나요. 갑작스러운 시간 단축에 뒤죽박죽 횡설수설했다고 합니다. 딱 20분에 최적화된 발표였으니까요.

아, 또 궁금한가요? 제가 심사한 '한 곡 더', 아니 '1분 더'를 외친 기업의 결과요. 당연하죠. 전원 일치로 다른 기업이 선정되었습니다. 그 떨어진 발표에 대해서 또 기억에 남는 게 있습니다. 발표자료 마지막 장표 중앙에 'Q&A'가 쓰여 있고, 그 밑에 박수 치는 두 손의 그림이 크게 붙어 있더라고요. 심사위원들의 박수를 기대하는 건지, 종용하는 건지…, 약간 어이가 없더군요. 아니면 박수 칠 때 떠나고 싶었거나요.

연습, 연습, 연습

글을 잘 쓰고 말을 잘하는 사람 많습니다. 그러나 꼭 그런 것 같지는 않습니다. 보고서를 잘 쓰고 발표를 잘하는 사람도 많습니다. 그러나 꼭 그런 것 같지는 않습니다. 잘하는 듯이 보이지만 사실 잘하는 것이 아닙니다. '너의 콘텐츠를 알라'는 것은 당연한 얘기입니다. 자신이 전달하려는 메시지는커녕 그것을 뒷받침하는 논리조차 모른다면 어떻게 좋은 글과 말이 되겠습니까. '너의 청중을 알라'는 것도 자연스러운 얘기입니다. 그러나 꼭 당연하지도 자연스럽지도 않다는 것은, 그것이 의미하는 게 무엇인지를 잘 모르는 사람 역시 많아서입니다.

콘텐츠를 안다면 명확하고 정확하게 표현해야 합니다. 누누이 얘기했죠? 제대로 표현하지 못하면 아는 게 아니라고요. 무미하게, 명확하고 건조하게, 정확하게, 테크니컬하게 표현해야 한다고 했습니다. 청중을 아세요? 여러분의 발표를 듣고 있는 사람의 마음을 아세요? 그 마음을 얻으려면, 때론 그 마음을 돌리려면, 그래서 설득하려면, 청중이 누구인지를 아는 것에 그치지 말고 그들의 마음이 어떤지를 알아야 합니다. 무미한 마음, 건조한 관계임을 알아야 합니다. 테크니컬하게 그들의 기대에 부응하고, 그들과의 약속을 지켜야 합니다. 1분 단위로 말이죠.

그런데 또 그것이 다가 아닙니다. 글쓰기와 말하기, 테크니컬 라이팅과 프레젠테이션에 대한 자료와 정보는 정말 많습니다. 지금까지 나름 요점을 모아 설명했지만 아주 새로운 내용은 아니죠. 다 어딘가에 있는 것들입니다. 그런데 왜일까요? 그렇게 중요한지 알고, 그렇게 알려주는 자료도 많은데, 왜 멋진 표현능력을 보여주는 멋진 이들은 적을까요? 왜 업으로, 전문으로 한다고 하는 사람들조차도 멋지지 못한 모습을 보여줄까요? 아직 남은 게 있어서입니다. 완소 표현능력을 얻기에 모자람이 있어서입니다. 그 모자람을 채워줄 마지막 퍼즐은 다음 페이지 [그림5]에 나옵니다.

대단한 걸 기대했었나요? 전체적으로는 지금까지 한 이야기의 요약입니다. 특히나 강조한 것들로 구성되어 있습니다. 딱 하나 빼놓고요(이 역시 참신하다고 보기는 어렵지만요).

바로 '연습, 연습, 연습(practice, practice, practice)'입니다. 세상에 연습해서 좋아지지 않는 것은 없겠지만, 표현능력에서는 절대적입니다. 손과 입에 익은 바람직하지 못한 습관을 버리고, 테크니컬 라이팅과 프레젠테이션의 수많은 요점을 새로이 익히려면 연습이 절대적입니다. 콘텐츠를 알고 표현하고, 청중을 알고 설득하는 데도, 하다못해 시선처리나 시간엄수도 연습만 한 것은 없습니다. 연습을 많이 안

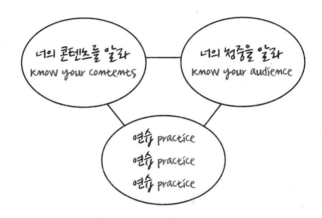

글쓰기는 예술이 아니라 기술이다
Writing is not 'art', but 'technique'

너의 콘텐츠를 알라
Know your contents

너의 청중을 알라
Know your audience

연습 practice
연습 practice
연습 practice

발표는 설득이다
To present is to Persuade

그림5_ 비잉 테크니컬

해봐서 모르긴 몰라도, 연습의 효과는 정말 강력합니다.

미국 현대사에서 가장 존경받는 대통령은 로널드 레이건입니다. 초기에는 영화배우 출신답게 훤칠한 외모로 주목받았지만, 나중에는 '위대한 커뮤니케이터'라는 별명의 달변가로 유명했었습니다. 그러나 그의 달변은 모두 지독한 연습의 결과라네요. 연설은 물론이고 회담과 대담 모두, 가능만 하다면, 치밀하게 준비한 연출과 연습에 의해 완성되었다 합니다. 유머까지도요. 그러니 그 흔한 정치인의 말실수도 없었고요. 그런데 이런 사례로는 연습의 강력함이 와닿지 않겠죠? 저 멀리 세계 최강 권력자의 얘기이니. 그럼 제 인도계 미국 친구는요? 수십 번의 연습 얘기. 알겠습니다. 멀리 외국 사람 얘기 말고, 보다 리얼한 증거를 찾도록 하겠습니다.

제가 주심으로 배출한 석사와 박사 졸업생이 꽤 많습니다. 혼자 생각해본 건데, 은퇴한 후에 하루에 1명씩 만나서 차 한잔 마셔도 최소 1년은 족히 걸릴 것 같습니다. 특히 연구실 랩 생활을 같이한 제자들은 사사건건 보고서를 제출하고 사사건건 자료를 발표합니다. 웬만한 공부보다는 이러한 경험과 연습이 전문가로서 훨씬 더 큰 도움이 되리라는 믿음이 있어서, 더욱 시키고 또 시켰습니다. 입학할 때, 한 학기를 끝낼 때, 1년을 마무리할 때, 졸업할 때, 그 학생은 그 학생이 아닙니다. 개인차는 있지만 장족의 일취월장입니다. 노력하며 연습한 학생과 그렇지 않은 학생의 표현 능력은 천양지차입니다.

학생 얘기 말고 제 얘기도 해볼게요. 글 쓰고 말하는 걸 직업으로 하고, 또 공대 교수이니 테크니컬이 몸에 배어 중간은 하겠지요. 그러나 제가 스스로 연습과 리허설의 강력함을 알게 된 곳은 학교가 아니었습니다. 몇 권의 대중 서적을 쓰고, 몇 권의 베스트셀러가 탄생하며 강연 요청이 쏟아집니다. 바쁠 때는 이 또한 하루에 1곳씩 강연해도 최소 1년은 족히 걸릴 것 같았습니다. 같은 주제로 말이죠. 같은 내용을, 대상 기업에 맞게 조금씩은 변형해도, 수백 번을 반복하니 어떻겠습니까? 그렇게 반복했으니 나중에 강연했던 기업에서는 끝나고 기립박수라도 받았냐고요? 아니죠, 대부분은. 더 묻지 마세요. 어쨌거나 스스로 알고 스스로 느꼈습니다. 반복의 효과가 얼마나 대단한지를요. 한 번 그 경지를 맛보면 잊지도 못하지만, 잃을 수도 없습니다. 그 강력한 효과와 능력의 경험을.

아직 설득되지 않은 독자를 위해, 큰맘 먹고 과거 저의 처절하고 절실했던 경험을 하나 들려드리겠습니다. 그간 남에게 많이 밝히지 않았던 얘기이거든요. 아까 말한 인도 친구는 원하던 직장에 떨어졌지만, 저는 제가 원하던 곳에 붙었습니다. 하지만 고민은 그때부터 시작됩니다. 언젠가 귀국해서 대학에서 교편을 잡는 게 목표였으니, 저는 미국 대학의 교수직에 지원했습니다. 서부에서 공부했으니 동부로 가고 싶었고, 그것도 미국의 심장부인 뉴욕 맨해튼에서 1시간 거리인 나름 괜찮은 대학의 교수로 채용되었습니다.

하지만 기쁨도 잠깐, 걱정을 넘어 두려움이 엄습하더라고요. 앞서 다른 장에서 고백했듯이, 그 당시 저의 영어 실력은 대단치 않았습니다. 외국 사람과 영어로 정상적인 대화를 미국에 도착해서야 처음 해봤을 정도로 영어가 준비안 된 상태였고, 유학 생활 중에도 주로 한국 사람들과 어울렸으며, 박사 지도교수님이 인정해주신 덕에 학위도 빨리 받았습니다. 영어로 하는 커뮤니케이션에 익숙해질 시간과 기회가 별로 없었던 거죠. 그런데 영어로 강의하라니요. 영어로 질문받으면 즉시 이해해서 영어로 답하라니요. 그저 일상의 대화가 아닙니다. 수업이고 명색이 교수인데 말 못하고, 이해 못하고, 답 못하면 어쩌죠? 무슨 망신이죠? 진짜 교수직을 포기할까도 생각했었다니까요.

일단 채용된 대학 근처로 이사를 했습니다. 잠을 청하면 천장에는 곤란한 상황이 그려지고, 꿈에는 난감한 상황이 연출됩니다. 땀에 흠뻑 젖어 소리 지르며 깨어나기 일쑤이지만(과장입니다), 자존심 때문에 누구에게 털어놓지도 못하는 와중에 개강일은 다가옵니다. 째깍째깍 째깍째깍. 그러다가 그 인도 친구가 생각났습니다. 뻘떡 일어났습니다. 늦은 밤이었지만 준비한 강의자료를 주섬주섬 챙겨 집을 나섰죠. 잠입했습니다. 며칠 후면 제가 강의할 곳, 영어로 미국 학생들에게 강의할 강의실로 갔습니다.

불을 켜고, 교단에 서서, 아무도 없는 책상과 의자들을 바라봅니다. 그리곤 혼자 떠들기 시작했습니다. "Hello, let's start. First of all, very nice to see you. I'm a new faculty of your department…" 한 번, 두 번, 열 번, 스무 번, 강의했습니다. 학생 1명 없는 빈 강의실에서. 끝날 때마다 시간을 체크했습니다. 인도 친구처럼요. 유머도 미리 외워서 해보았습니다. 레이건 대통령처럼요. 그러한 하루하루가 지나면서 아주 조금씩 조금씩 싹이 돋아납니다. 마음을 짓누르는 부담과 의욕을 짓밟는 절망의 아주 자그마한 틈 사이로 자신감이 돋습니다. 그러한 경험을, 그러한 희망의 몸부림을 겪어본 적 있나요? 각고의 노력으로 절망이 희망으로 조금씩 변색하고 변화하는 느낌을, 인생에서 한 번이라도 가져본 적 있나요? 있을 겁니다. 있다면 알 겁니다. 그 노력, 바로 그것의 다른 표현이 '연습'입니다.

표현능력을 갖고 싶나요? 그렇다면 '연습, 연습, 연습'입니다. 표현능력을 향상하고 싶다면, 그냥 '연습'이 아니고

'연습, 연습, 연습'입니다. 무엇보다도 여러 번 반복해서 하는 것이 중요합니다. 그 한 번 한 번이 절대 헛되지 않다는 것을 강조하고 싶습니다. 유독 여러 사례를 얘기했습니다. 현실감으로 설득하려고요. 설득되었나요? 정말 원하고 바란다면, 귀찮아하지 말고, 어색해하지 말고 연습에 매진하기를 바랍니다.

굳이 연습에도 방법이 있다면, 가급적 실제 상황과 유사하게 세팅하고 연습하세요. 시험도 모의시험이 효과 있잖아요? 베테랑 아티스트도 실제 공연장소에서 리허설하잖아요? 보고서를 쓰든 발표를 하든 많이 해보면 늡니다. 그리고 자신이 쓴 보고서를 읽어보듯이, 자신의 발표를 지켜보세요. 영상으로 찍어 다시 보세요. 많은 도움이 됩니다. 여러분의 발표가 어떤지, 표현능력이 어떤지 단박에 알게 됩니다. 그렇게 해본 적이 많이 없다고들 하더라고요. 민망해서 그러겠지만, 더 크게 민망할 일이 없게 하려면, 꼭 보길 바랍니다. 여러분의 모습과 행동을, 어조와 제스처를, 시선처리와 시간관리를, 발표형식과 내용을, 스스로 청중이 되어 살펴보세요.

아, 그래서 미국에서의 제 첫 학기 첫 강의가 어땠냐고요? 자세히 말하기는 민망하지만, 결과는 해피엔딩이었습니다. 학기가 시작되고, 쿵쾅거리는 가슴을 부여잡고 강의실에 입장하니, 주눅이 들었습니다. 학생들이 진짜 모두 외국인인 것을 보고 새삼 놀라기도 했고요. 그러나 희한하게, 신기하게도, 익숙한 강의실에서, 달달 외운 강의안을, 계획한 시간에 맞춰 진행하니 편해지더라고요. 예상했던 그들의 질문에 미소까지 보이며 다채롭게 대답했습니다. 심지어 제가 학생들에게 되묻기까지 했다니까요. 야간 잠입 리허설은 학기 시작 후에도 한동안 계속했습니다. 그러나 한 달 정도 후에는 리허설 없이 수업할 수 있었습니다.

그런데 질문이 있다고요? 도대체 얼마나, 언제까지 연습하라는 거냐고요? 해보면 압니다. 해보면, 이 정도면 됐다는 것을 알게 됩니다. 그래도 다 필요 없고, 대체 몇 번이냐고 딱 부러지게 답하라면, 분명한 건 '연습, 연습, 연습', 최소 3번입니다. 됐죠?

몸으로 완성하기

표현은 글과 말 같은 언어 이외에도 비언어적 수단이 있습니다. 일명 '보디랭귀지'죠. 당신이 무언가를 상대에게 제안합니다. 상대는 "생각해볼게요."라고 답했지만, 그의 손은 주먹이 꼭 쥐어져 있습니다. 십중팔구 당신의 제안에 대해 많이 생각해보지 않을 겁니다. 반대로 만일 그의 손이 활짝 펴진 채로 당신을 향하고 있다면 긍정적으로 기대해봄 직하고요.

언어는 인간 이성의 산물인지라 이성의 요구에 따라 왜곡됩니다. 충분히 거짓일 수도 있다는 얘기죠. 반면에 인간의 감정이 겉으로 드러나는 것이 보디랭귀지입니다. 겉으로 드러나는 것, 이것은 바로 '표현'의 뜻, 단어 그대로의 뜻이죠. 당연히 표현능력을 키우려면 알아야 할 내용입니다.

보디랭귀지에 대한 근원적 고찰은 1872년 출간된 찰스 다윈의 《인간과 동물의 감정표현》에서 출발합니다. 그러나 대중에게 그 중요성이 증폭되어 알려진 계기는 그로부 터 딱 100년이 지난 1971년에 나온 심리학자 앨버트 메라비언Albert Mehrabian의 책《조용한 메시지(Silent Messages)》에 수록된 연구결과입니다. 인간이 상대의 의사를 인식하는 과정에서, 언어가 차지하는 비중은 고작 7%에 그친다고 합니다. 38%는 청각에, 무려 55%가 시각에 의존한다고 하네요. 충격입니다. 시각적으로 받아들이는 상대의 표현은, 물론 보디랭귀지이고요.

우리가 누군가를 만날 때 제일 먼저 접하는 것은 그의 언어가 아닙니다. 입에서 흘러나온 말이 아니라 그의 모습과 행동이죠. 메라비언은, 사람이 상대방을 만난 지 4분 만에 첫인상의 60~80%를 결정한다는 주장도 합니다. 잘 보여야 하는 상대에게, 과연 4분 안에 얼마나 많은 언어를 쏟아 낼 수 있을까요. 모습과 행동, 이미지와 보디랭귀지로 무장해야 하는 4분인 거죠.

55%의 숫자가 과하다는 생각이 드나요? 절대 그렇지 않다는 주장이 부지기수입니다. 펜실베이니아주의 재판 과정에서 남성 피의자 74명을 대상으로 신체적 매력을 재판 초기에 측정한 후 이들의 판결 결과를 알아보았더니, 매력이 있는 피의자의 무죄 선고율이 그렇지 않은 자들보다 무려 2배나 높았다고 합니다. 여성도 마찬가지입니다. 세인트

루이스 소재 대학의 한 연구에서, 여성이 보내는 유혹의 신호로, 흘깃 바라보는 시선, 가벼운 미소, 비스듬히 기울이는 고개, 손으로 머리를 쓸면서 고개를 뒤로 젖히는 동작을 책정합니다. 이 동작의 횟수가 늘어날수록 남성의 접근율은 높아졌다고 하네요. 여성의 외모 수준과 상관없이 말이죠. 보디랭귀지의 위력입니다.

그러나 무엇보다도 센 주장이 있습니다. 널리 통용되는 얘기 "사람은 마흔이 넘으면 자기 얼굴에 책임질 줄 알아야 한다." 알죠? 오랜 기간 표정으로 만들어진 얼굴만큼 강력한 보디랭귀지가 또 어디에 있겠습니까?

이제는 '보는 것이 믿는 것'

링컨은 말솜씨가 어눌하다는 평가가 많았습니다. 대신 글솜씨가 훌륭했죠. 그 시대에 라디오가 있었다면 아마 대통령 되기가 어려웠지 싶습니다. 라디오를 적극 활용해 대중의 인기를 얻은 대표적인 정치인은 윈스턴 처칠인데, 말솜씨 덕을 본 것이죠. 그러나 오늘날처럼 하루 종일 대중의 눈에 보이고 또 보여주는 시대라면 어땠을까요? 링컨이나 처칠의 외모가 썩 훌륭하다고 보기는 어렵잖아요. 이제는 '보는 것이 믿는 것(seeing is believing)'인 세상입니다. 상대에게 표현하려면, 상대를 믿게 하고 설득하려면, 보여주어야 합니다. 당신의 이미지와 보디랭귀지를요. 반대로 청중을 알려면, 마음을 알고 설득하려면, 청중의 보디랭귀지를 읽어야 합니다.

보디랭귀지에 대한 좋은 책이 상당히 많습니다. 사람의 눈, 얼굴, 손, 팔다리, 몸짓과 같은 신체적인 것뿐 아니라, 안경, 화장, 담배, 가방 같은 사용 도구에서 드러나는 보디랭귀지에 대한 설명도 그득합니다. 적당하게 자신을 표현하기 위해서도, 적절하게 상대의 표현을 이해하기 위해서도 한 권쯤 읽어보기를 권합니다. 참, 상대와의 거리 두기도 보디랭귀지인 것 아세요? 근접학(proxemics)이라 부르는 학문 영역에 따르면, 친근한 사이의 밀접한 거리는 대략 46cm까지라 합니다. 46cm~1.2m를 사적인 거리, 1.2~3m를 사회적 거리, 그리고 3m 이상을 공적인 거리라 하고요. 전염병 창궐로 귀에 인이 박이게 들었던 '사회적 거리 두기 2m'에 보디랭귀지의 근거가 있었네요. 정말 친한 사이가 아니라면 46cm 안으로 가지도 말고요.

그냥 지나치려는데 메라비언의 38%가 눈에 밟히네요. 청각의 38%에 해당하는 것이 목소리입니다. 타고난 목소리를 바꿀 수는 없지만, 몇 가지 팁은 그래도 유용합니다. 상황에 따라 발성을 달리할 필요가 있습니다. 데이터나 자료를 말할 때는 소리를 높이고, 결과를 말할 때는 소리를 낮추되 짧게 끊어서 말합니다. 재미있는 이야기는 고음으로 빠르게, 진지한 이야기는 저음으로 느리게 발성합니다. 이러한 발성법은 말하기와 발표에 생동감을 더해 상대(혹은 청중)의 집중을 유도하니 한 번 해보시기를.

그런데 고음이 잘 안 나온다고요? 거기에도 알려진 방법이 있습니다. '생일 축하합니다' 노래의 첫 소절을 허밍으로 부른 후, 바로 하고자 하는 말을 하면 적당한 높이의 목소리가 나옵니다. 목소리의 톤을 높여 말해야 하는 상황이 생각보다 적지 않습니다. 그러니 한번 해보세요. 하나만 더 하자면, 바른 목소리는 바른 자세에서 나옵니다. 바른 자세는 시각적으로도 중요하니, 결론은 38+55=93%. 꼭 신경 써야 할 일입니다.

사람의 보디랭귀지를 알아채는 데에 숙달한 직군이 점쟁이입니다. '콜드 리딩cold reading'이라 하죠. 상대에 대한 사전 지식 없이 상대의 마음을 읽어내거나 또는 그런 것처럼 행동하는 것을 의미합니다. 주로 상대와 소통하는 과정에서 상대의 비언어적 신호를 감지하는 기술인데, 대략 80%의 정확도로 상대를 파악할 수 있다는 보고가 있네요.

남녀 중에서는 여성이 보디랭귀지를 읽는 능력이 우월하다고 합니다. 특히 출산을 경험한 여성은 일정 기간 비언어적인 수단만으로 아기와 의사소통하기 때문이랍니다. 그래서 그런지 여성이 '촉'이 뛰어나다는 통념이 생겼나 봅니다. '촉'이라는 게, 상대의 말과 보디랭귀지의 부조화, 불일치에서 감지되는 느낌이니까요.

표현은 언어와 비언어를 모두 동원합니다. 표현능력은 글쓰기와 말하기, 보고서 쓰기와 발표하기로 완성되지 않습니다. 몸으로 완성해야 하겠죠. 글이나 말과 몸의 조화, 언어와 비언어의 조화, 곧 언어와 행동의 조화로 완성하는 것이겠죠. 이제 표현능력의 마지막 단추까지 왔습니다. 언어와 행동의 일치, '언행일치'입니다. 마지막 순간에 작용하는 가장 강렬하고 강력한, 표현의 마지막 수단입니다.

"자, 의사 선생님, 내 피를 뽑아요."

빌 게이츠는 그의 오랜 친구의 책을 미국의 모든 대학 졸업생에게 선물합니다. 한스 로슬링Hans Rosling의 《팩트풀니스》입니다. 그런데 책을 펼치면 저자가 쓴 짤막한 감사의 글이 나오는데, 그 주인공은 빌 게이츠도, 빌 게이츠보다 더 가까웠던 멀린다 게이츠도 아닙니다.

"정글 칼을 든 성난 한 무리 남자들에게 도륙당할 뻔한 나를 이성적 언쟁으로 구해준 이름 모를 용감한 맨발의 여성에게 이 책을 바친다."

한스 로슬링은 아프리카 콩고의 한 외딴 마을에 퍼진 전염병을 연구했습니다. 그런데 어느 날 마을 주민의 혈액을 채취하는 과정에서 혈액을 팔아넘기려 한다는 오해를 사게 됩니다. 성난 주민들은 로슬링의 막사 앞에 모였고, 근육질의 남자 몇 명이 커다란 정글 칼을 휘두르게 된 거죠. 절체절명의 순간, 한 50대 여인이 성난 무리를 가로막고 로슬링의 연구를 변호하기 시작합니다. 정식교육도 받지 못했고, 심지어 문맹일 것 같은, 태어나 그 지역을 한 번도 벗어나지 않았을 그녀가 놀라운 논리력과 설득력을 발휘합니다.

이전에 창궐했던 홍역 얘기, 그때의 참담함에 대한 얘기, 그것을 극복한 예방주사 얘기, 그 예방주사를 만들기 위해 혈액을 채취했던 얘기, 지금도 같은 상황이라는 얘기, 그러니 지금도 혈액을 주어야 한다는 얘기, 그래야 마을의 아이들이 안전할 거라는 얘기…, 얘기들을 하나씩 하나씩 풀어갑니다. 그리고 마지막 화룡점정. 그녀는 행동으로 보여줍니다. 그녀는 마을 주민으로부터 몸을 돌려 로슬링의 눈을 보며 자기 팔꿈치 안쪽을 가리킵니다.

"자, 의사 선생님, 내 피를 뽑아요."

자신의 말을 행동으로 옮깁니다. 이보다 더 강력한 논리와 설득이 어디에 있을까요.

보디랭귀지는 보통 말과 동시에 이루어지는 몸의 표현입니다. 그러나 말이 입에서 떠난 후, 말의 의미가 상대에 1차로 각인된 후, 약간의 간격을 두고 2차로 등장하는 몸의 표현은 더욱 효과적입니다. 상대는 들었던 말의 의미를 생각합니다. 그 의미를 이해하기 위해서, 그 의미의 진위를 파악하기 위해서 그 간격의 시간을 씁니다. 때론 그 시간이 매우 길어질 수도 있습니다. 말이 잊히거나 아예 의미가 무엇이든 상관없어질 정도로 긴 시간일 수 있습니다. 그러나 다시 등장하는 행동, 짧든 길든 그 간격의 시간을 채우고 의미 전달의 간극을 메우는 행동은 충분히 효과적입니다.

품격 있는 사람은 멋집니다. 기품 있는 자세와 행세, 태도와 행동은 모두가 좋아합니다. 그런데 그 '품격 品格'의 한자에 '입 구口'가 3개나 있군요. 말과 몸, 언어와 비언어는 떼려야 뗄 수 없는 하나라는 얘기겠지요. 그래서 언행일치하는 사람은 그토록 높아 보이고, 그렇지 않은 사람은 그토록 낮아 보이는 모양입니다. 몸의 표현, 몸으로 하는 표현, 몸으로 보여주는 표현을 다시금 깊이 유념해야 할 이유입니다.

압니다. 감정이 실린 글과 말이 감정의 동물인 우리에게 와닿습니다. 감정에 호소한 문장과 발표가 역시 호소력 있습니다. 시, 소설, 수필과 같은 문장에서, 연설, 강연, 설교와 같은 발표에서, 화려한 수사와 기교가 얼마나 중요한지도 익히 압니다. 그러나 무미건조해야 합니다. 지금 쓰고 있는 글보다, 지금 하고 있는 말보다, 더 무미하고 더 건조할 필요가 있습니다. 행동도 마찬가지입니다. 우리가 따라야 하는 예의와 매너도 그렇지 않습니까? 따져보면 결국, 무미건조한 규범에 준하는 행동 양식 아닙니까?

태생이 테크니컬한 업무보고서나 업무발표가 아니더라도, 무미하게 쓰고 건조하게 말할 필요가 많은 세상입니다. 글은 너무 오래 남아서 문제고, 말은 너무 빨리 사라져서 문제입니다. 글은 가려 지울 수 없어 문제이고, 말은 주워 담을 수 없어 문제입니다. 그 문제가 더욱 심각해지는 세상입니다. 그런 세상에 살면서 자신의 메시지와 자신의 정체성을 어떻게 제대로 발현할까요? 그러한 세상에 살면서 타인의 메시지와 타인의 다양성을 어떻게 제대로 이해할까요? 표현능력은 자신을 지키고 남을 돌보는 능력이기도 합니다. 그래서 더 절실한 능력입니다. 그러니 연습도 더 많이 하고요.

6

이상한 것이 아니라
다양한 것이다
_ 수용 embracement

아 유 오픈?

요새 우리나라 아티스트의 선전이 눈부십니다. BTS가 걸 핏하면 1위에 등극하는 '빌보드'는 역사와 전통을 자랑하는 미국의 음악 차트죠. 빌보드는 그들의 기준, 즉 공식적으로 집계한 음반 판매량과 방송 횟수를 근거하여 현대 음악의 시대별 아이콘을 선정했습니다. 10년 단위로 한 아티스트를 뽑는데, 1950년대는 엘비스 프레슬리, 1960년대는 비틀즈, 1970년대는 엘튼 존, 1980년대는 마이클 잭슨입니다. 음악을 좀 오래 들었다면 여기까지는 쉽게 수긍하겠지요. 머라이어 캐리가 1990년대를 대표한다는 것까지도 그럴 만하다고 생각했겠고요. 그렇다면 2000년대는요? 에미넴입니다. 힙합과 랩을 대중음악의 중심에 자리 잡게 한 레전드지요.

혹 의외였나요? 못 알아듣겠고 시끄럽기만 한 랩은 싫다고요? 아니면 당연하다고요? 힙한 힙합과 랩만 들으면 어깨가 저절로 들썩인다고요? 당신은 어느 쪽인가요? 이 극단적인 취향과 평가가 알게 모르게 극명하게 드러난 장면이 있었습니다. 역시 우리나라 아티스트의 눈부신 선전이 함께한 곳이었죠.

2020년 봉준호 감독이 제패한 오스카 시상식에 홀연히 등장한 에미넴은 17년 전 아카데미 주제가상을 수상한 그의 곡 '루즈 유어셀프Lose Yourself'를 열창합니다. 노래가 끝난 후 시상식에 참여한 쟁쟁한 할리우드 스타들은 모두 일어서서 기립박수를 칩니다. 말 그대로 열광의 도가니였죠. 그러나 그 장면을 본 사람은 압니다. 그 공연의 영상을 보면 느낄 수 있습니다. 열광하고 기립해서 박수는 쳤지만, 꼭 즐겁지만은 않은 이들도 많았습니다.

영상 중간중간에 비치는 관중들의 모습은 정말 다양했습니다. 따라 부르고 흥겨워하는 사람들도 있지만, 어색해하며 싱거워하는 사람들도 보입니다. 누구는 어깨를 들썩이고 있지만, 누구는 인상을 찡그리더군요. 그러나 모두 일어섭니다. 모두 박수 치며 환호성을 지릅니다. 분명 마음으로는 안 그랬을 텐데요. 왜 그랬을까요? 그저 시끄러웠을 텐데요. 알 수 있죠? 수용하지 못하면서 수용한 척한 이유 말입니다.

누구나 익숙한 것을 좋아합니다. 익숙하니 편하고, 편

하니 좋은 것이지요. 불편한 것을 감수하고 새로운 것을 수용하는 도전정신은 예외적인 상황에서나 발현됩니다. 우리가 주어진 자극을 인지하고 경험치로 축적하는 과정에서 뉴런neuron이 반응하고 시냅스synapse가 강화됩니다. 그러한 반복적인 생리적 작용을 통해 개개인에게 특화된 신경망이 형성되고, 특정한 자극과 경험에 익숙해지는 편향성이 확립됩니다.

그런데 그 편향된 신경망이 평소 자주 겪지 못한, 즉 생소한 자극에 노출되면 당연히 편하지 않겠죠. 그뿐 아닙니다. 그저 생리적 현상 때문에 새로운 것을 어색해하거나 받아들이지 못하는 게 아닙니다. 충분히 극복할 수 있는데 이성적으로, 의도적으로, 때론 감정적으로 밀어냅니다. 내면의 울타리로 들이지 않는 것이죠. 이처럼 수용을 거부하는 경우는 크게 3가지입니다. 아주 고질적인 경우들로 주위의 사람들을 떠올리며 하나씩 같이 살펴봅시다.

가장 흔한 경우는, 선입감과 고정관념으로 무장하는 겁니다. 다수의 기성세대에서 발견되는 현상이니 흔한 정도가 아니라 일반적이라고 해도 과언이 아니죠. 주위에 "이런 건 이렇고, 저런 건 저렇다."라는 식의 말을 유독 자주 하는 사람이 있나요? 자신만의 원칙으로 자칫 현명하게 설파하는 듯합니다만, 알고 보면 꼰대이고 꼴통일 확률이 높습니다.

두 번째는 좀 더 의도적인 유형입니다. 일부러 남의 의견을 반대하고 세상의 흐름을 배척합니다. 자신의 존재감을 드러내는 가장 쉬운 방법은 다른 사람들과 대척점에 서는 것이라죠. "저는 다르게 생각합니다." 이렇게 운을 띄우고 시작합니다. 이런 사람들에게는 옳고 그른 것보다는 그저 다른 것이 중요합니다. 그러니 무조건 삐딱하게, 무조건 반대하죠. 다른 사람의 다름을 수용하기는커녕, 되려 다름을 더욱 부각시키는 쪽으로 자신의 처세 방향을 설정합니다.

매우 감정적인 경우도 있는데, 이것이 세 번째입니다. 이들은 자신의 생각을 표현하는 데 거침이 없습니다. 자신의 감정에 충실하는 데 소신이 있습니다. 마치 솔직하면 모든 것이 정당화된다고 생각하는 듯합니다. 그러면서 잔인한 말도 일삼죠. 모두 상대의 입장과 심정을 고려하지 않는 처사입니다. "난 그냥 이유 없이 싫어." 이런 말을 자주 하는 사람도 마찬가지입니다. 이유가 없기는요. 자기 내면에 근원적인 이유가 있지만, 그 이유를 자신에게 혹은 남에게 설명하려는 마음이 없는 것이죠. 그저 자기 생각과 감정만 중요할 뿐이니까요.

어떻습니까? 세 부류 모두 가급적 피하고 싶죠? 이런 사람들을 만나면 답답합니다. 이런 사람들로 이루어진 모임이라면 숨이 막히겠죠? 그러나 피할 수 없습니다. 냉정히 따져보세요. 듣기만 해도 탐탁지 않은 그들이 사실 우리들입니다. 주변의 선후배와 동료 혹은 나 자신이요.

수용하지 못하는 꼰대

대학이라는 곳은 참 좋은 곳입니다. 답답하고 숨 막히는 곳과는 거리가 멀죠. 제 연구실로 찾아온 많은 분이 부러워합니다. 탁 트인 캠퍼스에서 청춘의 학생들과 만나는 직장이니까요. 그러면서 립서비스도 곁들입니다.

"그래서 그런지 교수님은 나이에 비해 참 젊어 보이세요."

"아닙니다. 무슨 말씀을요."

정색하고 점잖게 대답하지만, 내심은 꼭 그렇지 않습니다. 그런 붕 뜬 풍선 같은 마음에 팩폭으로 일침을 가한 친한 이가 있었습니다.

"연구실로 찾아올 정도면 필시 좋은 관계를 원할 테니, 듣기 좋은 말을 해준 게 분명해."

논리적이군요.

"그래, 그렇다 치고. 그래도 내가 얼마나 많이 학생들과 대화하고, 얘기를 들어주려고 애쓰는데…."

저는 왠지 울컥한 마음에 항변을 늘어놓습니다. 그러자

더욱 논리적으로 뼈아픈 말을 합니다.

"착각하지 마. 정작 얘기를 들어주는 사람은 학생이야. 당신이 아니고. 학생과 선생이 어떤 사이인지 생각해보세요."

이미 졌습니다. 패잔병의 넋두리로 "아니, 그렇지 않고…, 그런 게 아니고…." 주절주절하는 저에게 마지막 한 방을 먹입니다.

"이거 봐, 또 가르치려 드네. 누가 교수 아니랄까 봐."

아, 입이 다물어지지 않았습니다. "에잇, 몰라. 난 그냥 아니야."라고 반박했지만, 제 마음은 이미 터지고 찢어져 바닥에 흩어진 풍선 조각이 되었습니다.

알고 있습니다. 대학교수는 선생입니다. 남에게 말을 많이 하는 직업이지요. 게다가 소위 전문가입니다. 전문가라는 자는 특정 좁은 영역에서 전문적인 지식을 얻은 사람이죠. 해당 영역에서 얻은 지식과 그에 따라오는 위치로 인해, 역시 남들에게 '한 말씀'할 기회가 많은데, 문제는 그 영역을 벗어난 상황에서도 간혹 그러한 자세를 견지한다는 겁니다. 이래저래 가르치는 사람이죠.

게다가 모두 알 것입니다. 가르치려 드는 사람이 남의 말은 또 얼마나 안 따르는지. 그 친구는 통쾌했을 겁니다. 나름 잘나가는 교수에게 일격을 가했으니까요. 더욱이 그 잔인함을 "나라도 너한테 이런 말 해줘야지."라는 진정성으로 둔갑시켰다면 그 쾌감은 배가되었을 것입니다. 암튼 논리가 딸린 저도 "에잇, 몰라. 난 그냥 아니야."라고 했으니 피차일반이네요. 저와 그 친구, 모두 수용하지 못하는 꼰대의 전형을 보여주었으니 말이죠.

이제 여러분 차례입니다. 여러분과 여러분 주위의 사람들에 대해 잔인하지만 솔직하게 되돌아볼 순서입니다. 여러분은 얘기를 하는 편입니까? 듣는 편입니까? 대화의 주제가 여러분 자신입니까? 아니면 상대에 대한 것입니까? 혹시 당신은 남의 말을 자주 끊고 가로막지는 않습니까?

또 물어보겠습니다. 여러분은 의견을 말하는 쪽입니까? 질문하는 쪽입니까? 아니면 질문하지만 상대방의 대답이 채 끝나기도 전에 말을 끊고 자신의 의견을 말하나요? 혹시 여러분은 다른 사람을 이해하는 것보다 여러분 자신을 이해시키는 데 더 집중하고 있지는 않나요? 상대를 이해 못해 속상한가요? 자신을 이해 못 시켜 속상한가요?

좋습니다. 더욱 리얼하게 묻겠습니다. 남들이 당신을 어떻게 생각하는지 얼마나 신경 쓰시나요? 여러분의 외모와 언행에 대한, 옷차림과 말투에 대한, 남들의 시선과 눈총에 아랑곳하지 않나요? 그저 편한 게 최고인가요? 등산할 때 스마트폰으로 음악 크게 틀고 흥얼거리나요? 그냥 나 좋은 게 최고인가요? 이 모든 걸 소신과 줏대로 오해하고 있지는 않나요? 여러분과 여러분 주변의 소중한 가족과 친구, 동료와 선후배, 그들은 정말 이런 사람들과는 거리가 먼가요? 그들이 "이런 건 이렇고, 저런 건 저렇다.", "저는 다르게 생각합니다.", 또는 "난 그냥 이유 없이 싫어."라는 말을 남발하지는 않나요?

낙관보다 긍정

다른 사람을 받아들이지 못하는 것은 치명적입니다. 이성적으로, 의도적으로, 감정적으로 수용하지 않는 것은 치명적으로 비호감입니다. 그렇다고 여기서 단순히 인간적인 매력 얘기나 하자는 건 아닙니다. 남을 존중하지 않는 사람, 남이 가진 것을 인정하지 못하는 사람에게 발전은 없습니다. 교육받고 학습하는 것은, 모두 남의 것을 존중하고 인정하는 일입니다.

급변하는 세상에서, 이전의 지식과 경험이 무용지물이 되는 시대에서, 나와 다른 것들을, 나에게 없는 것들을 열린 마음으로 꼼꼼히 살펴보고 때론 자기 것으로 만들려는 노력이 없다면 어떻게 될까요? '나는 자연인'이라고요? 대인 관계에서도 그렇습니다. 자연인도 무인도에서는 못 삽니다. 이렇게 생각해보세요. 남의 말을 안 듣는 사람, 심지어 상대방의 말을 끊고 자신을 외치는 사람은, 마치 가위바위보 게임에서 자기 손을 먼저 내미는 것과 같습니다. 자기 패를 먼저 보여주는데, 어떻게 관계에서 승리를 바랄 수 있겠습니까.

관계가 첨예하게 응집된 기업에서도 마찬가지입니다. 닫힌 조직에서 발전은 언감생심입니다. 목소리 큰 상사가 업무를 주도하고, 자부심 큰 CEO가 회의를 주재합니다. 이제껏 노력해온 기억과 과거의 성공이라는 추억으로 뒤덮인 회사에는 색다름이 들어설 자리가 없습니다. 이것도 이렇게 생각해보죠. 달리는 차에 백미러가 없습니다. 뒤에서 돌진하는 새로운 차를 보지 못합니다. 아니라고요? 백미러는 있다고요? 좋습니다. 백미러는 있지만 사각지대를 놓칩니다. 급격히 다가온 변화를 감지하지 못합니다. 아니라고요? 그래도 가끔 고개를 돌려본다고요? 좋습니다. 고개를 돌려 백미러에 쓰인 글을 읽어 보세요. '사물이 보이는 것보다 가까이 있음.' 들이닥치는 변화는 보이는 것보다 가까이 있습니다. 금방입니다. 그런데 아직도 어색한 새로움을, 그로 인한 변화를(그것도 긴박하고 엄청난 변화를) 정녕 외면하겠습니까? 은퇴 앞둔 베테랑 선수만으로 경기에서, 경쟁에서 이길 수는 없습니다.

살면서 더욱 소중해지는 사람 유형이 바로 '긍정적인

사람'입니다. 어떠세요? 어느 정도 인간에 대한 관찰과 관계에 대한 통찰이 있다면 동감하지 않나요? 긍정적인 사람을 곁에 두도록 노력해야 합니다. 매사를 삐딱하게 보는 부정적인 사람과는 달리, 긍정적인 사람은 세상의 밝은 면을 봅니다. 그러니 그런 이와 함께하면 세상이 밝게 느껴지죠. 맞죠? 불행해서 부정적인 게 아니라 부정적이라 불행해지는 겁니다. 매한가지로, 행복해서 긍정적인 게 아니라 긍정적이라 행복한 겁니다.

'긍정'과 종종 혼용되는 '낙관'에는 서로 유사성이 있기는 합니다만, 이 둘 사이에는 큰 차이가 있습니다. 우선 '낙관'은 미래의 결과에 대한 것입니다. 근거가 있든 없든, 결과가 좋은 쪽으로 이어지리라 예측하는 경향입니다. 반면 '긍정'은 현재에 충실한 경향입니다. 미래가 아닌 현재의 상황을 좋게 받아들이는 거죠.

그러나 더욱 큰 차이점은 다른 곳에서 발견됩니다. 낙관적인 사람은 세상이 자신을 좋게 봐줄 것이라고 믿지만, 긍정적인 사람은 반대 방향으로 생각합니다. 자신이 세상을 좋게 보는 것이지요. 긍정적으로 말이에요. 무척 중요합니다. 다른 사람과 세상이 자신을 받아들이기를 바라는 것이 아니라, 자신이 다른 사람과 세상을 받아들이고자 하는 것이죠. 바로 그런 이유로 우리가 긍정적인 사람에게 호감을 갖겠죠.

'혁신적'인 조직은 멋집니다. '선도적'인 조직도 그렇습니다. 그렇지만 이 둘에도 차이가 있습니다. 이 역시 관점의 흐름과 방향의 차이가 극명합니다. 선도는 세상의 판도를 변화시키는 것이지만, 혁신은 자신의 역량을 변화시키는 것입니다. 우리의 기업을 받아들이라며 세상의 판도에 변화를 주려는 게 '선도적'이라면, 저만치의 세상을 받아들이려 기업의 역량에 변화를 주려는 게 '혁신적'입니다. 그래서 이 둘은 다르고, 그래서 혁신적인 조직에 더 끌리나 봅니다.

어떤가요? '긍정적인' 사람 좋죠? '혁신적인' 기업 멋지죠? 좋은 사람, 멋진 기업이 되고 싶지요? 그렇다면 받아들일 줄 알아야 합니다. 다른 사람, 다른 가치, 다른 세상을 받아들일 수 있어야 합니다. 오스카 시상식에 참석해 카메라에 얼굴이 찍힐 정도라면 세상의 스타입니다. 세상의 패션과 트렌드에 앞서가는 사람들입니다. 그런 그들도 일부는 어색하고 찡그린 얼굴을 하고 있었습니다. 그러나 에미넴의 랩이 끝나자 모두 예외 없이 열광의 기립박수를 보냈습니다. 알고 있는 거죠. 받아들여야 한다는 것을요. 그것이 패셔니스타, 트렌디스타이고 스타가 가야 할 길이라는 것을요. "힙합은 저급하고 랩은 시끄럽다.", "난 다르게 생각하니 박수 치고 싶지 않아.", 또는 "난 힙합이나 랩은 그냥 이유 없이 싫어." 아마도 속으론 이랬을지 모릅니다. 그러나 이성적으로, 의도적으로 받아들이려고 겉으론 애썼을지 모릅니다.

여러분은 어떤가요? 여러분의 자녀, 동료, 선후배는 어떤가요? 조직과 기업은 어떤가요? 받아들이고 있나요? 긍정적인가요? 혁신적인가요? 그래서 다른 세상과 다른 사람의 다양한 장점을 수용해 발전하고 있나요? 그래서 인생과 사업의 새로운 기회를 만들어내고 있나요? 혹은 지금까지 원하던 꿈을 한순간에 이룰 귀중한 기회를 흘려보내고 있지는 않나요?

이봐,

(Look,)

만약 네가 단 한 발, 단 한 번의 기회를 가졌다면

(If you had, one shot, or one opportunity,)

네가 지금까지 원하던 꿈을 한순간에 이룰 기회

(To seize everything you ever wanted, in one moment,)

그 기회를 잡겠어? 아니면 흘려보내겠어?

(Would you capture it? Or just let it slip, yo.)

너 자신을 잊고 음악에 빠져 봐

(You better lose yourself in the music.)

이봐요. 자신을 고집하지 말고 때론 잊어야, 잃어야 합니다. 에미넴이 열창한 가사처럼 '루즈 유어셀프' 해야 합니다. 대신 받아들여야 합니다. 받아들이기 위해 열어야 합니다. 마음과 가슴을 열어야 합니다. 그러고 있나요? 심지어 꼰대 대학교수의 연구실 문에도 붙어 있는 문구입니다. 당신은 그러고 있나요? 묻겠습니다. 아 유 오픈Are you open?

다양한 나라의 앨리스

고전 《사서삼경》에는 대부분 반박하기 어려운 동양의 지혜가 담겨 있습니다. 그러나 《맹자》에는 꽤 논쟁의 여지가 있는 일화가 하나 등장합니다. 제齊나라의 선宣왕은 어느 날 제사에 쓰일 소 1마리가 도살장에 끌려가는 것을 보고 말합니다.

"그 소를 놓아주거라. 죄 없이 부들부들 떨면서 끌려가는 모습을 차마 볼 수가 없구나."

그러자 소를 끌고 가던 사람이 반문합니다.

"그러면 제사 의식을 폐지할까요?"

선왕은 대답합니다.

"어찌 제사를 폐지하겠느냐. 대신 그 소를 양으로 바꾸어라."

눈앞에 직시한 소 대신 다른 동물로 바꾸라 한 것입니다. 뒷날 맹자는 선왕의 이러한 처사를 한껏 치켜세웁니다.

"그것이 인仁의 실천입니다. 소는 보았고 양은 보지 못했기 때문입니다. 군자가 살아 있는 것을 보고 나서는 그 죽는 모습을 차마 보지 못하고, 그 비명을 듣고 나서는 차마 그 고기를 먹지 못합니다. 군자가 푸줏간을 멀리하는 까닭이 이 때문입니다."

어떻게 생각하세요? 소는 불쌍하고 양은 불쌍하지 않나요? 어차피 영문도 모른 채 도살당하는 애처로운 목숨인데요.

맹자의 핵심가치 의義는 공자의 인仁을 사회화한 개념으로 볼 수 있습니다. 사회화라는 것은 현실 문제에 입각한 관계로 구성되고요. 그래서 그런지 맹자의 가르침에는 지극히 현실적인 지적이 눈에 띄곤 합니다. '불인지심不忍之心'이라 하죠. 남을 불쌍하게 여기는 타고난 착한 마음입니다. 그런데 여기서 남은, 사람이건 동물이건 생면부지의 남이 아닙니다. 적어도 한 번쯤 보거나 만난, 최소한의 관계가 성립된 남을 뜻합니다. 그래서 눈으로 보았던 소는 보지 않았던 양과 다르다는 거죠. 이 일화를 통해 맹자는 선왕을 군자로, 군주로 인정하게 되었다고 하네요. 100% 동감이 되나요? 최소한 한 가지는 공감할 것입니다. 인간은 보지 않으면 모르고, 모르면 마음이 생기지 않는다는 것 말입니다. 보아서 인지하고, 만나서 알아야 상대를 인정하고 급기야 존중할 수 있다는 이치를 맹자는 강조하고 있습니다.

핵심은 다양성

여행 좋아하죠? 다른 장소에서 다른 풍광과 다른 정경을 봅니다. 다른 사람들의 다른 문화와 다른 정취를 만납니다. 다른 것을 보고 만나러 가는 것이 여행이니까요. 세상에는 다른 것이 정말 많습니다. 250여 개국의 80억 가까운 인구가 살고, 인종은 보통 3개나 5개로 구분하지만, 각기 다른 언어를 쓰는 종족으로 나누면 무려 7,500여 개입니다. 즉 7,500가지 다른 관습과 문화가 존재한다는 거죠. '하나의 세계(One World)'라 외치지만 차고 넘치도록 다양성이 충만한 곳이 우리의 지구입니다.

그래서 그런가 봅니다. 귀한 자식일수록 여행을 많이 보내라고요. 다양한 장소와 다양한 사람들이 만들어내는 다양한 모습을 직접 보고 만나라는 것이겠지요. 그래야 알고, 그래야 다름을 인정하고 받아들이는 '존중'이 우러나와 폭넓은 인성과 속 깊은 인심이 자랄 테니까요. 맹자의 '불인지심' 말입니다. 예술도 그렇지 않나요? 미술작품을 보는 눈이 생기려면 자꾸 보아야 하고, 음악을 듣는 귀가 생기려면 자꾸 들어야 합니다.

음악광으로서 자신 있게 한마디 하자면, 음악은 다양하게 많이 들어보아야 합니다. 삶에 있어 음악이 차지하는 비중이 어느 정도 있다 자부한다면, 가리지 말고 들어보세요. 팝과 락, 컨트리와 메탈, 재즈와 클래식, 가요와 뽕짝, 그리고 트로트(저에겐 아직이지만), 에미넴 같은 힙합과 랩까지…. 다양한 장르들이 각각의 특질과 오묘한 조합으로, 여러분의 귀를 즐겁게 해주고 영혼을 풍요롭게 해줄 겁니다. 음악 없는 삶은 상상도 하기 싫은 사람의 조언이니 고려해주세요.

그런데 인류의 역사는 그렇지 않습니다. 당연한 다양성을 인정하지 않았죠. 다른 사람, 다른 문화를 말살하려는 시도로 점철되었습니다. 자국의 번영 혹은 종교의 확산을 위해 전쟁과 학살을 감행한 사례는 부지기수입니다. 독일인의 선민의식을 선동해 유대인을 몰살한 히틀러처럼요. 이런저런 이념의 차이도 '다른 것은 틀린 것이다'라는 신념을 부추겨 사람들을 반목하게 했죠.

스티브 잡스의 일침이 생각납니다. "나는 인간이 고귀하고 훌륭하다고 믿는 긍정적인 시각을 갖고 있다. 그러나 집단으로서의 인간에는 부정적인 견해를 갖고 있다." 어쨌건 인류의 역사에, 우리의 사회에 만연한 집단적 이기주의가 인간 고유의 다양성을 묵살하고 있는 건 분명합니다. 그렇다면 마크 트웨인의 가슴 찌르는 한마디 역시 항상 기억할 필요가 있겠네요. "당신이 다수의 편에 서 있음을 알아차리는 순간이야말로, 멈춰서 반성할 때다."

말살, 몰살, 학살, 묵살 같은 단어들이 연달아 나오니 왠지 무거워졌네요. 그만큼 쉽지 않다는 얘기입니다. 다양성은 보편적이기도 하고 자연스럽기도 하지만, 꼭 그렇게 받아들여지지 않는다는 거죠. 다양성의 반대 개념으로 동일성을 들 수 있습니다. 동일한 특성으로 묶인 사람들 사이에는 교감이 흐릅니다. 동일한 것들을 파악하고 처리하는 것은 쉽습니다. 즉 동일성은 주체로서 또는 객체로서 무난하다고 간주되는 성질입니다. 다양성도 좋고 동일성도 좋다면, 과연 어떻게 중심 잡아야 할까요?

우리가 추구하는 가치에는 대부분 이런 딜레마가 있습니다. 어느 하나가 절대 선이 될 수 없는 그런 형국이지요. 성장과 분배, 이성과 경험, 프라이버시와 트랜스패런시 등등 모두 상반되지만 각각 놓칠 수 없는 가치들입니다. 그렇지만 인간이 인간답게 살아가기 위한 가장 소중한 가치를 2개만 꼽자면, 자유와 평등이겠지요. 이 둘도 마찬가지입니다. '자유와 평등'은 마치 한 단어인 것처럼 밀접하게 쓰입니다. 그러나 이 둘은 서로를 저촉합니다. 개인의 자유를 강조하면 평등이 무너지고, 사회의 평등을 강조하면 자유가 위축됩니다. 오죽하면 괴테는 "자유와 평등을 동시에 약속

하는 자는 신이 아니면 거짓말쟁이다."라 했을까요. 다양성
과 동일성을 모두 추구하는 거짓말쟁이가 아니라면, 맹목적
으로 다양성을 옹호하기도 어려운 판국입니다. 인간의 이기
주의, 집단의 정치적 행위 외에도 다양성의 날개를 꺾는 장
애물이 적지 않네요.

조금 가볍게 가볼까요? 이전 제 책에서 소개한 적 있
는 에피소드입니다. 제 수업을 듣는 한 학생이 면담을 요청
했습니다. 23살의 복학생이었습니다. 2년여의 공백 기간 후
학교로 돌아와 같은 수업을 듣는 다른 학생들과 어울리면
서, 그 학생은 힘들었나 봅니다. 저에게 하소연합니다.

"요새 학생들은 너무 달라요. 도대체 이해를 못 하겠
어요!"

제가 뭐라 답할 수 있을까요. 23살이나 21, 22살이나
제가 보기에는 다 거기서 거기인데요. 말문이 막혔지만, 생
각해보았습니다. '2년 사이에 사람이 바뀐 것일까? 아무리
변화의 속도가 빨라도 그렇지, 그새 또 다른 신세대, 신인류
가 등장한 것일까?'

뉴스를 들어도, TV를 보아도 한두 번은 꼭 듣게 되는
'MZ세대'. 1980년대에서 2000년대 초반에 출생한 밀(M)레
니얼 세대와 1990년대 중반 이후부터 2000년대에 출생한
Z세대를 합쳐 통칭하는 말입니다. 알기 쉽게 그냥 2030세

대라 해도 되고요. 늘 보는 우리 학생들에게 얘기하곤 하죠. "너희(MZ세대)들은 그렇다며?" 그렇게 말하면 절대 우호적인 반응이 돌아오진 않습니다. 그렇게나 떠들어대는 용어가, 때로는 마치 괴물 보듯 하는 기성세대들의 신세대론이 당사자들에게는 그다지 달갑지 않은 눈치입니다.

원래 신세대의 원조는 'X세대'입니다. 세계대전과 한국전쟁 이후 폭발적으로 늘어난, 각고의 노력으로 전후 세상을 복구한 베이비붐세대의 눈에는 그들의 자녀세대가 신기했나 봅니다. 그래서 예측 불가능하다는 의미로 'X'를 붙인 거죠. 이제 기성세대가 되어버린 X세대는 다시 자녀세대를 새롭게 봅니다. 실제로 새로운 건지, 새롭다고 하니 새로운 건지는 몰라도요. X 다음에는 Y세대(별칭이 밀레니얼 세대입니다), 다음은 Z세대, 이렇게 거의 10년 단위로 다른 이름을 붙이며 후속 세대를 싸잡아 동일시합니다. 그것도 모자라 Y(M)와 Z을 또 뭉뚱그려 MZ라 하고 있고요.

퀴즈 하나 낼게요. 일본의 한 광고회사가 특정 세대의 성향을 묘사한 것으로, 꽤 알려졌었던 'PANTS'라는 말이 있습니다. 여기서 'P'는 나만의 것을 추구한다는 'Personal', 'A'는 즐거움을 중시하는 'Amusement'입니다. 'N'은 'Natural'로 자연에 대한 가치를, 'S'는 'Service'에 대한 가치를 탐닉한다는 것을 각각 나타냅니다. 아, 중간에 빠진 'T'가 독특한데, 'Trans-Border'로서, 무경계, 즉 나이와 성별을 구분하지 않음을 의미합니다. 자, 그렇다면 이러한 'PANTS'의 특성으로 무장했다고 지목당한 세대는 지금 몇 살일까요? 답은 40대부터 50대 중반까지입니다. 주변을 둘러보세요. 대충 봐도 기성세대인 그들입니다. 신세대의 원조 격이라 할 수 있는 X세대를 지칭한 형용사들입니다.

그런데 이상하지 않나요? X세대의 다음 세대인 Y세대 혹은 밀레니얼 세대, Z세대 또는 흔히 말하는 90년대생, 모두 이렇지 않나요? 다 'PANTS' 아닌가요? 기업도 그렇습니다. 고객을 알아야 하니, 자꾸 규정짓고 싶습니다. 대략 '이 세대는 이렇고 저 세대는 저렇다' 하고 싶습니다. 그래야 그에 맞는 마케팅 전략을 세우니까요. 수용한다면서 수용하지 않는 꼴입니다. '신인류'가 등장했다며 야단법석하는 게 지나친 호들갑은 아닐까요? '요즘 애들은 이래' 하는 꼰대 발상 아닐까요? 이미 30년 전에 규정한 구닥다리 신세대 정의는 지금의 신인류에게도 통용됩니다. 사람의 본질적인 인식 구조는 그리 쉽사리 바뀌지 않으니까요. 그것도 10년 단위로 매번 바뀌지는 않겠지요.

저는 이렇게 생각합니다. 지금 세상의 변화와 세대의 변천 양상은 다른 축에서 찾아야 합니다. 'PANTS' 외의 다른 무엇이 아닌, 'PANTS'이긴 'PANTS'이되 그 폭과 깊이의 정도입니다. 즉, 훨씬 넓어지고 깊어진 'PANTS'의 다양성, 다양성의 증폭입니다. 다양한 개인주의, 즐거움을 느끼고 자연을 아끼는 다양한 방식, 다양한 서비스의 이해도와 기대감, 그리고 나이와 성별, 인종의 경계를 무너뜨린 다양한 가치에 대한 인정과 존중…. 그렇습니다. 핵심은 다양성입니다.

다른 것은 옳은 것

제가 처음으로 이 땅을 벗어난 시점은 유학길 비행기에 탔을 때였습니다. 그리고 도착한 미국 대학의 인근에는 정말 멋진, 정말로 다양성의 극치인 도시, 샌프란시스코가 있었습니다. 누구나 인생에서 새로운 분기점이 되는 삶의 터전에는 잊지 못할 애틋함이 있겠지요. 다양한 인종의 나라 미국, 그중에서도 소수 인종이 소수가 아닌 캘리포니아, 그중에서도 반전운동과 히피의 천국인 버클리에서 대학을 다녔지만, 제 마음속의 다양한 멋짐의 최고봉은 역시 샌프란시스코입니다.

3면이 바닷가에 둘러싸인 만(bay)에 위치한 도시라 여름에는 시원하다 못해 춥기도 하고, 겨울에도 따뜻하다 못해 덥기도 한 날씨입니다. 그래서 샌프란시스코에서 살면

4계절의 옷을 어느 하루 동안 다 입을 수 있다는 말이 있습니다. 4계절의 옷을 맘껏 혼합하여 코디할 수 있으니 다양한 연출이 가능하겠죠? 다운타운이나 핫플레이스에서 보이는 다양한 모습의 멋쟁이들은 아직도 기억에 새록새록 새롭습니다. 가끔 올드 팝 '아이 레프트 마이 하트 인 샌프란시스코I Left My Heart In San Francisco'를 들으며 기억을 추억으로 바꾸고 있습니다.

미국에 대한 여러 시각이 있습니다. 부정적인 시선도 있지만, 미국이 당분간 세계를, 인류를 이끌어갈 것이라는 사실은 부정하기 어렵습니다. 청교도의 건국이념과 세계 질서에 대한 역할론, 풍요한 자원과 막강한 기술, 이런 것들이 그 요인으로 여겨지지만, 무엇보다도 남다른 하나가 있습니다. 선천적으로 내재한 다양성입니다. 미국 그리고 미국인은 '인종의 용광로'라는 별명만큼이나 다양성을 수용해야한다는 당위성이 매우 강합니다.

그저 다양성을 인정하는 정도로 그치지 않고, 다양성을 추구하는 가치가 대세입니다. 물론 압니다. 모두 그렇지는 않다는 걸요. 그러나 조금이나마 미국문화를 제대로 경험했다면 알 겁니다. 미국 곳곳의 미국인 개개인에게는 다름에 대한 인정과 다양성에 대한 존중이 스며 있습니다. 적어도 그래야 한다는 믿음이 박혀 있습니다. 그런 이유로, 그래야 한다는 생각으로, 오스카 시상식의 에미넴의 파격적인 공연에도 모두가 열광하며 기립박수를 쳤겠죠. 저는 그렇게 생각합니다.

세상은, 사람은 원래 다양합니다. 제아무리 정치적인 의도로, 이기적인 목적으로 다양성의 가치를 훼손하려 해도, 이미 대세이자 추세입니다. X, Y, Z를 하나씩 붙이면서 뭔가 새로움으로 포장하며, 사실은 세대를 동일시하고 사람을 통으로 묶으려 하지만, 출처 불명의 새로움은 없습니다. 대신 전에 없던 폭과 깊이로 다양해지는 것입니다. 그리고 이러한 대세와 추세를 더욱 가속하는 동력으로, 다양한 것을 받아들여야 한다는 인식이 빠른 속도로 확산 중입니다. 그것이 중요합니다. 불과 10년 전만 해도 가벼운 복장으로 대학의 강단에 서기가 민망했습니다. 불과 몇 년 전만 해도 가벼운 복장으로 기업의 강연장에 서기가 민망했습니다. 그러나 지금은 어떻습니까? 대학에서, 회사에서, 방송에서, 영상에서 좀 가볍고 편하게 입고 나온들 누가 눈총 주나요? 그냥 그런가 보다, '개취(개인의 취향)'인가 보다 하지 않습니까?

《어린 왕자》만큼이나 성인들이 좋아하는 동화는 루이스 캐럴의 《이상한 나라의 앨리스》입니다. 주인공 앨리스는 무척이나 긍정적입니다. 긍정적이다 보니 이상한 나라의 이상한 동물과 사물에 다가서는 데에 거침이 없습니다. 그들에게 말합니다.

"그래, 넌 미쳤어. 그런데 이건 비밀인데… 멋진 사람들은 다 미쳤단다!"

이상한, 미쳐 보이는 그들이 멋지답니다. 진심으로 받아들이는 거죠. 이렇게도 얘기했군요.

"개인적인 일에 이러쿵저러쿵하는 건 아주 무례한 짓이에요."

혹시 말입니다. 다른 이가 다르다고, 이상한 이가 이상하다고, 지나치게 경계하고 배척하지는 않았나요? 이렇게 생각하면 어떨까요. '다른 것은 틀린 것이다' 대신 '다른 것은 옳은 것이다.' 아, 그런가요? 그래도 그렇지, 좀 이상한가요? 그렇다면 '이상한 것이 아니라 다양한 것이다.' 어때요? 괜찮지 않습니까? 원체 다양한 세상에서, 점점 더 다양해지는 세상에서, 다양함을 받아들이기로 대다수가 마음먹은 세상에서, 좋지 않습니까? '이상한 나라의 앨리스' 대신 '다양한 나라의 앨리스', 좋지 않습니까?

수용능력

여러분은 이 시대에 이 나라에서 출생한 것에 대해 어떻게 생각하세요? 우리나라에서 태어난 것에 대해서는 간혹 부정적인 의견을 가진 사람들도 있습니다. 여러 상황으로 나라에 섭섭한 게 있어서겠죠. 당사자가 아닌 다음에야 함부로 논할 자격이 없으니 차치하고, 단지 저는 국가와 민족에 대한 자긍심을 갖고, 다른 어떤 부류의 나라에서 안 태어난 것에 몹시 감사해하며 살아가는 1인입니다. 그렇지만 지금 이 시대, 이 시간대에 살고 있다는 것만큼은 누구나 예외 없이 감사해야 하리라 생각합니다.

한번 생각해보세요. 우리나라의 5,000년 역사 중 어느 시기에 태어나고 싶나요? 문명의 이기를 누리지 못했던 옛날이 좋으세요? 설마 임진왜란, 병자호란 때 태어나고 싶은 건 아니겠죠. 현대사만 놓고 보아도, 이 글을 읽는 대부분의 독자가 일제강점기나 한국전쟁을 피해 앞선 세대가 일군 한강의 기적, 산업 발전의 과실을 따 먹고 있는 사람들입니다.

어렸을 적 소니SONY의 전자제품, 워크맨을 보고 부러웠습니다. 우리나라는 언제 이런 제품을 만들고, 언제 이런 기업을 가져보나 하고 말입니다. 그런데 소니를 제쳤습니다. 긴 기간은 아니었지만, 일본을 만만하게 보고 심지어 중국을 우습게 보기도 했습니다. 산업의 측면에서 말입니다. 대체 5,000년 역사 동안 언제 우리가 그럴 수 있었나요? 앞으로 그런 날이 또 언제 올 거라고 장담할 수 있을까요?

문명이 미개하고, 절대 권력이 드세고, 전란이 발발할 때, 인간의 존엄성은 존중받지 못합니다. 개인의 자유와 개개인의 다양성도 인정받지 못합니다. 동일성을 넘어서 획일성이 강요됩니다. 그러나 지금은 최소한 그런 시대가 아니잖아요. 우리는 인류 역사에, 한반도 역사에 가장 풍요롭고 나름 태평한 시기에 다양성의 확산을 목격하고 있습니다. 개인의 자유와 취향이 중요하다는 데에 반론을 내기가 어려움을 확신하고 있습니다. 다양성을 받아들여야 합니다. 물자가 귀하던 시절, 기업의 관건은 어떻게 하면 많이 생산할까였죠. 하지만 이제는 어떻게 하면 다양한 고객의 요구를 맞출까입니다. 대량생산(mass production)에서 대량맞춤(mass customization)으로 흐름이 틀어진 지도 꽤 되었습니다. 다양성을 받아들여야 합니다.

그런데 단지 받아들이는 것으로 끝이 아닙니다. 단순히 '그래 인정하자', '존중해야지' 하는 것으로 다가 아닙니다. 더 나아가야 합니다. 다양성을 추구하고 다양성을 확보하는 것 자체가 경쟁력이 됩니다. 항상 앞서가야 하는 기업의 경우, 다양성 자체가 전략적 무기가 될 수 있습니다. 직원 성별의 균형을 맞추고, 소수자를 채용해서 모양을 맞추는 보여주기식 경쟁력을 의미하는 것이 아닙니다.

조직이 처한 문제가 복잡하고 생소할수록 문제의 실마리는 의외의 곳에서 발견되는 법이죠. 의외의 곳은 의외의 구성원의 의외의 발상이 만들어주는 공간입니다. 달리 말하면, 다양한 구성원의 다양한 발상이 만들어주는 공간입니다. 그러한 다양성이 그렇게 표출될 수 있는 공간에서 문제가 해결되고 경쟁력이 솟구칩니다.

여러분의 조직, 여러분 회사의 구성원들은 어떤 사람들인가요? 어떤 전공, 어떤 배경의 사람들인가요? 같을수록, 비슷할수록 편안합니다. 동일한 동질감으로 서로 이해하기 쉽고 말도 잘 통하겠지요. 하지만 알아야 합니다. 서로 편한 만큼, 이해하고 통하는 만큼, '그들만의 리그'로 점점 더 세상과 단절되고 있다는 사실을요. 그리고 뻔한 접근, 전혀 새롭지 않은 방식으로 문제를 해결하려 애쓰고 있다는 사실을요. 조금 다른 사람, 조금만 다양한 방법을 동원하면 엄청난 변화와 혁신을 도모할 수 있을 텐데요.

지금은 다양성이 뿌리내리고, 줄기 오르고, 꽃피고, 씨 날려서, 번식하고 번창하는 시대입니다. 차이가 차이를 만들고, 다양성이 다양성으로 증폭되는 시대입니다. 더 나아가기 위해서 다양성을 받아들여야 합니다. 받아들여 이용하고 활용해야 합니다. 그런 능력을 키워야 합니다. '수용(embracement)능력'이라 하겠습니다.

받아들이고 끌어들이는

수용능력은 다름을 힘껏 껴안아 받아들이는 능력입니다. 다양성을 추구하고 때론 활용하는 능력입니다. 공식적으로 정의하자면 **'자신에게 내재하지 않은 사람의 성질이나 사회의 가치를 받아들이고, 한편으론 그것들을 끌어들이는 능력'**입니다. 자신이 갖지 않은 성질과 가치에 대한 가능성을 탐구하는 능력이죠. 열린 마음으로 그들을 받아서 인정하고 존중하며, 들여서 이용하고 활용하는 능력이고요. 누누이 얘기한 내용입니다. 그런데 뒷부분이 더 있네요. '그것들을 끌어들이는'이라는 문구가 있네요. 이는 수용능력의 현실적인 발현에 아주 중요한 부분입니다.

먹거리 프랜차이즈 가맹점을 운영하는 사람들이 적지 않습니다. 노후에 해보려는 사람들도 그렇고요. 그런데 아세요? 먹거리 제품의 가장 골치 아픈 부분이 유통 및 재고 관리라는 사실을요. 그렇다면 유통기한이 긴 제품을 취급하는 프랜차이즈가 좋겠네요. 그런데 또 아세요? 아이스크림의 유통기간이 통상 1년이라는 사실을요. 방금 먹은 아이스크림이 1년 전에 제조된 건지도 모릅니다.

이래저래 유망한 프랜차이즈로 손꼽히는 배스킨라빈스의 로고를 잘 보면 가운데 핑크색으로 '31'이 또렷합니다. '31'은 한 달 31일 내내 다양한 아이스크림을 맛볼 수 있다는 뜻이라죠. 물론 실제 아이스크림 종류는 31개보다 훨씬 많고요. 이 회사에서 16년 동안 사장으로 재직한 밥 휴드섹에게 사람들은 장난기 어린 질문을 하곤 했답니다.

"당신 회사가 만드는 그 다양한 아이스크림 중에서 어떤 걸 가장 좋아하세요?"

그러면 그는 대답 대신 질문을 했습니다.

"당신은 무슨 아이스크림을 좋아하십니까?"

그러곤 상대가 뭘 말하든 이렇게 대답했다 합니다.

"저도요. 저도 그것을 좋아합니다."

상대에게 관심을 표명하고, 상대의 의견을 청취하여, 상대를 수용하는 거죠. 공통점을 표출하여 상대를 끌어당기는 겁니다. 다양성을 표방하는 회사의 수장다운 수용능력으로, 많은 이들을 기분 좋게 해주었다 하네요.

사석이나 공식 석상에서 새로운 사람을 만납니다. 유달리 친근하고 사교적인 사람들이 있습니다. 끌어당길 줄 아는 사람이죠. 요령은 간단합니다. 알고자 하는 사람에게 답하기 어렵지 않은 개인적인 질문을 하는 거죠. "원래 그렇게 밝게 웃으세요?", "그 핸드폰 케이스 어디서 사셨어요?" 이렇게요. 사람은 누구나 자기 얘기 하길 좋아합니다. 질문해서 얘기를 하게 하고, 다음은 열심히 들어주면 됩니다. 게다가 고개를 끄덕이고 맞장구까지 쳐주면, 상대는 당신에게 호감을 가집니다. 끌어당기는 거죠. 꼭 아이스크림이 없어도요.

그런데 공감에서 끝나면 아쉽습니다. 다른 가치의 의미를 동감한 것으로 끝나면 허전합니다. 공감과 동감을 넘어, 다양성을 이용하고 활용해야죠. 그러려면 더 적극적으로 끌어당길 필요가 있습니다. 다른 무엇이 어느 날 문득 다가오면 그제야 인정하고 존중하는 수동적인 행태가 아니라, 적극적으로 다양한 다름을 찾는 행위가 필요합니다. 질문을 하고 공통점을 내세워 상대를 끌어당겨야 합니다. 뻔한 얘기지만, 질문은 상대방이 말하게 하는 것입니다. 공통점은 상대방이 다가오게 하는 것입니다. 제가 강조하는 수용능력은, 예의주시한 상대가 다가오게 하여 그의 무언가를 받아들이는 능력입니다. 먹음직한 사과를 발견해서 나무에 올라타 조심스럽게 딴 후 자신의 영양분으로 섭취하는 행동이지, 사과나무 밑에 입 벌리고 누워 있는 행세가 아닙니다.

노련한 판매원은 매장에 들어선 고객에게 다짜고짜 달려들지 않습니다. 경험한 적 있죠? 달려드는 판매원을 피하려 매장 입구에서 발 돌린 적 말입니다. 일단은 기다립니다. 마치 무심한 것처럼 보이나 실상은 예의주시하며 기다리는 겁니다. 고객은 물건에 대한 관심이 적절한 수준으로 올라가면 판매원을 찾게 되죠. 이때가 고객에게 다가서서 고객의 니즈를 수용할 타이밍입니다. 사과가 떨어지기를 기다리는 것과는 전혀 다른 기다림입니다. 고객을 내쫓지 않고 스스로 다가오게 하는 끌어당기는 기다림이지요.

끌어당기고 끌어들이고. 수용능력의 능동성을 강조한 문구입니다. 이런 적극적인 능력이 절실한 이유는 또 있습니다. 세상의 다른 사람, 다른 가치를 받아들이자 했죠? 그들의 다양성을 수용하자 했죠? 그런데 다른 사람, 다른 게 좀 다양합니까? 다양한 게 아무리 좋다고 해도 그 많은 것들을 어떻게 다 일일이 애써 찾아다닌단 말입니까. 그러니 그들이 스스로 찾아오게 해야죠. 그들이 스스로 다가오게 해야죠. 애매한 손님을 모두 쫓아다니지 말고, 진지한 손님이 스스로 다가오게 해야죠. 그러기 위해서는 끌어당기는 무엇이 있어야 합니다. 받아들이는 것에 추가해 끌어들이는 것까지, 그것이 우리가 얻고자 노력할 수용능력입니다.

자, 뭔가 앞에서 한 얘기와 퍼즐이 맞춰지지 않나요? 받아들이는 사람이 긍정적인 사람이라 했죠. 긍정적인 사람이 매력적이라 했고요. 우리는 왜 긍정적인 사람에게 끌리죠? 왜 긍정적인 사람은 우리를 끌어당기죠? 그렇다면 이제는 수용할 수 있겠죠. 수용능력의 뒷부분에 '끌어들이는'이라는 말이 들어간 이유, 그리고 수용은 받아들이고 끌어들이는 능력인 것을.

강을 받아들이는 바다

소중한 수용능력을 도모하기 전에 하나 확실히 할 것이 있습니다. 수용의 기본은 상대를 이해하는 것입니다. 상대의 입장과 상황을 아는 것이죠. 상대를 전략적으로 파악하는 것에 목매는 경우가 많습니다. 특히 전쟁과 스포츠, 경영과 투자가 그렇죠. 상대를 이기기 위해 상대와 경쟁하는 것이고, 상대와 경쟁하기 위해서 상대를 알아야 합니다. 궁극적으로 상대를 무찌르기 위한(이기기 위한) 것이죠. 그러나 수용의 자세는 경쟁의 태세가 아닙니다. 공존, 즉 함께 존재함이 목적이고, 공영, 즉 함께 번영하는 것이 목표입니다. 흔한 말로 '상생'이라 하죠.

앞을 못 보는 사람이 밤에 물동이를 머리에 이고 한 손에 등불을 들고 길을 나섭니다. 그와 마주친 행인이 말합니다.

"앞도 보지 못하면서 대체 등불은 무슨 소용이람."

그러자 맹인은 대꾸합니다.

"당신이 나와 부딪치지 않게 하려고요."

해는 밤이 되면 달에게 중천의 자리를 내줍니다. 일견 달과 경쟁하는 듯 보이지만, 기실 달을 이용해 자신의 빛으로 밤에도 우리를 비춰주죠. 해도 살고 달도 살게 합니다. 마치 등불을 들어 맹인도 살고 행인도 사는 것처럼요.

상대를 수용함은 상대와 함께함입니다. 그 전제를 잊어서는 안 됩니다. 사람들은 함께하자며 협상합니다. 협상의 고수들은 강조합니다. 상대를 이기려는 마음이 아니라 상대와 같이 이기려는(win-win) 마음이어야 한다고. 그러니 상대와 상대의 요구를 이해하는, 상대를 받아들이는 수용능력을 발휘해야 합니다. 많은 사람이 읽었던 허브 코헨Herb Cohen의 《협상의 법칙》에 나오는 여러 법칙들을 하나로 요약하면, 결국 '상대가 다가오게 하라'입니다. 그러니 수용능력을 발휘해야 협상도 잘되겠죠. 이래저래 수용능력은 진정 세상과 함께하는 능력입니다.

《논어》의 〈자로子路〉편에 '군자화이부동君子和而不同, 소인
동이불화小人同而不和'가 나옵니다. 간략히 풀자면 '군자는 다
르면서 화합하고 소인은 같으면서 불화한다'입니다. 앞서
맹자와 공자까지 나왔으니, 노자를 빼놓을 수는 없겠지요.
노자의 《도덕경》 66장에 나오는 구절도 기억해두기 바랍니
다. '강해소이능위백곡왕자江海所以能爲百谷王者, 이기선하지以
其善下之.' 바다(江海)가 모든 강(百谷)의 으뜸인 까닭은 자신을
더 낮추기 때문이랍니다. 바다는 자신을 낮추어 모든 강을
다 받아들이지요. 그렇다면 혹 '받아들이다'가 모두를 받아
들이는 '바다'의 어원이 아닐까요?

어떻게 수용능력을 얻을 것인가

지금까지 나왔던 능력(이를테면 표현능력)을 키우자고 하는데는 이견이 없을 듯합니다. 그런데 수용능력은 꼭 키워야하느냐고 되묻기도 하더군요. 자신이 갖지 못한 것을 수용하자는 게, 마치 자신의 부족함을 혹은 틀렸음을 인정하라는 의미로 해석되나 봅니다. 그런 것이 아닙니다. 더 나은자신(혹은 조직)이 되자고, 더 나은 기회를 만들자고 그러는것입니다. 받아들이고 끌어들여서, 함께 더 큰 발전을 이루자는 것입니다. 자, 그럼 이제 가볼까요?

먼저 부처가 알려주는 방법이 있습니다. 대승불교는 누구나 '보살'이 될 수 있다고 강조합니다. '보살'은 '보리살타菩提薩埵'의 준말로 '깨달음을 구하는 사람'을 뜻한답니다. 대승불교가 말하는 이상적인 인간상이죠. 우리도 종종, 도 닦은 사람처럼 인내하고 관용하는 사람을 '보살'이라 하잖아요. 깨달음이 있어서겠죠. 보살이 되기 위한, 깨달음을 구하기 위한 실천덕목 중에 으뜸으로 치는 것이 '보시布施'죠. '남에게 베풀어줌'을 의미하는데, 이를 부처가 구체적으로 설명했었습니다.

"저는 왜 성공하지 못할까요?"

가난한 사람이 부처에게 묻습니다.

"베푸는 법을 배우지 못해서 그렇다."

그러자 가난한 사람이 발끈합니다.

"가진 것이 없는데 어떻게 베풀란 말입니까?"

부처가 웃으며 말해줍니다.

"아무것도 없어도 베풀 수 있는 것이 많다. 첫째는 화안시和顏施라 하여 웃는 얼굴을 하는 것이다. 둘째는 언시言施로 칭찬과 격려의 말을 많이 해주는 것을 가리킨다. 셋째는 심시心施로 마음 문을 열고 남을 대하는 것이고, 넷째는 안시眼施로 선의의 눈빛을 보내는 것이다. 다섯째는 신시身施로 남을 몸소 돕는 것이고, 여섯째는 좌시座施로 남에게 양보하는 것이다. 마지막은 방시房施다. 이는 다른 사람을 품어 받아들이는 마음을 가지는 것을 말한다."

어떤가요? 대단하지 않습니까? 이번 장의 내용을 쭉 따라왔다면, 부처의 가르침이 얼마나 대단한지 느껴질 것입니다. 감히 비교할 바는 아니지만, 지금까지의 얘기와 얼마나 통하는지 알아챌 수 있겠죠? 부처의 가르침, 보살의 깨달음, 보시의 실천 방법이 모두, 마음을 열고 다른 사람을 받아들이는 '수용능력'입니다.

다양성 발견에 흥분할 줄 아는 마음

그렇다면 이제 구름 위의 좋은 애기 말고, 바닥 위의 현실적인 방법을 살펴보겠습니다. 현실적이라는 것은, 기본적으로 현실의 한계가 늘 붙어 다니는 것입니다. 하늘 위의 구름과 같은 드높은 이상은 그 아래에 덮고 있는 모든 것을 커버하지만, 땅바닥에 뒹구는 현실은, 현실의 실천은 '케바케(casy-by-case)'일 수밖에 없죠. 그러한 실정을 감안하면서, 공대 교수다운 방식으로 가겠습니다. 크게 2단계의 방법인데, 각 단계 하나씩도 독자적으로 충분히 의미가 있습니다. 그러니 귀찮아하지 말고 꼭 따라 해서 습득하기 바랍니다.

첫 단계는 도형을 그리는 것으로 시작합니다. 오른쪽의 [그림6]을 보세요. 위쪽에 사각형 2개가 겹쳐 있습니다. 예상하다시피, 왼쪽 사각형은 여러분이고, 오른쪽은 상대입니다. 상대는 다른 특성이나 다른 입장을 갖고 있습니다. 물론 공통점도 있겠죠. 상대는 집에서 회사에서, 사적으로 공적으로 대하는 사람입니다. 물론 사회나 조직으로 확대할 수 있지만, 그냥 알기 쉽게 특정인을 1명 떠올려보세요. 이해

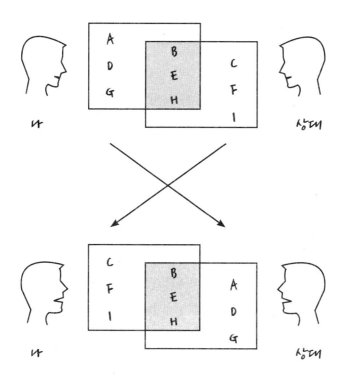

그림6_ 차이 도식화와 역지사지 토론

하고자 하고, 합의하길 바라고, 협상해야 하는 상대입니다. 당신이 수용하려는 사람이라는 겁니다.

그리했다면, 사각형 안에 써 내려갑니다. A, B, C…, 생각나는 것들을 써 내려갑니다. 굳이 사각형으로 한 이유는, 사각형이 (원보다) 이것저것 쓰기가 수월하기 때문이죠. 암튼 어떤 것들(B, E, H)은 같은 특성 같은 입장이고, 어떤 것들(A, D, G)은 상대가 갖지 않은 나만의 것이고, 또 어떤 것들(C, F, I)은 내가 갖지 않은 상대만의 것이겠죠.

해보세요. 놀랍게도 이렇게 하는 것만으로도 보입니다. 무의식적으로 간과했던 상대의 상황이, 애써 무시했던 상대와의 차이가 일목요연하게 드러납니다. 단지 썼을 뿐인데, 도식화했을 뿐인데, 벌써 이해가 됩니다. 어떻게 하면 함께 상생할 수 있을지 고민해봐야겠다고 마음먹게 됩니다. 이미 절반은 수용한 셈이죠.

타인과 원만한 관계를 맺으려면 공통의 특성, 공동의 관심사에 집중하라는 조언이 많습니다. 그러나 '저는 다르게 생각합니다.'(어디서 본 문장이죠?) 덮고 가자면 갈 수 있겠지만 오래 가진 못합니다. 궁극적인 해결은 아니더라도 관계의 지속을 위해서는, 당장의 불편한 마음을 감수하고 차이에 주목해야 합니다. 당장의 불편함을 감수하고 차이를 써보아야 합니다. 그래야 한다고 저는 생각합니다. 어떤 상대와는 겹치는 회색 영역이 크지만, 어떤 이와는 매우 작습니다. 그렇다면 공통의 겹치는 부분이 작은 상대, 그 대상은 당신과는 인연이 아닌가요? 정말 다른 사람이, 아주 새로운 조직, 문화, 가치관, 취미, 음식이 당신과는 절대 아닌가요?

그렇게 생각하면 안 됩니다. 수용능력을 펼치기도 전에 접는 꼴입니다. 덜 겹칠수록, 각자만의 특질이 많고 차이가 클수록, 그만큼 새로운 영역에 대한 새로운 도전이 가능하다고 믿어야 합니다. 다양성의 발견에 흥분할 줄 아는 마음, 그것이 긍정적이고 매력적인 사람이 되는 비결이고, 그것이 사람을 품을 줄 아는, 깨달은 자가 되는 비법이겠지요.

혹 상대가 여럿인가요? 여러 대상과 동시에 비교하고 싶나요? 물론 가능합니다. 삼자대면, 삼각관계는 인간관계에서만 존재하지 않습니다. 비즈니스를 다른 말로 하자면, 이해관계자들의 이해관계라 하겠죠. 비즈니스 협상이나 조직의 협력에도 삼자 혹은 그 이상의 다자 간 이해관계가 첨예하기 일쑤입니다. 역시 수용하고자 한다면 도식화하는 것으로 시작해야 합니다. 삼자라면 익숙한 그림이 있습니다. 원 3개가 겹쳐진 그림을 쓰면 됩니다. 물론 사각형 여러 개도 좋습니다만 삼자가 넘어갈 경우, 저는 [그림 6]과 같은, 나와 하나의 상대만 비교하는 겹쳐진 사각형을 여러 개 그려서 도식화합니다. 기억나나요? 취사능력에서 강조했던 쌍대비교. 비교 대상이 여럿이면, 아무래도 둘씩 비교하면서 가는 게 쉽더라고요. 암튼 각자 편한 식으로 하면 됩니다.

상대와의 공통점과 차이점을 생각해보고 도식화했다면, 이를 머리에 선명하게 담고 상대와 맞닥뜨릴 차례입니다. 그림에 채워 넣은 것은 어디까지나 '나'의 생각이죠. 우리가 상대를 제대로 이해하지 못하고 수용하지 못하는 이유는, 어쩌면 내 생각만으로 타인을 판단하기 때문일 겁니다. 내 판단의 한계를 직시한다면 혼자의 생각으로 그치지 말고, 정말 본인의 생각이 맞는지 상대와 얘기를 나누어 보아야 합니다. 몇 가지 실천적인 방법을 소개하겠습니다. 우리의 목적은 상대를 받아들이고 끌어들이는 것입니다. 그러자면 상대의 심중을 알아야겠죠? 상대의 생각을 이해하는데에 매우 유용한, 일종의 소통기술이니, 평상시에도 많이 사용하기 바랍니다.

먼저 심리학자 칼 로저스Carl Rogers가 제안하는 '상대의 말 요약하기'를 실천해봄 직합니다. 대화할 때 습관적으로 상대가 한 말을 요약해서 들려주고 제대로 이해했는지 물어보는 거죠. "이건 이렇고 저건 저렇다는 얘기네요. 맞죠?" 이런 식이죠. 이런 식으로 요약해서 공유하면 그 당시 나눈 대화가 명확해집니다. 여기서 명확해진다는 의미는 중첩적인데, 내가 상대의 말을 정확히 이해하는 것과 더불어, 상대에게도 상대 스스로가 무슨 말을 했는지를 정확하게 전달합니다. 그렇지 않나요? 대화 중에 상대가 의도치 않게(때론 의도적으로) 좀 전에 했던 말을 바꾸기도 하잖아요. 요약해서 공유하면, 적어도 거기까지는 명쾌해지죠. 대화가 다시 이전으로 돌아갈 필요가 없어집니다.

이번에는 언어학자들의 조언을 들어보겠습니다. 당신은 상대가 얘기할 때, "아!", "아하!", "그래.", "맞아." 같은 말을 많이 해주나요? 언어학자들은 듣는 사람의 이러한 '맞장구'에 상당한 기능이 있다고 합니다. 맞장구에 힘입은 상대가 더 많은 말을 할수록, 더 신나게 말할수록, 상대를 파악하기가 수월해집니다. 끄덕임과 같은 몸짓도 같은 기능을 하고요. 적절한 타이밍의 맞장구는 상대를 한층 다가오게 할 것입니다. 수용하려면 맞장구에 인색하지 마세요.

상대가 하지 않는 말, 하지 않은 말

좀처럼 다가오지 않는 상대, 무뚝뚝하고 무덤덤한 상대에게는 어찌해야 할까요? 질문을 해야죠. 이때 무턱대고 궁금한 것부터 질문해서는 안 됩니다. 일단 입을 열어야 마음도 열리는 법이니, 입 열기 쉬운 질문으로 시작합니다. 상대가 답하기 쉬운 질문, 상대가 답하고 싶은 질문이 그런 것들이죠. 자신의 관심사보다는 상대의 관심사, 최소한 공통의 관심사에 대해 말하고 질문하고, 자신의 목표보다는 상대의 목표, 최소한 공통의 목표에 대한 질문이 우선입니다. '경청', 중요하죠. 하지만 경청하려 한다면, 일단 상대가 말하게 해야 합니다. 말 많은 사람 싫죠? 그러나 상대를 파악하려면, 수용하려면 많이 하게 해야 합니다. 기꺼운 마음으로 말하게 하고, 또 기꺼운 마음으로 경청하는 그런 자신이 되어야 합니다.

그런데 그런 자신이 되어가다 보면, 조금씩 느는 게 또 있습니다. 상대를 존중하는 바른 자세로, 상대의 눈을 보고 표정을 응시하며, 상대의 말을 진지하게 듣습니다. 중간에 요약도 하고 맞장구도 치며 질문도 섞습니다. 그러다 보면 읽게 됩니다. 상대의 말에 숨은 상대의 마음을 읽게 됩니다. 누구라도 할 수 있습니다. 해보면 알 수 있습니다. 피터 드러커가 얘기했지요. "소통에서 가장 중요한 것은 상대가 하지 않는 말을 듣는 것이다." 하지 않은 말을 듣고 마음을 읽는 능력이 늘어갑니다. 최선의 경청은, 최고의 소통을 만들고, 최고의 소통은 최고 수준의 수용으로 이어집니다. 기업 업무의 꽃은 영업이라죠? 영업에 대한 최고의 정의는 '고객의 마음을 읽는 것'이죠. 보여주지 않은 마음을 읽는 최고 수준의 수용능력에 도전해보세요.

이제 첫째 단계가 끝났습니다. 도식화하고 채워봅니다. 이것으로 끝내지 말고 상대와 대화를 해봅니다. 5장의 표현 능력으로 자신과 자신의 생각을 정확히 표현합니다. 일방적 소통이 아닌 양방향 소통을 위해, 상대에게 말을 걸고 말하게 합니다. 때론 하지 않은 말도 알아챕니다. 그리곤 다시 사각형 도식으로 돌아와 수정하고 보완합니다. 공통의 회색 영역이 더 작아질 수도, 더 커질 수도 있겠죠.

장담컨대, 이렇게 해본 적 없을 겁니다. 매사에 이럴 필요는 없겠죠. 매사가 이러면 골 아파 어떻게 살겠습니까. 그러나 해야 합니다. 중요한 상대와 심각한 협의를 하거나 첨예한 협상을 한다면, 그렇게 해야 하지 않을까요? 지금까지 원하던 꿈을 한순간에 이룰 기회를 잡겠습니까? 아니면 흘려보내겠습니까? 그렇게 하라는 에미넴의 랩 모션, 팔짓과 손가락질을 떠올리며 다음 단계로 가겠습니다.

첫 단계가 상대의 입장과 그 차이를 파악하는 단계라면, 다음은 실제 수용하는 단계입니다. 눈에 보이는 도식만으로 수용하기 어려운 상대를 애써 받아들이는 단계죠. 받아들이자면, 궁극적으로 차이를 줄이거나 해소해야 합니다. 나에게 있지 않은 상대만의 입장을 어떤 식으로든 인정하고 존중해, 적어도 문제가 되지 않을 방편을 수립함을 의

미합니다. 이 단계에도 역시 방법들이 있는데, 우선 '중재자되기'입니다.

들어보았죠? 제3자가 되어서 객관적인 시선으로 쌍방의 차이를 조망하여, 대립과 갈등을 조정하는 중재자의 관점이 되라는 얘기. 얘기는 뻔할 수 있지만, 지금 우리가 확보한 도구는 뻔하지 않습니다. 공들여 만든 도식 말입니다. 도식화된 차이를 보며 양편을 중재하는 방안을 고민합니다.

쉬운 예로, 두 아들의 언쟁을 깔끔히 해결한 어머니 얘기를 할게요. 두 아들은 피자 1판을 놓고 다툽니다. 형은 자기가 위이니 자기가 피자를 나눠야 한다고 주장하고, 동생은 형이 나누면 형이 더 큰 쪽을 가져간다고 반대합니다. 어머니는 사각형 그림을 그립니다. 공통된 영역에는 '피자를 먹고 싶다', '어쨌거나 절반씩 나누어서 먹는다'를 씁니다. 형만의 영역에는 '형이니 형이 나눈다'를, 동생만의 영역에는 '동생이지만 적게 먹고 싶지는 않다'를 쓰죠.

답이 나왔죠? 도식화된 두 아들의 입장을 본 중재자 어머니는 깔끔하게 정리합니다. 형이 형으로서 피자를 나누고, 나눈 피자 중에서 동생이 먼저 하나를 선택하게 합니다. 현명한 어머니의 예로 알려졌지만, 한 번 그려서 써보세요. 범접하기 어려운 현명함은 아닙니다.

역지사지 토론

또 하나의 방법은 '역지사지 토론하기'입니다. 앞에 나온 [그림6]의 아랫부분을 보면 감이 올 겁니다. 이 또한 해본 적 없죠? '역지사지', 말이 쉽지, 절대 쉽지 않습니다. 생각만으론 쉽지 않으니 실제로 해보자는 것입니다. '상대 입장이 되어보기'가 아니라, '상대 입장이 되어서 해보기'입니다. 삼성전자의 권오현 고문은 재임 시 개발 부문과 제조 부문이 부서이기주의로 서로의 입장만 내세울 때, 전격적으로 두 부문의 책임자를 교차 배치합니다. '상대 입장이 되어 생각해보기'가 아니라, '아예 상대 입장으로 실행하기'가 된 거죠. 하지만 우리는 커다란 회사의 막강한 권한을 가진 사람이 아니니 다른 방식으로 해야죠. 제 방식은 역지사지 토론입니다.

토론 거리는 정말 많습니다. 딱 무엇이 옳고 무엇이 틀렸다고 하기 어려운 이슈도 정말 많죠. '인터넷 실명제 해야 하나?', '낙태를 합법화할 것인가?', '복지는 어디까지?', '보수냐, 진보냐?', '전통이냐, 혁신이냐?', '교복이 좋을까, 사복이 좋을까?' 등. 저는 학생들과 해보았습니다. 이러한 이슈들에 대해 양편으로 나눈 다음, 각자 자신의 편이 옳다고 생각하는 이유를 써서 정리하게 했습니다. 각자 편끼리 모여 정말 열심이더군요. 시간이 흐를수록 열의가 높아지며, 양편 다 꽤 그럴듯한 논지를 준비해왔습니다.

드디어 선생의 특권을 발휘할 순간이 왔습니다. 앞의 [그림6]처럼 양편을 바꾸라 했습니다. 나의 입장(A, D, G)이 상대의 입장이 되고, 상대의 입장(C, F, I)이 나의 입장이 됩니다. 상대가 되어서 하라는 거죠. 상대가 만든 논리로 자신이 만든 논리를 공격하라는 것이었죠. 처음에는 받아들이지 않더군요. 선생의 강압과 회유에 못 이긴 그들의 모습이 지금도 선합니다. 하다가 자꾸 웃고, 서로 웃고, 그래서 저도 웃고. 그러나 이 역시 시간이 흐르면서 학생들의 눈꼬리, 입꼬리, 말꼬리가 매서워지기 시작하더라고요. 천천히 몰입하면서 가치관의 혼돈을 겪는 학생들을 보며 저까지 혼란스러웠습니다. 끝나고 삼겹살과 소주로 입막음을 했으나 원성이 자자하더군요. 하지만 모두 소중한 경험을 했다면서 잔을 부딪쳤죠. 역지사지가, 상대를 진심으로 수용한다는 것이 얼마나 어려운 것인지 말입니다.

토론 학습 자체가 수용능력을 엄청나게 진작시켜줍니다. 일단 자신을 상대에게 이해시켜야 하고, 상대를 이해하기도 해야 합니다. 경청도 하고 질문도 합니다. 협상과 타협도 할 줄 알아야 하죠. 이 모든 것이 수용의 과정입니다. 토론을 제대로 할 줄 모르는 사람에게, 수용하지 못하는 사람의 특성이 고스란히 묻어나옵니다. 자꾸 "이런 건 이렇고, 저런 건 저렇다.", "저는 다르게 생각합니다."를 남발합니다. 말이나 논리가 달리면 상기된 얼굴로, "난 그냥 이유 없이 싫어."를 외칩니다.

플립 러닝flipped learning 들어보았죠? 온라인으로 선행학습한 뒤 오프라인 강의에서는 강사와 토론식 수업을 진행하는 방식입니다. 보통 학습의 효율성 증진을 강점으로 꼽지만, 저는 학생들의 표현능력과 수용능력 진작에 큰 도움이 된다고 생각합니다. 준비하는 강사와 학생 모두 힘들겠지만요. '플립드flipped'는 '거꾸로'라는 뜻입니다. 기존의 학습방식과는 거꾸로라는 거죠. 거꾸로 학습에 연이어서 거꾸로 토론, 역지사지 토론도 해보세요. 처음에는 어색하고 민망하고, 우습고 웃기지만, 나중에는 그렇지 않을 겁니다. 꼭 해보세요. 새롭고 소중한 경험을 수용한 그 날을 잊지 못할 것입니다.

진정한 수용이 진정한 성장

1946년 스웨덴 한림원은 헤르만 헤세에게 노벨문학상을 수여하며 '성장에 대한 관통하는 묘사'라는 수상 사유를 밝힙니다. 성장 소설의 대명사인 《데미안》이 떠오르죠? 그에 앞선 《청춘은 아름다워》도요. 그러나 성장에 대한 헤세의 처절한 관통을 만날 수 있는 작품은, 다시 그로부터 10년 전에 출간된 《수레바퀴 아래서》입니다. 헤세의 성장 소설을 성장하게 한 동시에, 그의 성장 소설의 원형이 된 소설이지요. 실제 헤세의 자전적 소설로도 알려져 있고요.

　재능과 기품을 지닌 소년 한스는 아버지와 모두의 기대에 부응하기 위하여 노력하며 살아갑니다. 힘겹게 끌고 가는 수레에는, 소년의 나이에 차 있어야 할 꿈과 동경, 우정과 애정이 아니라 명예와 권위, 제도와 시험 같은 것들뿐이죠. 어렵게 만난 친구, 연인과 함께 수레의 물건을 다른 것으로 바꿀 희망에 찼지만, 갑자기 떠난 그들을 무기력하게 지켜보며 좌절합니다. 그리고 수레바퀴 아래서 미처 꽃 피우지 못한 생을 마감합니다.

《수레바퀴 아래서》는 성장기의 청소년을 짓누르는 교육제도를 비판하는 상징적인 문학작품으로 여겨집니다. 아이들의 다양한 소질과 소망을 무시한 기성세대의 획일적인 가치관을 꾸짖기도 합니다. 많이 겪었죠. 왜 우린 그때 그렇게 살았을까? 또 많이 봐왔죠. 왜 우리 어린 자녀는 이렇게 입시에 치어 살아야 할까? 솔직히 의구심을 가질 여유조차 없었습니다. 왜 우리는 아이들의 다양성을 인정하고 존중하는 교육을 못 하고, 그런 사회를 만들지 못했을까?

그러나 한편으로는 이런 생각도 해봐야 합니다. 왜 우리는 후속 세대들이 냉혹한 세상의 엄연한 현실을 수용하는 방법을 알려주지 못했을까? 왜 한스는 좌절을 극복하고 생을 이어가며 훌륭한 청년으로 성장하지 못했을까? 냉정하지만, 그렇지 않습니까? 지금 우리 사회에 한스보다 훨씬 더 열악한 환경과 조건을 버티고 있는 소년·소녀가 얼마나 많습니까? 어차피 쉽게 바꿀 수 있는 세상이 아니라면, 그들로 하여금 현실을 씩씩하게 받아들이고, 또 과감하게 끌어들일 수 있는 수용능력을 키워주는 게 바람직하지 않을까요?

행운을 가져다준 답장

상대의 긍정적인 면을 수용하려는 마음을 먹기는 그다지 어렵지 않습니다. 카사노바에게는 훨씬 쉬운 일이었던 같습니다. 그는 '희대의 바람둥이'라는 별칭보다는 '희대의 유혹자'라 불리고 싶었을 겁니다. 카사노바가 스스로 밝힌 유혹의 비결은, 상대의 장점만 보고 상대의 숨겨진 매력을 찾아서 그것들을 칭찬하는 것이었습니다. 그리고 진심으로 장점과 매력을 받아들여 만나는 순간만큼은 최선을 다했다 합니다. 상대의 장점을 부각하는 수용능력의 소치네요. 그의 지론, "유혹당하지 않는 사람은 없다. 다만 유혹하지 못할 뿐이다."를 이렇게 바꿔보려고요. "수용하지 못할 사람은 없다. 다만 수용하지 않을 뿐이다."

그러나 수용하기 절대 어려운 사람이나 경우가 있습니다. 특히나 자신에게 부정적인 영향을 끼친 사람이나 그런 사건을 받아들이기는 매우 어렵습니다. 나에게 피해를 준 세상을 인정하고, 나를 힘들게 한 사람을 존중하기는 어렵습니다. 긍정적인 면에 집중한 카사노바도 할 수 없는 일이지요. 그러나 때론 해야 합니다. 받아들이기 어려워도 그래야 할 때가 있습니다. 왜냐면 극적인 효과가 있어서입니다. 이전에도 언급했지만, 이 책은 거룩한 얘기를 하자는 책이 아닙니다. 어떤 방식으로든 여러분에게 도움이 되는 역량과 능력을 개발하자는 책이고, 그런 방법을 얘기하는 책입니다. 그러니 섣부른 오해 말고 계속 들어보세요.

어떤 외국계 회사의 채용에 응시한 한 여성 지원자는 최종 면접 후 회사에서 메일을 받습니다. 내용은 불합격 통보였지만, 문구는 아주 정중하게 애석한 표현으로 점철되어 있었죠. 이에 적잖은 위로를 받은 지원자는 회사로 짧은 감사의 답장을 보냅니다. 그리고 며칠 후, 채용합격을 알리는 뜻밖의 연락을 받게 되죠. 그 회사는 최종 면접 대상자 모두에게 똑같은 불합격 통지를 했고, 유일하게 감사의 답장을 보낸 그녀를 선택했다고 합니다. 감사할 줄 알고, 감사를 표현할 줄 아는 사람을 뽑고 싶었던 모양입니다. 불합격을, 불합격을 준 이들을 수용해서 합격으로 이어진 사례죠.

저에게도 비슷한 경험이 있습니다. 미국에서 학위를 마칠 즈음, 미국 대학의 교수직에 응시하면서 국내의 한 명문대학에도 지원했습니다. 신참 박사이니 경력이 부족하다는 이유로 채용이 어렵다는 해당 학과 교수님들의 얘기를 들었고요. 기분이 썩 좋지는 않았지만, 저는 생각했죠. 같은 분야에서 언제고 만날 분들이니 마무리를 잘하자고요. 그 학과 교수님들께 따로따로 감사의 인사를 드렸습니다. 잘 봐주셔서 감사하다고 말이죠.

제가 현재 재직하는 대학에 채용될 당시 그 대학 그 학과에서도 채용공고가 있었고, 둘 다 명문대학이라 두 군데 다 지원했었습니다. 결과는요? 저의 감사 인사를 기억한 그 학과의 모든 교수님이 저의 채용을 찬성했다고 하네요. 며칠 앞서 저에게 채용합격 소식을 전한 지금 대학에 이미 회신한 상태였기 때문에 그 대학에 가지는 못했지만요. 참, 한 가지 더 있습니다. 후에 그 대학의 그 교수직에 합격한 분이 저에게 감사 메일을 보냈습니다. 2순위였는데 제가 다른 대학으로 가는 바람에 합격했다고요. 한동안 그분과 서로 호감으로 소통했던 기억이 있습니다. 그분에게도 역시 경쟁자였던 저를 수용할 줄 아는 능력이 있었으니까요.

수레바퀴와 커다란 수용

"용서는 상대를 위해서 하는 게 아니라 자신을 위해서 하는 것이다." 마음에 담아두고 싶은 말입니다. 용서는 자신에게 부정적인 영향을 준 대상에게 하는 것입니다. 살다 보면 원수까지는 아니어도, 용서하여 내면으로 수용하기에는 몹시 어려운 사람들이 적지 않습니다. 오죽하면 실존주의 철학자 사르트르는 "타인이 곧 지옥이다."라는 말을 남겼을까요. 그렇지만 받아들일 필요가 종종 있습니다. 누굴 위해서가 아닙니다. 자신을 위해서죠. 그것을 극복하고, 배우는 기회로, 전화위복의 전기로 삼고 최소한 마음의 평정심을 찾아, 더 중요한 자신의 일에 매진할 수 있게, 더 소중한 자신의 인생이 침해받지 않게, 그러기 위해 받아들일 필요가 있습니다. '용서할 서恕'자를 보면 '같을 여如' '마음 심心'자가 들어 있습니다. 상대와 같은 마음이 되는 거겠죠. 그게 어렵다면 자신의 본래 마음 상태와라도 같게 유지해야겠지요.

〈누가복음〉에서 예수가 들려주는 '선한 사마리아인'의 예화도 그렇습니다. 강도를 당해 길에 쓰러져 신음하는 유대인을 같은 유대인들은 모른 체합니다. 정작 도움의 손길을 뻗친 이는 유대인들이 경멸하는 사마리아인이었죠. 경멸받았던 사마리아인들은 유대인이 좋았겠습니까. 그러나 수용했고, 어려운 수용의 길을 선택했기에, 예수의 입에도 오르는 선한 자가 되었으며, 지금껏 《성경》의 유명한 일화로 기록되지 않았겠습니까.

이유 있는 용서만큼 이유 없는 자선도 큼직하고 커다란 수용입니다. 희생과 헌신, 나눔과 기부를 실천하는 이들은 말합니다. 주는 사람은 자기지만, 받는 사람도 자기라고 생각합니다. 태생적으로 이기적 존재인 사람이 이타적으로 이기적인 욕구를 챙기는 방법이 수용입니다. 남에 대한 가장 어려운 수용이 가장 진정한 수용이고, 그것이야말로 가장 극적인 효과를 내는 진정한 자기 발전이라 말하면, 너무 영악한가요? 어쩌겠습니까? 그것이 현실인 것을요. 보시하는 보살이 아닌 다음에야 말이죠.

《수레바퀴 아래서》의 한스는 토끼를 좋아했습니다. 그래서 토끼의 긴 귀처럼 사람들의 잔소리와 잡소리를 뿌리치지 못하고, 토끼의 연약한 가슴처럼 세상의 풍파와 억압을 이겨내지 못한 것일까요? 왜《청춘은 아름다워라》의 '나'나《데미안》의 '싱클레어'처럼 그것들을 극복하지 못했을까요? 아프니까 청춘이고, 아픈 만큼 성숙해지는 것 아닌가요. 한스가 성장소설다운 성장을 하지 못한 이유는 수용하지 못했기 때문입니다. 한스를, 우리의 자녀와 청소년들을 옥죄는 세상의 현실을 쉽사리 개혁하기 어렵다면, 하루하루가 중요한, 소중한 아이들에게는 다른 방향의 다른 방도가 필요합니다. 부정적인 상황이지만 긍정적으로 받아들이고, 위기를 겪지만 기회로 바꾸고, 상처를 받지만 용서를 배우고, 뭔가를 주지만 실상은 받는, 그런 능력을 키워줘야 하지 않을까요? 그것이 진정한 수용이고, 진정한 성장 아닐까요?

존 업다이크John Updike의 소설《달려라, 토끼》의 주인공 해리는 한때 전도유망한 고교 농구선수였습니다. 해리의 애칭이 래빗, 토끼죠. 고등학교 졸업 후 소도시의 평범한 세일

즈맨이 된 래빗은 무기력함으로 더 이상의 성장이 멈춘 채 방황합니다. 세계대전과 대공황은 끝났지만, 원인 모를 불안감에 사로잡힌 미국 청년들의 부적응을 다룬 수작이죠. 변화를 수용하지 못하는 주인공 토끼입니다. 그렇다면 토끼는 항상 그런 의미일까요? 아닙니다. 다양한 나라의, 아니 《이상한 나라의 앨리스》의 토끼는 다릅니다. 어느 날 갑자기 눈앞에 나타난 토끼가 성급히 사라진 토끼굴로 들어선 앨리스는 다양하고 이상한 사건들을 겪게 됩니다. 토끼로 시작해 성장의 모험을 경험하죠. 결국, 수용능력의 차이입니다. 수용능력이 있고 없고의 차이로, 인생이 부적응의 나락으로 빠질지, 또는 성장의 토끼굴로 빠질지가 결정됩니다.

우리는 수레바퀴 아래 깔린 달팽이가 아니다. 어쩌면 우리는 수레를 끌고 앞으로 나아가야 할 운명을 짊어진 수레바퀴 그 자체인지도 모른다. 고향의 짙은 흙 내음을 맡으며, 다른 바퀴와 함께 어우러져, 덜그럭거리는 가락에 맞춰, 공동의 이상향을 향하여, 흥겹게 돌아가는 수레바퀴 말이다.

헤세의 글처럼 어쩌면 우리는 수레바퀴입니다. 현실의

짙은 흙 내음을 맡으며, 다른 사람과 함께 어우러져, 울퉁불퉁 다양성 위로 덜그럭거리며, 상생의 이상향으로 향하는 수레바퀴 말입니다. 수용하며 성장하고, 성장하며 수용하는 피치 못할 인생의 굴레로 끌어당기는 수레의 바퀴 말입니다. 어쩌겠습니까. 수용능력을 키워야겠지요. 수용능력을 키워줘야겠지요. 그러기 위해서는 어쩌겠습니까, '이상한 것이 아니라 다양한 것이다' 그렇게 생각하기 바랍니다.

7

사이로 들어가라

_ 매개 mediation

빅 웨이브

커다란 파도가 몰아치는 해변은 서퍼surfer들의 천국입니다. 하와이가 생각납니다. 발리나 캘리포니아, 그리고 페루의 리마 해변도 그들의 천국 반열에 들어갑니다. 사람 키를 넘어 2~3m의 파도가 꾸준한 해변은 서핑의 성지가 되어 세계 각국의 서퍼들이 넘쳐나죠. 그런데 5m를 넘고 10m를 넘는 파도는 천국이나 성지가 아닙니다. 이 경우 파도는 다른 이름을 갖게 되는데, 바로 '쓰나미'입니다. 2011년 동일본 대지진으로 후쿠시마 원자력 발전소를 덮친 쓰나미는 18m, 그에 앞서 2004년 푸켓 쓰나미는 최대 30m로 기록되었다 합니다. 천국은커녕 수십만의 인명을 앗아간 지옥의 파도지요. 혹 그만한 파도를 본 적이 있나요?

저는 보았습니다. 어쩌면 그보다 더한 파도를요. 물론 영화에서입니다. 유독 우리나라 사람들이 많이 보았다는 크리스토퍼 놀란 감독의 '인터스텔라', 보았죠? 물로만 이루어

진 행성에서 마주친 어마무시하게 거대한 파도, 집채만 한
아니, 15층짜리 아파트는 족히 되어 보이는 높이의 파도 말
입니다. 그냥 파도 하나로 화면을 가득 채운 장면이 압권이
었죠. 화면의 영상으로 보았으니 망정이지, 실제 그 앞에 섰
다면 어땠을까요. 어쨌거나 너무 거대해서 인간의 좁은 시
야로는 그 규모조차 가늠하기가 어려웠을 겁니다.

그런데 왜 사람들은 뭔가 엄청난 변화가 올 때, 그것
을 커다란 파도에 비유하고 거대한 물결이라고 할까요? 앨
빈 토플러의 《제3의 물결》도 생각나고요. 쓰나미처럼 기존
의 것을 박살 내고 모두 쓸어버리기 때문이겠죠. 짧고 굵게
말하겠습니다. 어차피 많이 들었을 테니. '제3의 물결'이든
'4차산업혁명'이든, 3번째든 4번째든, 그 변화의 핵심 동인
은 누가 뭐래도 기술, 그것도 디지털 기술 혹은 정보통신 기
술입니다.

그렇다면 핵심 결과는요? 한마디로 말하면 '초연결'입
니다. 모든 것이, 세세한 것까지도 연결되는 '초연결 사회'입
니다. 이 표현만큼 정확한 것을 저는 아직 듣지도 찾지도 못
했습니다. 자, 핵심 원인과 결과를 알았습니다. 디지털 기술
과 그로 인한 초연결. 파도와 물결의 정체는 그렇습니다. 그
렇다면 그 앞에 처연히 서 있는 우리는 어찌해야 할까요?
어떻게 해야 '빅 웨이브(big wave)'를 버텨내고 이겨낼 수 있

을까요? 어떻게 하면 쓰나미가 휩쓸고 간 새로운 세상, '초연결 사회'에서 멋지게 살아갈 수 있을까요?

사람들은 이런저런 기술 얘기, 서비스 얘기를 많이 합니다. 저 같은 사람들이 전문가랍시고 '이런 기술이 개발되어 저런 산업이 뜬다'고 말해줍니다. 그렇다면 우리 모두 그 기술을 습득하고 관련 산업의 일원이 되어야 하나요? 또 '이런 서비스가 제공되어 저런 고객이 생긴다'고 말해줍니다. 그렇다면 우리 모두 그런 서비스를 이용하고 관련 고객 중 1인이 되어야 하나요? 그게 다인가요? 일상의 우리, 일반적인 우리에게 더 현실적인 얘기는 없을까요? 우리가 다 엔지니어가 되고, 얼리어답터가 될 순 없잖아요. 그것 말고, 그래서 우리네 생활과 업무가 어떻게 변하는지, 또는 변했는지를 말해주면 안 되나요? '초연결 사회'에서 '초연결' 얘기는 그만하고 '사회' 얘기를 더 해주면 안 될까요? 우리의 삶과 업을 관통하는 새로운 원칙과 법칙 말입니다. 이전의, 기존의 것들을 무색하게 하는 빅 웨이브가 몰고 온 새로운 본질 말입니다. 그래야, 그것을 알아야, 그것에 맞게 대응하고 그에 걸맞은 능력을 배양하는 우리가 될 수 있지 않겠습니까.

잘나가는 것들의 공통점

정말 지긋지긋한 전염병과 싸웠습니다. 사스와 메르스는 아무것도 아니었습니다. 코로나, 지겹도록 듣습니다. 그렇지만 혹 직접 코로나19 바이러스를 본 적 있나요? 사람들이 많은 곳을 가면 왠지 움츠립니다. 마스크 벗고 다니는 사람을 보면 불편합니다. 바이러스는 실험실에서나 보게 되지만, 바이러스 전파자는 아무 데서나 볼 수 있습니다. 세균이 무섭다고 하지만, 실제로 무서운 것은 세균이 아니라 세균을 전달하는 자, 보균자입니다. 그는 바로 옆에, 방금 전에 같이한 사람일 수도 있으니까요.

세균 말고, 요새 잘나가는 기업 얘기 좀 할게요. 카카오의 성장세가 무섭습니다. 카카오톡, 카카오택시, 카카오뱅크, 이들은 모두 제조업과는 거리가 멉니다. 삼성, SK, LG, 현대차, 이러한 그룹들은 무언가 만들고 팔아서 성장해왔죠. 카카오는 생산하지 않고 남들을 연결만 하여 산업화 시대의 굴지 그룹들과 어깨를 나란히 하고 있습니다. 네이버와 같은 포털, 수많은 온라인 커머스 기업 모두, 남의 노력과 수고를 자신의 발전과 이익으로 환원하는 솜씨를 뽐내고 있습니다. 우버는 자동차 1대 없이 세계 최대 택시회사가 되었고, 에어비앤비는 방 1칸 없이 세계 최대 숙박업체가 되었습니다. 유튜브는 영상 하나 만들지 않고도 최고·최대의 미디어 기업에 등극했고요. 더 말해 뭘합니까. 입만 아프죠.

세계 시총 1위 애플이나, 신생 기업 1위 샤오미는 제조업 기업입니다. 그러나 공장도 없이 1위가 되었습니다. 그게 가능하냐고요? 공장 없는 제조업이라니요. 가능한 정도가 아니라 공장이 없으니까 1등 제조업 기업이 된 겁니다. 전 세계 최고의 기업들 대부분은 플랫폼 기업들입니다. 다 최근 10여 년에 걸쳐 일어난 일들입니다. 거대한 파도가 몰고 온 일들입니다. 그렇다면 거대한 물결이 몰아갈 앞으로의 10년은요? 전 세계 최강국인 미국이 경쟁국에 비해 10년 이상 앞섰다고 하는 산업, 즉 금융산업과 IT산업은 모두 기본적으로 플랫폼 산업입니다. 10년 앞선 물길을 좇아 앞으로도 그 방향으로 물결이 계속 밀어치겠지요.

세균과 보균자 얘기하다 갑자기, 기업 얘기를 했습니다. 무슨 이유가 있어서겠죠. 세균보다는 보균자, 전통의 산업화 역군보다는 메신저와 포털, 그리고 온라인 커머스, 또 그리고 플랫폼 기업들이 각광받는 시대입니다. 이들은 다 무엇들일까요? 무엇이길래 이토록 급격히 세를 확장하고 있을까요. 생산하지도 않고 연결만 하는데 어떻게 이토록 급성장할까요?

이유와 답은 이미 나와 있습니다. 바로 '초연결'의 시대이니 그렇습니다. 당연하지 않은가요? 연결이 범람하고 증폭되는 시대에, 어떤 이가 기회를 차지하겠습니까? 연결하는 자죠. 산업이든 사람이든, 연결을 잘하는 자가 두각을 나타내는 것은 필연적입니다. 그러나 다들 이렇듯 당연하고 필연적인 것을 간과하고 있습니다. 아마도 쓰나미가 밀어닥치기 전의 평화가 너무 익숙해서겠지요. 마치 추수감사절 직전, 잘 먹여 토실토실해진 칠면조가 그토록 평화롭게 노니는 것처럼요. 심지어 빌 게이츠조차도 오판했을 정도니, 평범한 사람들이 쓰나미에 휩쓸려 추수감사절 식탁에 (토실해진 칠면조처럼) 오르지 말라는 법은 없겠지요.

빌 게이츠는 인터넷이 확산하던 시기에 '마찰 없는 자본주의'라 일컬으며, "인터넷의 등장으로 거래에 참여하는 인간들이라곤 판매자와 구매자만 남을 것이다."라고 했습니다. 중간자가 필요 없는 직거래로 회귀할 것이라고 확신했죠. 그런데 그렇게 되었나요? 마이클 델은 빌 게이츠의 확신과 궤를 같이하며 중간 유통상을 배제하는 PC의 직판매를 표방하며 델Dell 컴퓨터를 성장시킵니다. 인터넷 보급 초기에 유통비용 회피로 이뤄낸 가격인하가 성공요인이었죠. 그런데 그렇게 쭉 성공했나요? 지금은 재도약을 위해, 델 회장이 직접 나서 직판매를 버리고 고객 접근성과 서비스 다양성에 강점을 지닌 유통판매로 방향을 선회했습니다. 마이클 델은 초연결의 의미, 그 의미가 초래하는 사회의 현상, 그 현상에 입각하는 시장과 고객의 변화를 깨달은 것입니다. 물론 빌 게이츠도 그랬을 거고요.

조금 더 할까요? 직거래를 뜻하는 P2P(Person to Person)에 오직 판매자와 구매자만 있나요? '당신의 근처' 사람과의 직거래에도 '당근마켓'이 사이에 끼어 있습니다. '제3자가 필요 없는 신뢰 기술'이라며 블록체인blockchain을 외치는 자들 대부분은 제3자 비즈니스에 군침을 흘리고 있습니다.

다급한 마음에 급작스럽게 기업 얘기를 많이 했습니다. 급하게 주목할 것이 있어서요. 초연결의 거대한 파도를 버티고, 파고를 넘기 위해서는 '연결하는 자', 그들을 주목해야 합니다. 연결하는 그들, 그들의 연결하는 방법에 주목해야 합니다.

콘텐츠보다 미디어

저에게는 수년 전, 정확히는 2015년부터 부르짖고 다닌 문장이 있습니다. '생산하지 말고 연결하라'입니다. 책으로, 강연으로, 사석에서, 공석에서 꾸준히 한 덕에 이제는 수긍하기 어렵지 않은 명제가 된 듯합니다. 여기서 '생산'이라 함은, 비단 제조업의 생산을 얘기하는 것은 아닙니다. 꼭 눈에 보이는 물자가 아니어도, 뭔가 우리가 애써서 하는, 만들어내는 행위를 통칭하여 '생산'이라 한 거죠.

이 대목에서 아주 중요한 이슈가 있습니다. 여러분은 콘텐츠가 우선입니까? 아니면 미디어가 우선입니까? '콘텐츠 vs. 미디어', 매우 중요한 담론입니다. '짜장면 vs. 짬뽕', '클래식 vs. 재즈', '바다 vs. 산'처럼 둘 다 둘째가라면 서럽겠지만, 저에게는 명확한 첫째와 둘째가 있습니다. 수긍할지 모르겠습니다만, 저는 미디어가 우선입니다.

"역시 콘텐츠가 중요해." "콘텐츠가 답이다." 이런 말 많이 들었습니다. 중요하고 답인 것 맞습니다. 그러나 미디어입니다. 기술의 발전으로 세상의 연결이 영글기 시작할 무렵, 현대 미디어의 철학을 정립한 마샬 맥루한Marshall McLuhan이 '미디어는 메시지다'라고 단언합니다. 미디어는 단순히 콘텐츠를 담는 컨테이너가 아니라, 그 자체로 메시지를 함축하는 무엇이라는, 짤막하지만 강렬한 선언이었죠. 세월은 흐르고 연결은 늘어납니다. '하나, 둘, 셋, 넷'이 아니라 '하나, 둘, 넷, 여덟' 기하급수적으로 늘어나고, 급기야는 모든 사람이, 만물이 연결되는 초연결의 세상이 되었습니다. 이제 미디어는 메시지 정도가 아닙니다.

제품이 우수하고 내용이 좋아야 합니다. 탁월한 콘텐츠가 탁월한 성공을 만듭니다. 그렇지만 그걸로 다인가요? 그것이 충분한 조건인가요? 반대로 성공한 콘텐츠가 모두 탁월했나요? 그렇지도 않은데 홍보와 광고, 미디어와 플랫폼이 탁월했던 거 아닌가요? 출판업계에서 통용되는 베스트셀러의 우선 조건은 책 내용이 아닙니다. 책이나 작가의 미디어 노출 정도가 최우선이며, 내용 중에도 미디어에 대표격으로 노출되는 책 제목이 차지하는 비중이 절대적입니다. 우리가 멜론에 결제하는 액수 중 어느 정도가 음원을 생산하는 가수에게 돌아가는지 궁금하지 않으세요? 6%입니다. 연결하는 멜론은 6배 가까운 대략 35%이고요.

콘텐츠는 중요합니다. 그러나 더 중요한 것은 미디어입니다. '어떤 콘텐츠를 만들어야 할까?'보다는 '어떻게 콘텐츠를 전달할까?'가 더 중요합니다. 캘리포니아에 살 때 인근의 유명 관광지는 다 가보았습니다. 옐로스톤Yellowstone 국립공원만 빼고요. 유학 생활 시작하기 얼마 전에 대화재를 겪어 폐쇄되었거든요. 옐로스톤 대화재의 원인은 담배 불똥이었습니다. 국립공원 개장 이후 그간에 겪었던 235건의 다른 화재의 원인과 비교해도 별반 대수롭지 않은 '콘텐츠'였습니다. 그러나 결과는 참담했습니다. 가뭄이 이어진 날씨 덕에 메마른 나무들, '미디어'는 전달과 연결의 역할을 미친 듯이 해댔습니다. 화재 초반 한 달 동안은 진압도 포기할 정도로 기세가 등등했고, 서울 전체 면적의 5배에 해당하는 지역이 초토화됩니다. 아무리 미국 최초이자 최고의 국립공원이라 해도, 포기했습니다. 새카만 공원을 보러 1,500km를 운전할 수는 없잖아요.

세균이 콘텐츠라면 보균자는 미디어입니다. 변이에 변이를 더한 강력한 바이러스도 숙주가 없으면 죽습니다. 전염병을 이기고 팬데믹을 조절하는 방법은 보균자의 통제입니다. 우리가 정작 두려워해야 할 대상은 실험실 비이커 안의 세균이 아닙니다. 길거리에서 마주치는 보균자죠. 그러니 여러분이 정작 심혈을 기울여야 할 대상은 콘텐츠가 아닙니다. 연결하고 전달하는 미디어입니다. 아직도 '콘텐츠가 왕'인가요? 근자에 엄청난 성공을 거둔 기업들은 모두, 콘텐츠에 주력한 이들이 아닙니다. 지금 세상, 그렇지 않은가요? 달리는 콘텐츠 위에 나는 미디어입니다. 콘텐츠가 왕이라면 미디어는 황제입니다. 그런데 왜 자꾸 콘텐츠, 미디어 얘기를 할까요? 왜 생산하지 말고 연결하라 할까요? 설마 아직 눈치채지 못한 건 아니겠죠? 그것이 당신의 능력개발, 역량계발의 물줄기가 흘러가는 방향이니까요.

우리가 살아온 산업사회에는 명백한 대전제가 있었습니다. 누군가 무언가를 만들어 팔고 누군가 그것을 삽니다.

그것이 비즈니스이고, 그런 곳이 시장입니다. 시작은 만든 자의 것이고 끝도 만든 자의 것이었습니다. 그러나 지금은 아닙니다. 만든 자보다 더 갖는 자가 있습니다. 생산하는 자보다 연결하는 자가 더 갖습니다. 정확히 얘기하면, 재주는 생산하는 자가 부리고 돈은 연결하는 자가 법니다. 인간사회의 유구한 역사에 전혀 없었던 일도 아니지만 지금은 대놓고, 보란 듯이 해 먹습니다. 이 중간에 끼어 있는, 연결하는 자가 말입니다.

연결을 잘하는 자, 연결을 주도하는 자, 그들에게 부와 권력이 쏠리고 있습니다. 거대한 파도의 물결이 무섭다고 멀리서만 조망하지 말고, 용기 내어 다가가 물살을 살피면 알게 될 본질입니다. 그것이 거대한 파도가 몰고 온 엄청난 변화이자 그 변화의 실체라는 겁니다. 새로운 세상, 초연결 사회의 원칙과 법칙이 도출되는 빅 웨이브의 궁극적인 정체이자 핵심이라는 겁니다.

파도가 바다의 일이라면
너를 생각하는 것은 나의 일이었다.

좋죠? 김연수의 소설 《파도가 바다의 일이라면》에 나오는 대표 격 문장입니다. 코로나 팬데믹 직전 하와이 해변에서 파도를 보며, 다시 읽은 책입니다. 파도가 바다의 일이라면, 새로운 세상을 생각하는 것은 당신의 일 아닌가요? 참, 그때 해변에서 책 보며 마신 맥주는 하와이안 맥주, '빅웨이브'였습니다.

남은 또 다른 나

지구상에 존재하는 과일 중, 이것저것 다 따져봐도, 최고는 사과입니다. 현존하는 기업 중, 대충 대략 따져봐도, 최고는 애플입니다. 애플과 스티브 잡스, 지금까지의 21세기를 대표하는 아이콘이죠. 그의 제품 아이팟·아이폰·아이패드가 그렇고요. 그만큼 그들의 얘기는 지겹도록 들었습니다. 그러나 이런 얘기도 들어보았나요? 애플이 지상 최고의 기업으로 등극한 비결은 최고의 제품 때문이 아닙니다.

여러분, 애플이나 아이폰 하면 어떤 생각이 떠오르나요? 아마 십중팔구 세련된 디자인, 우수한 성능일 겁니다. 스티브 잡스의 표현에 따르면 '미치도록 월등한(insanely great)'이겠죠. 그러나 미치도록 월등한 애플의 제품이 여러분이 다 아는 '아이'로 시작하는 제품부터는 아니었습니다.

1984년 애플은 이미 전설적인 개인용 컴퓨터 매킨토시를 내놓습니다. 당시의 어떤 다른 PC보다 기능성·안정성·

사용성 등 모든 측면에서 월등했죠. 지금도 그 구닥다리 매킨토시를 신주처럼 모셔놓은 마니아들이 적지 않습니다. 그러나 당시에는 실패했습니다. 시장 점유율은 10%를 넘지 못하고 추락했고, 결국 애플은 고만고만한 기업으로 전락합니다. 아세요? 2002년 애플의 주가가 1달러였다는 사실을. 타임머신을 타고 그때로 돌아갈 수 있다면 월드컵 축구만 볼 것이 아니라 애플 주식 사야겠죠? 액면가로만 무려 150배가 올랐으니까요.

월등한 매킨토시 본체가 차등한 IBM에 밀리고, 월등한 매킨토시 운영체제가 차등한 마이크로소프트에 치이며 애플과 스티브 잡스는 깨닫습니다. '아, 나만 잘났다고 되는 게 아니구나.' 지금 영예로운 왕좌의 출발을 알리는 아이팟의 핵심 성공요인은 알다시피 '아이튠스'입니다. 20만 곡 이상의 음악을 훑어보고, 클릭 한 번으로 즉시 음원을 자신의 아이팟에 담을 수 있는 '미치도록 편리한' 프로그램이죠. 그런데 그 20만 곡이 애플의 것인가요? 애플의 콘텐츠인가요? 남의 뮤직 하나 없는 나의 뮤직 플레이어가 무슨 쓸모입니까. 그냥 깡통이죠. 남의 것을 잘 활용하는 게 얼마나 중요한지 알아차린 애플 혹은 잡스는 아이폰 출시와 함께, 세상 모든 앱 개발자를 끌어들이는 앱스토어를 오픈합니다. 남의 앱으로 돈도 벌고, 아이폰도 팔고, 주가도 오르고…, 그

다음 얘기는 더 안 해도 되겠죠?

남의 능력을 내 것처럼

애플을 폐쇄적인 기업이라고 판단하면 오판입니다. 자신들의 기술 표준을 고집하고, 정보 보안에 철저하지만, 필요할 때는 개방적입니다. 개방적이다 못해 심지어 원칙도 없습니다. 지금껏 아이팟 1대당 아이튠스에서 다운받은 곡은 평균 30개 전후라 합니다. 수만 곡을 저장할 수 있는 기기에 고작 30개라니요. 그럼 나머지는요? 아이팟에 가득 찬 음원은 합법적인 것이 아닐 확률이 높습니다. 어차피 아이튠스의 수많은 아티스트의 음원, 그리고 마찬가지로 앱스토어의 수많은 개발자의 앱은 모두 아이팟과 아이폰, 이들의 판매와 애플의 성장의 밑거름이었을 뿐입니다. 지르밟은 밑알인 그들이 잘되든 말든, 그건 그리 큰 상관이 아니죠.

혁신의 아이폰, 아니 아이콘, 스티브 잡스는 애플과 자신에 대해 '창의적'이라는 수사가 붙는 것에 대해 일종의 '죄책감이 든다'고 표현한 바 있습니다. 어차피 매킨토시 시절부터 제록스 등으로부터 이것저것 베꼈으니까요. 애플의 '미치도록 월등한' 제품에 도용당하고 활용당한 '미치도록 원통한' 이들이 즐비합니다.

영리하다고 하는 게 맞겠죠. 제도가 허락하는 범위에서 남을 이용하고, 남의 능력을 활용하는 애플은요. 저는 '짜장면 vs. 짬뽕'은 고민되지만, '갤럭시 vs. 아이폰'은 고민 안 합니다. 갤럭시죠. 성능? 나으면 나았지, 못하지 않습니다. 디자인? 구입할 수 있는 케이스 디자인이 아쉬워서 그렇지 본체는 절대 못하지 않습니다. 설명하기 어려운 감성? 그건 설명하기 어렵고요. 전 세계 매출, 점유율도 해볼 만합니다. 그런데 수익률? 이건 꼬리 내리겠습니다. 수익률에 있어서는 갤럭시가 아이폰의 1/7 수준입니다. 왜냐고요? 가장 큰 이유는 이미 얘기했습니다. 애플은 공장이 없거든요. 부담스러운 일, 비용 발생하는 일은 모두 남에게 떠맡깁니다. 가장 생색나는 것은 빼고요. 영리, 영민, 영악한 기업, 그 이름은 애플입니다.

애플 얘기를 길게 했습니다. 이것도 이미 아는 얘기라도 기죽지 않고 좀 더 해보겠습니다. 당신은 어떤가요? 애플과 스티브 잡스 하니 먼 세상 얘기 같나요? 아닙니다. 아이폰이든 갤럭시든 여러분 손에 있습니다. 이런 얘기도 여러분이 손에 꼭 쥐어야 할 얘기입니다. 지금 여러분은 능력을 배양하고 역량을 증진하자고 이 책을 읽고 있죠. 이에 대해 근본적인 발상의 전환을 해야 합니다. 그런 얘기를 이어보겠습니다. 중요한 얘기이지만, 기분이 약간은 언짢아질 수 있습니다. 괜찮다면, 얘기할게요.

당신의 기업이 아무리 훌륭하다 하더라도, 당신의 회사, 부서, 팀보다 훨씬 더 훌륭한 회사, 부서, 팀이 많습니다. 아닌가요? 당신이 아무리 능력 있고 일 잘한다고 해도 당신보다 더 능력 있고 일 잘하는 사람도 많습니다. 아니라고요? 기분 나쁘다고요? 아니긴요. 아닙니다. 저보다, 제 책보다 훨씬 더 훌륭하고 유익한 내용을 말해줄 책과 사람도 너무너무 많습니다. 그렇지 않습니까? 갈고닦은 실력으로, 치고 올라간 실적으로 주위에서 최고일 때가 있었겠죠. 독보적인 무언가로 주변을 평정하던 시절이 있었을 거고요.

그러나 이제는 아닙니다. 독보적인 실력과 실적이 이전과 그대로여도, 주위와 주변이 달라졌습니다. 이전에는 강 건너 중원의 고수나 무림의 도사가 나와는 아무 관련 없었습니다. '강 건너'니까요. 하지만 이제는 아닙니다. 모든 것이 연결되는 마당에, 남과 남의 조직과도 쉽사리 함께하는 초연결 시대인 마당에, 독보적이고 '미치도록 월등한' 게 어디 있습니까? 그런 당신만의 능력과 역량이 어디에 있습니까?

그런데 우리는 아직도 '모든 건 나 하기 나름이다', '잘되면 내가 열심히 해서이고 못되면 내가 열심히 하지 않아서다'를 되뇌고 되씹습니다. 맞는 말입니다. 도덕적으로도 옳은 말이고요. 저도 저의 아이들, 저의 학생들에게 그리 가르쳤습니다. 그러나 포인트는 그것만이 아니라는 것입니다. 능력개발과 역량증진의 포인트가 그것만은 아닙니다.

최선을 다해 자신을 담금질하는 것, 그것은 생산하는 것이고 콘텐츠를 만드는 것입니다. 아직 기억하죠? 그런 것도 중요하지만 더 중요한 연결과 미디어라고요. 하물며 그 잘난 애플과 스티브 잡스도 그러는데, 왜 우리는 남의 것, 남이 가진 것을 내 것으로 끌어당기지 못할까요. 남의 능력을 내 것으로 하는, 내 것처럼 쓰는 그런 능력, 그것이 초연결 시대에 부응하는 '완소' 능력 아닐까요?

부와 권력의 비결

여기서 확실히 할 게 하나 있습니다. 빌려 쓰는 남의 것, 당겨 쓰는 남의 능력이 꼭 나의 것이나 나의 능력보다 월등할 필요는 없습니다. 다시 말해, 꼭 내가 못 가진 대단한 것을 끌어다 써야 한다는 얘기가 아니라는 겁니다. 그런 것도 포함해 두루두루 이런저런 남의 것을 최대한 활용할 궁리를 하라는 겁니다. 다음의 얘기를 들으면 확실하게 알게 됩니다.

부자가 부럽습니다. 부자들이 사는 초고층 아파트나 그

들이 소유한 고층 빌딩을 바라보며 부러워합니다. 그러면서 그들이 자기들에게 범접하지 못하게 우리가 올라갈 사다리를 치운다고 원망하기도 합니다. 그러나 진정한 부자는 사다리에 관심이 없습니다. 관심 없는 걸 굳이 치우고 말고 하겠습니까? 그런 걸 생각할 시간조차 없습니다. 부자들이 가장 부족하다 느끼는 것이 바로 시간입니다. 각종 재화가 넘쳐나는 시대에 그들은 가장 희소하고 부족한 것, 즉 시간에 집중합니다. 어느 정도 자리 잡은 부자들은 '아, 시간만 좀 더 있으면…' 하는 혼잣말을 입에 달고 삽니다.

부자들은 부족한 시간을 채우려, 남에게 시간을 요구합니다. 생각해보세요. 누가 당신의 시간을 요구하나요? 누가 당신의 시간을 자기 것처럼 활용하나요? 바로 그들입니다. 우리 대부분이 가장 희소하고 소중한 시간을 그들에게 팔고 있습니다. 한 번 가면 돌아오지 않을 시간을 말이죠. 주 2일의 자유를 얻기 위해 주 5일의 노동을 바칩니다. 법정 근무 주 몇 시간, 일당 얼마, 시급 얼마…, 이런 식으로요.

알죠? 시간에 비례해서 벌 수 있는 돈은 한계가 있습니다. 그러니 비교할 생각은 마세요. 우리가 시간을 팔아 번 돈과, 그 돈을 내고 우리에게 산 시간으로 부자가 벌어들이는 돈은 비교가 안 됩니다. 비교해봤자 속만 상하죠. 알겠죠? 부자는 남의 시간을 마치 자기 시간처럼 쓰는 사람이며, 그렇게 해서 부를 거머쥔 사람들입니다. 이해했다면, 명심하세요. 누군가가 당신에게 "시간 좀 내주세요."라고 말한다면, 그 뜻은 당신 삶의 대체불가한 일부를 빼앗겠다고 하는 말임을.

부자들이 끌어모으는 시간은 꼭 훌륭한 재능을 가진 자의 것들만은 아닙니다. 이런저런 용도로 여러 사람, 여러 유형의 시간을 긁어모으죠. 부와 쌍벽을 이루는 세속의 가치인 권력의 속성을 들여다보면 더욱 극명한 행태가 발견됩니다. 혹 선거철에 90도로 인사하며 따뜻한 손을 내미는 정치인들이, 정녕 그들 말처럼 국민을 따뜻한 진심으로 존경한다고 믿나요? 다수의 정치인은 우리가 아니라 우리의 권리, 우리의 자그마한 권력, 투표권을 존경합니다. 우리의 권리와 권력을 마치 자기 것처럼 쓰고 싶어 머리가 땅에 닿을 듯이 하는 거겠죠.

밉상 정치인이 아니더라도 주변에 꽤 많습니다. 우리를 현혹하고 세뇌해 자기 뜻대로 우리의 행동을 좌지우지하는 사람들. 그들은 우리에게 강력한 권력을 가집니다. 권력론이 강조하는 바대로, 가장 강력한 권력은 상대의 내면에 당연시된 권력입니다. 상대가 당신이 원하는 것을 자발적으로 하고 있다면, 당신은 상대에 대해 가장 강력한 권력을 쥐고 있는 것입니다. 권력은 상대에게 미치는 영향력이

자, 상대를 본인이 원하는 대로 하게 하는 실행력입니다. 그런데 상대가 말 안 해도 자유의지로 알아서 해주니 얼마나 좋습니까?

정치인은 열혈 추종자, 연예인은 열혈 팬의 자유의지를 확보한 권력자들입니다. 남의 의지를 마치 자기 의지처럼 쓰죠. 아무튼 1명의 투표권이든 10명의 투표권을 모아주는 1명의 추종자든, 정치인은 남의 것, 남의 권리, 남의 의지를 제 것처럼 쓰고자 혈안이 된 직업임은 맞습니다.

초연결의 시대입니다. 남과 촘촘히 연결된 세상입니다. 이전과는 판이합니다. 능력과 역량을 키우는 시야를 나 혼자만, 나 스스로에게만 국한하면 안 됩니다. 어떻게 하면 남이 가진 것, 남의 능력과 역량을 활용할까, 어떻게 하면 그것들과 연결할까를 궁리하고 또 궁리해야 합니다. 치열한 생존 현장의 기업들은 시대에 뒤처지지 않고 앞서가야 합니다. '오픈 이노베이션open innovation'을 외칩니다. 영어가 멋있게 들려서 그렇지, 그저 남의 것을 써먹자는 얘기입니다. 'R&D' 대신 'C&D'를 외칩니다. 내 능력으로 '리서치research'하지 말고 남의 능력을 '커넥트connect'하자는 얘기입니다.

여러분 주위만 둘러봐도 알 것입니다. 잘나가는 사람들은 남의 시간으로 돈을 벌고 남의 의지로 관계에 승리합니다. 자기보다 나은 사람과 연결하고, 자기보다 못한 사람과도 연결합니다. 마치 남이 자신인 양, 자신의 목적을 위해 남을 이용하고 활용합니다. 게으른 그들이 부지런한 우리를 압도하는 이유입니다. 영악한 그들이 순박한 우리를 통제하는 방식입니다. 그런데도 여전히 순박하고 부지런하게 나만의 수련과 노력에 매진할 건가요? 세상이 이럴 진데, 세상에 맞추어 가야 하지 않겠습니까? 그렇다면 마음에 새기세요. 이승철의 '넌 또 다른 나'를 들으며 되새기세요. '남은 또 다른 나'입니다. 남이 여러분을 위해 일하게 하세요. 그런 능력을 키우세요. 매개능력으로 시작하세요.

매개능력

제 전공은 산업공학입니다. 산업공학으로 학사, 석사, 박사를 했고요. 미국에서도 산업공학 교수, 귀국해서도 평생 산업공학 교수만 했습니다. 그런데 말이죠. 누가 산업공학이 무어냐고 물어보면 대답이 곤란할 때가 있습니다. 물어보는 이가 누구든 딱 부러지게, 짧게 설명할 줄 알아야 하는데, 그게 쉽지 않은 경우가 종종 있더라고요. 과학적 방식으로 문제를 풀고 기술 지식으로 혁신을 도모하니 공학이 맞습니다. 그렇지만 여타의 공학과는 결이 다릅니다. 기계면 기계, 전자면 전자, 이렇듯 연구하고 개발하는 대상이 뚜렷하면 좋으련만, 널찍하게 '산업'이라니요.

공대에 입학해 1학년 끝나고 과 배정을 받던 시절, 제가 산업공학을 전공으로 선택한 이유는, 공대에서 산업과 기술을 경영하는 다소 '문과적인' 색채가 있는 전공이라 들었기 때문입니다. 과 배정 오리엔테이션에서 "올 사람들만

오라."는 당시 산업공학과 교수님의 딱 부러지고 짧은 설명 아닌 설명도 멋있어 보였고, 성적 커트라인도 매우 높아 은근히 끌리는 영향도 적지 않았습니다.

많은 산업공학 전공자들은 전공 정체성에 대한 다소간의 의구심의 시간을 보냅니다. 수학과가 아닌데 수학이 많고, 통계학과도 아닌데 통계학을, 생산공학을, 컴퓨터공학을, 경영학을, 경제학을, 심리학을, 심지어 생리학까지 배웠다니까요. 도대체 무슨 학문이 이럴까, 무슨 전공이 이렇게 이것저것 넘나들까, 나중에 졸업하면 어떤 일을 해야 하나…, 이런 의구심이 이어지죠. 여러 구성요소가 있는 시스템을 강조하고, 그 요소들 간 최적의 통합을 강조한다는 기치가 멋있기는 하지만, 왠지 막연한 모호성이 사라지지 않는 의심입니다. 그러나 의구심과 의심이 풀린 건 정작 대학교수가 된 다음이었습니다.

귀국해 지금의 대학에서 자리 잡은 후, 의욕이 샘솟았습니다. 짧은 경력이었지만 미국 대학교수 시절 수행했던 연구활동을 국내에 여러 방면으로 적용하는 게 가능해 보였거든요. 그러나 오래지 않아 현실의 벽에 부딪힙니다. 무엇 좀 하려 하면 경영대 교수님들이, 무엇 좀 벌리면 기계공학과 교수님들이, 무엇 좀 만들어 가면 컴퓨터공학과 교수님들이 차가운 시선을 보냅니다. 물론 시선으로만 끝나지 않았고요. '쟤는 왜 저러지? 자기 분야도 아니면서. 고작 30대 초반 새파란 교수가⋯.' 아마 속으로 이랬을 겁니다. 지금 생각해보면 저라도 그랬을 것 같지만요. 하지만 어쩌란 말입니까. 산업공학은 그런 전공인데요. 그렇게 학문 사이에 칸막이를 들이대면 발붙일 곳이 없는 전공인데요.

그렇지만 신기한 건, 저의 접근과 제 제안이 꽤 먹히더라는 겁니다. 기업에서, 정부에서 말이죠. 기존의 접근과 제안보다 뭔가 실용적이고 다소 참신한 게 있었던 모양입니다. 그러곤 알게 되었습니다. 산업공학이란 무엇인지. 연구 프로젝트의 세부로 가면 경영학, 컴퓨터공학, 기계공학 등 다른 전공 교수님들의 도움이 필요했습니다. 그 분야의 세부내용은 당연히 그들이 전문가니까요. 그러곤 정확히 알게 되었습니다. 산업공학도가 할 일이 무엇인지.

연결역량

산업공학의 '산업'은 '현장'의 의미였습니다. 공학은 원래 기초과학인 이학과는 달리 현장 중심의 학문이지만, 산업공학은 그중에서도 최고로 현장에 밀접한 학문입니다. 대상이 되는 기업과 관건이 되는 시스템의 복잡한 문제를 복합적인 접근으로 해결하는, 소위 문제 해결형 학문이라는 것을 알게 되었습니다. 그러니 이것저것 배우는 것이죠. 하나하나의 학문 자체가 목적이 아니라, 존재하는 문제를 해결하기 위해 이런저런 학문의 접근방식을 닥치는 대로 수단으로 활용하는 학문이라는 걸요. 흔히 '시스템 통합(system integration)'이라는 명분으로요.

그래서 그랬습니다. 자동차 회사의 프로젝트를 하기 위해 자동차업의 속성과 업무 프로세스를, 생명보험 회사의 프로젝트를 할 때는 보험업의 본질과 이해관계를 먼저 공부합니다. 정부의 정책과제를 수행하려면 관련 정책의 우선순위와 제약조건을 집중적으로 학습합니다. 상당 시간 동안 말이죠. 이런 것들을 제대로 알고 정확히 이해해야 현장을 알고 문제를 풀 거 아닙니까. 그렇습니다. 산업공학은 산업, 그리고 다른 개개의 학문 사이에 있습니다. 콘텐츠라기보다는 미디어에 가깝다는 얘기죠. 각기 산업의 문제와 각종 학문의 접근 방법의 사이, 그 중간에 위치하는 중간자입니다. 그것이 산업공학도의 자리입니다. 산업공학 전공자가 가장 인정받는 직종이, 업종불문 기업의 기획인력, 컨설팅 기업의 컨설턴트인 이유가 그것이겠지요.

갑자기 전공 얘길 길게 했지요? 다 관련이 있어서입니다. 뚜렷이 내놓을 만한 원천기술이 없는, 태생이 중간자인 산업공학과 산업공학도가, 산업공학의 접근방식이 나름 잘

나가고 있습니다. 저도 그간 그런 신분의 덕을 톡톡히 보았고요. 융합, 융합, 하죠? 융합은 서로 다른 것을 결합하는 것입니다. 결합하는 구체적인 행위를 하자면, 서로 다른 것 둘 사이로 들어가는 중간자의 입장이 되어야 합니다. 그래야 양편의 무언가를 알고 이해하여 적절히 결합할 수 있겠죠. 마치 산업의 현실과 학문의 이론 사이로 들어가는 것처럼요. 문득 노파심이 드네요. 산업공학만 그렇다는 건 아닙니다. 특히 융합과 결합, 그리고 통합이 워낙 중요한 분야라 하는 얘기이니, 오해는 하지 마세요.

이 대목에서 정말 중요한 용어를 소개하고자 합니다. 꼭 기억해주세요. '연결역량'입니다. 융합이나 통합보다는 훨씬 실천적인 표현입니다. 연결을 해야 융합, 결합, 통합할 수 있으니까요. 그리고 지금은 초연결 사회이니까요. 아직 기억하고 있죠? '남은 또 다른 나.' '연결역량'의 직설적 정의는 '남의 능력이나 남의 자원을 나의 것처럼, 나를 위해 쓰는 능력, 그러기 위해 연결하는 능력'입니다. 여러분은 연결역량을 얼마나 갖고 있나요? 단언컨대 새로운 세상에서 최고로 중요한 능력입니다. 그렇지만 의외로 간과하는 능력입니다.

앞서 구구절절이 얘기했죠? 구구절절했지만 여기서 특별히 다시 강조하는 이유가 있습니다. '연결역량'은 이번 장에서 소개하는 '매개능력', 다음 장의 '규정능력'과 '전환능력'을 모두 아우르는 능력입니다. 그렇듯 범위가 넓은 것이라 '능력' 대신 '역량'을 썼고요. 3개의 능력을 다 포함하니, 자연스레 이 책을 시작하며 설명한, '세상을 앞서가는 능력' 자체를 지칭하는 것이고요. 세상을 앞서가고 싶으세요? 그럼 연결역량을 키우세요. 연결역량을 키우고 싶으세요? 그럼 연결역량의 첫 번째, '매개능력'부터 집중하세요.

약하지 않음

'매개'란 단어는 묘합니다. 빈번히 쓰는 말은 아니지만 의외로 적지 않게 씁니다. 발음을 해보아도, 받침이 없어서인지 임팩트가 없게 들립니다. 사실은 강한데 말이죠. 원체 속성이 그런 것 같습니다. 흔하지 않지만 흔하고, 임팩트가 약한 듯하나 강합니다. 없어 보이지만 있고, 있어도 없는 듯한 그것, 그것이 매개입니다. 매개는 '둘 사이에서 양편의 관계를 맺어줌'이죠. 이제 알겠죠? 불현듯 생뚱맞게 등장한 단어가 아니라는 것을.

매개의 영어 단어, 'mediation'을 보면 지금까지의 얘기와 더욱 가까워집니다. 단어의 앞부분이 바로 '미디어 media'입니다. 초연결 시대의 강력한 연결자 말입니다. 좀 더 가까이 돋보기를 들이대 볼까요? 매개를 실제로 수행하는 연결자를 명명하자면, '매개자'입니다. 그냥 '매개'를 개념적으로 떠올리는 것과는 달리 실존하는 무언가가 연상되지요? 매개자, 실제로 연결을 만들어 양편의 관계를 맺어주는 그 무엇입니다.

그래서 매개자는 관계를 만드는 실질적인 주인공입니다. 그런데 절대 주연으로 나서지 않았습니다. 양편 사이에 있습니다. 사이에 낀 존재이니, 주연이 아니고 조연이죠. 양편이 존재해야 존재할 수 있는 숙명으로, 태생이 파생적이고 기생적인 출신 성분입니다. 사이에서 조용히 자리 잡고, 뒤에서 열심히 실리나 챙기려 했던 이들입니다. 그런데 더이상은 아닙니다. 연결이 쉽고 범람하는 세상에서 드디어 출사표를 던지고 연결자의 왕도를 행군하기 시작합니다. 부끄러움도 타지 않고 나서며 보란 듯이 자신들의 전성시대를 외치는 이들, 그들은 매개자입니다. 줄줄이 얘기했던 애플과 샤오미, 플랫폼과 미디어, 보균자와 산업공학도, 모두 매개자들입니다. 초연결 시대에서 득세하고자 연결역량을 성심껏 발휘합니다. 그러니 그들의 역량을, 능력을 성심껏 들여다봐야겠죠.

'매개능력'은 '양편의 다른 상황과 입장을 포착하고, 그 사이에 입지하여 관계를 설정하는 것으로 자신의 가치와 이권을 증진하는 능력'이라 하겠습니다. 자, 어떤가요. 많이 들어본 능력은 아니지만, 세상을 살아가고 업무를 수행할 때 막중하고 요긴한 능력이라는 생각 들지 않나요? 다시 물어보겠습니다. 여러분은 연결역량을 얼마나 갖고 있나요? 여러분은 연결역량의 출발점인 매개능력을 얼마큼 갖고 있나요?

매개능력 하니까 흔히 말하는 관계능력을 떠올릴 수 있습니다. 그러나 그것과는 다릅니다. 지금까지 이 장을 정독했다면 다르다는 걸 바로 알 겁니다. 특정 누구와 관계를 맺는 능력이 아닙니다. 관계능력은 타깃으로 삼은 특정인에 집중하는 것입니다. 특정 관계를 생산하는 능력이니 콘텐츠 생산능력에 가깝다 할 수 있겠죠. 반면 매개능력은 미디어 연결능력입니다. 관계능력이 1차원 능력이라면, 매개능력은 2차원 능력입니다. 뒤에 나오지만, 2차원, 3차원 이상의 다차원 능력이기도 하고요. 특정 존재와의 관계에 집착하는 게 아니라, 사이에 들어가 복수의 관계에 동시에 집중합니다. 더 현대적인 능력이고, 더 효율적인 능력입니다.

단 하나 염두에 둘 것은, 영리한 능력이다 보니 괜스레 불편한 선입감이 들 수 있다는 것입니다. 파생적이고 기생적이라 했죠? 양편의 다른 입장을 포착하여 자신의 가치와 이권을 증진하는 능력이라 했죠? 편치 않나요? 불편해하지 마세요. 선하게 사는 것과 악하지 않게 사는 것은 천양지차입니다. 남에게 양보하며 선하게 사는 게 삶의 목적이라면, 능력계발이 뭐 그리 중요하겠습니까? 인간 사회가 합의한 제도와 인간관계에서 인정한 원칙을 위배하지 않는 게 '악하지 않음'입니다. 악하지 않은 방법과 처신으로 자신의 가치와 이권을 증진하고자 역량을 계발하는 것 아니겠습니까?

세속의 범인으로서 살아보니 알겠습니다. 내가 가져야 남에게 베풀 수 있고, 악하지 않아야 선해질 수 있습니다. 정말 자신에게, 자식에게 손해 보더라도 선하게 살자고 다그치고 있다면, 미안합니다. 제가 권하는 매개능력이 선하고 고결하다 하기는 어렵네요.

초연결 시대의 진실한 능력

알게 모르게 탁월한 매개능력을 보유한 이들이 적지 않습니다. 여러분 주변에도 있을 겁니다. 유독 사람을 잘 모으고, 유독 모임을 잘 결성하는 사람. 유별나게 짝을 잘 찾아주고, 중개를 잘하는 사람. 유난하게 사회를 잘 보고, 중재를 잘하는 사람. 다 사이로 들어가 양편, 여러 편의 관계를 도모하면서 자신의 가치를 증진하는 사람들. 모두 매개능력을 갖춘 사람들입니다.

　마르크스는 정치사상가로는 우리에게 부정적인 인물이지만, 지식인으로는 매력적인 인재입니다. 마르크스의 통렬한 지적 대상에는 고결한 가치를 내걸고 봉사하는 이들이 포함됩니다. 성직자와 공직자입니다. 마르크스는 종교개혁 시기의 부패한 로마 가톨릭교회를 비판합니다. 그의 논조는 이렇습니다. 인간과 인간을 구원하는 하나님을 관계의 궁극적인 두 존재로 보았을 때, 인간과 하나님을 매개하기 위해 그 사이에 예수가 출현했다고 합니다. 문제가 될 수 있는 것은 그다음부터인데, 예수와 인간을 매개하기 위해 교회가 생겨나고, 또다시 그 교회와 인간을 매개하기 위해 성직자가 생겨나, 인간은 인간이 도달해야 할 하나님이라는 본질에서 점점 멀어진다는 것입니다.

　비단 종교만이 아니랍니다. 인간은 자신들의 안전과 안녕을 위해 국가를 만들었습니다. 국가를 상징하고 대표하기 위해 왕을 추대하였으나, 국가가 성장할수록 왕과 국민 사이는 멀어져갑니다. 왕과 국민 사이에 신하와 관료 계층이 하나둘씩 생겨났기 때문이죠. 인간은 스스로를 위해 국가를 만들었지만, 국민과 국가의 사이에 있는 매개자들에 의해 심지어 복종을 강요받는 것이 일반적입니다. 마치 부패한 성직자가 교회보다(교회의 본질인 하나님보다) 우선시되고, 신앙을 갈구하는 무력한 인간에게 군림하는 것처럼요.

물론 훌륭한 성직자와 공직자가 많습니다. 탁월한 매개 능력으로 하나님의 일과 나라의 일을 역사하는 매개자들입니다. 매개자로서의 자신의 가치와 이권을 온전히 신앙심과 애국심에 잇닿아놓은 고결한 이들이지요. 그러나 그런 그들만 있는 건 아니겠지요. 자신으로 향하는 가치와 이권에 혈안이 된 이들도 적다고 하기는 어렵겠죠.

성직자와 공직자뿐이겠습니까? 인간 사회에서 양편의 관계 사이에 들어가 자신을 드높이는 사람이 어디 한둘입니까? 조직의 방침을, 상사의 지시를 들먹이며 자신을 챙기는 사람이 어찌 먼 동네, 남의 얘기입니까? 교육과 학교의 이름을, 의료와 병원의 이름을 내걸며 자기 자신을 위하지 않았다고 어찌 말할 수 있겠습니까? 인간 사회에 만연한 매개의 현상인 것을요. 앞으로 더욱 만연할 매개자의 위용인 것을요. 이런 사람들을 악하다고 해야 할지, 악하지 않다고 해야 할지 헛갈리기도 합니다. 주위에서 주변에서, 나에게서 남에게서, 너무 흔하게 볼 수 있으니까요.

너무 무거워졌군요. 그냥 스쳐 생각난 영화감독 쿠엔틴 타란티노Quentin Tarantino의 한마디로 무거운 얘기는 떨쳐버리겠습니다. "세상에 선하고 악한 사람은 없어요. 그저 진실하거나 진실하지 못한 사람들이 있을 뿐이에요." 자, 이제 번잡한 사념은 떨치고, 초연결 시대의 진실한 능력, 매개능력을 어떻게 얻을지 알아보겠습니다.

어떻게 매개능력을 얻을 것인가

이런 적 있었을 겁니다. 당신과 친한 A를 역시 친한 B에게 소개해주었습니다. 셋이 같이 잘 어울리자고 환하게 웃어 보이기까지 했습니다. 그런데 후에 알게 되죠. 서로 모르던 A와 B가 찰떡궁합으로 친해진 겁니다. 심지어 당신보다도요. 어느새 그들은 둘이 만나는 것을 더 좋아합니다. 당신에게는 큰 관심 없고요. 그렇다면 당신은 잘 매개한 것입니다. 그들이 잘 어울릴지를 알았으니까요. 그러나 당신의 매개능력은 꽝입니다. A와 B의 관계를 만들었지만 정작 당신이 그사이에 들어가 있지 못했으니까요. 회사에서 당신의 부하가 당신을 제치고 당신의 상사에게 보고합니다. 이것 역시 당신의 매개능력은 꽝인 거죠. 그들 사이에 들어가 있었지만 밀려 나왔으니까요.

매개능력은 새로 만든 관계든, 이미 만들어진 관계든, '양편의 다른 상황과 입장을 포착'해서, '그 사이에 입지하여 관계를 설정'해, 결국은 '자신의 가치와 이권을 증진'하는 능력입니다. 앞에서 이렇게 정의했잖아요. 그렇다면 '포착'으로 끝내거나, '포착과 설정'으로만 끝나서는 안 됩니다. '증진'까지 이어져야죠. 그저 '그들이 잘되면 좋지' 하는 선한 의도와 영향력까지 운운할 필요는 없다는 거, 벌써 잊지는 않았겠지요?

비즈니스를 보세요. 근자에 출몰했고 최근에 두각을 나타낸 기업과 산업, 다 매개능력으로 약진한 것입니다. 우리가 언제 이렇게 인터넷에서 물건을 많이 샀나요? 언제 집 근처 동네 사람들과 중고품을 사고팔았나요? 언제 택시를 핸드폰으로 부르고, 언제 호텔 대신 남의 집에 숙박했었나요? 매개하는 비즈니스입니다. 구매자와 판매자, 사람과 사람, 또는 사람과 기업을 매개하는 매개 비즈니스입니다.

모두 '이런 자들과 저런 자들을 요렇게 엮으면 어떨까?', '이들 사이에 들어가서 요것을 해주는 서비스는 어떨까?' 하는 고민으로 출발한 비즈니스들입니다. 둘 사이에서 양편의 관계를 맺어줌으로써 '자신의 가치와 이권을 증진'하는 능력으로 성공했죠. 매개는 인간관계와 비즈니스 관계, 사적인 관계와 공적인 관계, 모두에서 반짝반짝 빛을 발하는 능력입니다.

앞에서 A와 B를 연결해주었습니다. 단, 나 자신의 가치와 이권을 증진하는 것이 목적이니 나를 제외할 순 없죠. 그렇다면 그들 사이로 들어가 나를 통해서 관계하고 나로 인해서 연결되도록 해야 합니다. 매개는 연결을 구체화하는 능력입니다. 그리고 구체화하는 방법은, 내가 매개자가 되어 사이로 들어가는 것입니다. 그냥 연결되었다 하기보다는, 매개자인 무엇으로, 또는 무엇에 의해 연결되었다 하는 게 훨씬 더 구체적으로 연상되잖아요.

다음 페이지 [그림7]을 보겠습니다. 이래저래 그림으로 도식하는 것만큼 좋은 구체화도 없으니까요. 여담이지만 사람은 도식을 보면 좌뇌와 우뇌가 동시에 활성화됩니다. 부분에 나타난 세부 정보는 좌뇌가, 전체에 나타난 구조 정보는 우뇌가 처리합니다. 좌우뇌가 협력하고 교신해 신속한 이해와 참신한 사고를 가능하게 하는 거죠.

매개의 종류

맨 위에 있는 그림부터 찬찬히 보죠. 역시 A와 B만 있는 것과는 다릅니다. 중간에 매개자 M이 있으니 A와 B의 연결을 구체적으로 논할 수 있습니다. M은 없던 A와 B의 관계를 사이에서 만들었을 수도 있고, 원래 있었던 관계 사

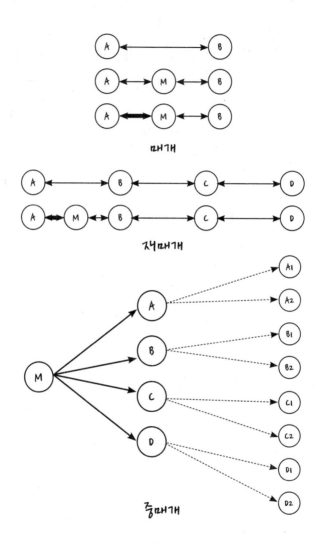

매개

재매개

중매개

그림7_ 매개의 종류와 포지셔닝

이로 비집고 들어갔을 수도 있습니다. 어떠한 방식이든, 지금 고려하는 비즈니스에, 고민하는 인간관계에 매개자로 사이에 들어간다는 발상이 중요합니다. 사이로 들어가, 양편의 다른 상황과 입장을 잘 포착해서 자리를 잡아, 자신의 가치와 이권을 증진하는 방안을 강구하는 겁니다. 그런 발상이 매우 중요하고, 그렇게 자꾸 자주 생각해보는 것이 필요합니다. 매의 눈으로 매개할, 매개거리를 찾는 습관이 매개 능력 향상에 매우 요긴합니다.

매개자 M은 당신입니다. 또 당신의 무언가가 될 수 있습니다. 이를테면, 당신의 수중에 있는 기계나 물건, 당신이 지휘하는 사람, 당신의 조직이나 시스템 등, 어쨌든 꼭 당신 자체가 아니더라도 당신의 매개역할을 수행해주는 무엇, 당신이 통제할 수 있는 무엇이면 됩니다. 그렇게 생각의 폭을 넓히면서 사이로 들어가세요.

다시 [그림7]로 돌아와서 맨 위 그림의 세 번째 연결을 보면, A와 M의 연결선이 더 진합니다. M이 사이로 들어간 양편의 관계에서, A와 B가 항상 동등한 위치에 있는, 즉 동일한 힘이나 영향력을 갖는 건 아닙니다. 이 경우는 A가 우세하다고 하겠죠. 그렇다면 중간에 있더라도 M이 더 신경 써야 할 것은 A입니다. 그래서 더 진하게 그려진 거죠.

쉬운 매개의 예는 역시 남녀 간의 짝짓기죠. 이 짝짓기로 사업하는 매개자가 많습니다. '여성 반값, 10시 이후 입장 무료', 혹시 이런 광고지 본 적 있나요? 나이트클럽 광고입니다. 여성 고객이 있어야 남성도 올 텐데, 부족한가 보죠. 특히 10시 이후는요. 본격적인 짝짓기 매개 비즈니스는 결혼정보업입니다. 그런데 이건 못 들어봤을지 모르겠습니다. 결혼정보회사에 가입할 때 내는 회비가 여성이 더 비싸답니다. 남성 회원이 부족한 모양입니다. 결혼정보업계에서 도는 말 중 '연애는 여성우위, 결혼은 남성우위'가 있습니다. 짝짓기 매개를 할 때, 어느 쪽으로 진한 화살표를 그려야 할지 요약해주는 문구네요.

이제 가운데 그림으로 가보죠. '재매개'라 쓰여 있습니다. 재매개는 연결이 연결로 이어진, 관계가 관계로 연이어지는 상황에서 발생합니다. 매개가 또 다른 매개로 이어지는 현상이라 하겠죠. A는 B와, B는 C와, 또 C는 D, 이런 식으로 연결됩니다. 이미 B는 A와 C를, C는 B와 D를 매개하고 있는 형국입니다. 이때 만일, 권한이나 영향력, 가치나 부가가치가 A쪽으로 갈수록 크다면, 당신은 어느 사이로 들어가야 할까요? 너무 쉽죠? 당연히 A와 B 사이입니다.

재매개는 흔히 볼 수 있는 구조입니다. 다단계판매가 대표적인 예이죠. 다단계사업의 목표는, 알다시피 매개의 매개를 만드는 것입니다. 가급적 줄줄이 재매개 구조를 만드는 거죠. 다단계 사업을 벌이는 자의 위치는 최상위, 즉 A입니다. 그럼 A는 매개자가 아닐까요? 아니죠. 조금만 깊이 생각해보세요. 다단계판매 최고봉 A는, 판매하는 상품과 B를 연결해주고 있습니다. A가 건네주는 상품을 B가, C가, 다시 D가 받아 고객에게 전달하는 구조입니다.

여러분이 누군가 고안한 이 사업에 뛰어들기로 했다면, 본인이 다단계의 어느 단계에 위치하는지를 살펴보는 것이 급선무겠죠. 최상위와 멀어지면 멀어질수록, 매개의 단계에서 하위에 위치하면 할수록, 여러분은 '남 좋은 일'을 하는 셈입니다. 반대로 A는 '남은 또 다른 나'를 외치며 B, C, D, 그리고 당신을, 당신의 능력과 시간과 의지를 자기 것처럼 활용하는 거고요.

매개의 유형이나 재매개에 대해 할 말은 참 많습니다만, 조금만 더 할게요. 다단계판매 같은 재매개의 최하단, [그림7]에서는 D가 주로 고객을 상대합니다. 특히 신규고객을 발굴하는 것은 대부분 D의 몫이죠. 마케팅 현장에서는 신규고객을 확보하는 비용과 노력이, 기존고객을 머물게 하는 그것보다 5배 더 든다고들 합니다. 그러니 D는 고달픕니다. 반면에 수익과 효과는요? 당연히 A죠. D의 것을 받아 C를 굴리고, 다시 C를 받아 B로 불립니다. 굴리고 불려 아마 5배보다 훨씬 이상일걸요? 같은 매개에도 이렇듯 포지셔닝이 무척 중요합니다.

'레버리지leverage'라는 말 알죠? 투자에서 일컫는 '지렛대 효과' 말입니다. 레버리지의 핵심은 남의 돈으로 투자한다는 점이지요. 최적의 매개 포지셔닝으로 최고의 레버리지를 달성하라. 이 정도로 재매개는 마무리하겠습니다.

아쉬움은 다음, 제일 아래 세 번째 그림, '중매개'에서 어느 정도 해소됩니다. 이전의 매개는 일대일 관계를 상정했습니다. 그러나 현실이 꼭 그렇지 아니하듯, 중매개는 일대다의 연결입니다. 매개자 M은 자신을 중심으로 A, B, C, D 모두를 연결하고 있습니다. 이것도 이해하기 쉬운 예가 있습니다. 프랜차이즈 사업입니다. 최소한 노후에라도 빵 굽고, 떡 볶고, 닭 튀기는 프랜차이즈 가맹점을 해볼까 생각한 적 있죠? 그렇지만 당신이 하려는 가맹점은 매개자가 아닙니다. 본사가 M이고 당신은 M을 중심으로 분포한 A, B, C, D 중 하나겠죠. 프랜차이즈 가맹 계약서를 읽어봤다면, 이 업의 본질을 눈치챘을 겁니다. '가맹점이 잘되면 번 돈은 본사와 나눠 갖고, 안되면 가맹점만 망하라'죠. 직설적으로 말하면 그렇다는 겁니다.

중매개의 이점은 재매개와 결합할 때 더욱 강력해집니다. 다시 세 번째 그림을 볼까요. A는 다시 A1과 A2로 연결되고, B 또한, B1과 B2, 이렇게 연결과 매개가 확장됩니다.

레버리지 효과가 증가하고 증폭되는 모양새죠. 그림에는 없지만, 머릿속으로 떠올려보세요. 중앙에 M이 있고 그 주위로 A, B, C… 등이 첫째 겹으로 M을 둘러싸고 있고, 다시 그 주위로 A1, A2, B1, B2, C1, C2… 등등이 둘째 겹으로 둘러 에워싸고 있습니다. 일단 그렇게 만들 수 있다면, 그렇게 들어갈 수 있다면 얼마나 좋을까요. 중앙의 매개자 M은 얼마나 강력할까요.

여러분이 방금 머릿속으로 그린 그림이 바로 '플랫폼'의 모습입니다. 현대 경영이론, 현재 산업현장의 추세이자 대세인 플랫폼의 실존을 그린 그림입니다. 매개자가 되어, 재매개와 중매개로 무장하여, '남은 또 다른 나'를 외치며 부와 권력을 긁어모으는 것이 플랫폼의 실체입니다. 이쯤이면, '사이로 들어가라' 대신 '중앙으로 들어가라', 아니면 '웬만하면 가운데 쪽으로 들어가라' 해도 되겠죠? 한가운데 떡하니 꽈리를 틀고 있는 자, 그는 연결의 대마왕이자 매개의 끝판왕입니다.

시야 넓히고 가치 높이는 매개능력

일대일 매개는 알기 쉽습니다. 그것만으로도 매개능력이 효과를 볼 수 있습니다. 그러나 연결이 범람하는 시기에

A와 B 사이의 연결 통로가 하나만 존재하는 경우는 드뭅니다. 진짜 일대일만으로 이루어진 관계, 그 사이에서 매개하는 형국은 '올 오어 낫씽all or nothing'인 셈이죠. 유일한 통로를 확실히 쥐고 있다면 모든 것을 가진 것이고, 그 통로가 무너지거나 혹은 샛길이 뚫리면 아무것도 갖지 못한 것입니다. 현실적으로는 다양한 선택지와 대안을 확보하는 일대다 매개, 더 나아가서 다대다 매개가 바람직해 보입니다. 많은 것들과 또 다른 많은 것들을, 그 사이에서, 그 중앙에서 매개하고 있다면 대단한 매개 권력을 확보한 것입니다. 엄청나게 많은 정보 제공자와 수요자, 엄청나게 많은 광고주와 시청자, 엄청나게 많은 서비스 제공자와 사용자, 이것들이 인터넷 포탈과 SNS, 미디어의 특성이 아니고 무엇이겠습니까. 다대다 매개의 최고봉이죠.

매개능력을 키우기 위해 몇 가지 구조의 매개 유형을 살펴보았습니다. 중매개까지 나왔지만, 아직도 아쉬움이 남는군요. 왜냐하면, 훨씬 더 많은 매개의 기능과 매개자의 유형이 있거든요. 하지만 자신 있게 말할 수 있는 게 있습니다. 매개, 매개능력에 관심이 있는 당신에게 안성맞춤인 참고문헌이 있거든요. 감히 전 세계 어느 저작보다도 세분화된 도서라고 말하고 싶습니다. 저의 '매개 3부작'입니다. 먼저 매개의 8가지 유형과 각 유형별 매개자의 성공요인이 서술된 《매개하라》를 보기 바랍니다. 물론 유형에 따른 인문 사회적 고찰과 산업경제적 사례도 구비되어 있습니다. 그리고 사람과의 관계에 작용하는 매개에 집중하고 싶다면, 《매개하라》의 인간관계 버전인 《거리 두기》(《디스턴싱》으로 재출간)를 권합니다.

3부작의 마지막은 《당신의 퀀텀리프》입니다. 매개능력 증진의 목적인 부와 권력, 지식의 현대적 의미를 해석한 책으로, '남은 또 다른 나'를 우리가 왜 마음에 새겨야 하는지에 대해 집요하게 파헤쳤습니다. 이 3부작은 매개능력뿐 아니라 이후의 '규정능력'과 '전환능력'에도 참고가 될 겁니다. 제가 말하는 넓은 의미의 매개능력은 곧, 앞으로 나올 이 두 능력까지 아우르는 '연결역량'이기 때문입니다. 3권의 책은 사실 '연결역량', 즉 넓은 의미의 매개능력에 대한 것이니까요. 암튼 이렇게까지 강조하는데, 관심 가져줄 만하지요?

알게 될 것입니다. 매개는 시야를 넓혀줍니다. 사이에 들어가면 안 보이던 것이 보입니다. 매개는 가치도 높여줍니다. 사이에 들어가면 없었던 것을 얻습니다. 잘 모르겠다고요? 그럼 이건 어떻습니까. 매개능력으로 여러분의 시야를 넓히고 가치를 높이지 못하면, 아쉽지만 그것으로 '끝!', 그럴까요? 결코 끝이 아닙니다. 매개하지 않으면 매개당합니다. 당신이 매개자가 되지 않으면 남이 매개자가 되어 당신을 매개할 것입니다. '당신은 또 다른 남'이 되어 남을 위해 애쓰고 노력하고, 소모되고 소비될 것입니다. 단도직입적으로, 잡아먹지 않으면 잡아먹힙니다. 너무 과했죠? 눈이 번쩍 뜨이라고 그랬습니다. 매개할 것인가, 매개될 것인가? 여러분의 선택입니다. 매개는 여러분이 (당하지 말고) 선점해야 할 능력입니다.

어떤가요? 여러분은 매개하고 있습니까? 지금이 초연결 시대가 맞다고 생각한다면, 초연결 사회에서 성공하고 싶다면, 초연결 세상에서 앞서가고 싶다면, 사이로 들어가야 합니다. 매개자가 되고, 매개능력을 키워야 합니다. 다 설명하지 못한 아쉬움이 크지만, 방금 소개한 매개 3부작에 나오는 방법까지 익히길 바랍니다.

인생에 한 번은 책을 써라

누구나 인생에 한 번씩은 경험하는 순간이 있습니다. 뭔가 오랫동안 머릿속 한구석에, 마음속 한편에 남아 있던 것이 치오르는 순간. 뭔가 뒤죽박죽이던 것이 한 번에 가지런히 정돈되는 듯한 느낌, 마지막 하나의 퍼즐이 채워지며 완성되는 듯한 느낌이 불현듯 찾아오는 순간 말입니다.

전공 얘기를 길게 한 김에 제 세부전공까지 밝히자면, 신기술이 기업과 사회, 개인에게 미치는 영향과 그 수준을 연구하는 것입니다. 기업 관점으로는 신기술의 수용으로 시장과 고객이 어떻게 변하는지를 보는 것이고, 이를 대응하는 경영전략과 신사업모델을 만드는 것이지요. 얼핏 들어도 바쁘겠지요? 초짜 교수일 때는 의욕과 시간은 넘쳐도 일거리가 부족했는데, 지금은 일하자는 곳은 넘쳐도 의욕과 시간이 부족합니다. 세상 참 공평하네요. 배가 불렀는지 자꾸 배가 나오고요.

진짜 세상 공평한 건, 오랜 사색과 꾸준한 고민은 결코 배신하지 않는다는 것입니다. 꼭 나름의 결실을 줍니다. 물론 운도 따르면 더욱 좋겠죠. 저의 운은 세상의 변화였습니다. 2000년대 인터넷, 인터넷비즈니스, 닷컴기업의 열풍이 몰아칩니다. 세상이 들썩거리고 새판이 깔렸죠. 많은 일이 있었고 여러 사색이 시작되었습니다. 2010년대에는 지금 우리가 너무나도 익숙하고 당연하게 쓰고 있는 많은 서비스가 태동합니다. 세상이 요동치고 판은 재편되었죠. 많은 일이 있었고 여러 고민이 이어집니다. 2000년대가 '없었던 디지털 세상'이 창조된 시기였다면, 2010년대는 '있었던 아날로그 세상'이 재창조된 시대였습니다. 디지털 세상과 본격적으로 어우러졌으니까요.

사람들이 그러더라고요. 기업도 많이 알면서 주식 안 사고 뭘 했느냐고요. 애플 주식은 그렇다 치더라도요. 뭐하긴요. 일하고 사색하고 고민했죠. 이런 고민을 했습니다. 단순히 새로운 기술이 이렇다 저렇다, 새로운 기업과 사업은 이렇다 저렇다, 새로운 시장과 고객은 이렇다 저렇다, 이런 얘기들이 중요하기는 하지만 상대적으로 어렵지 않습니다. 현실에 입각한 현상을 분석하고 정리하면 되는 것들이지요. 그러나 좀 더 심층의, 본질에 가까운 것, 변화의 원인이 되고 결과가 되는 것을 알고 싶었습니다. 최소한 한 꺼풀, 한

겹 밑에 존재하는 것들 말이죠. 과연 그것이 무엇일까? 그것을 알면 더 많은 곳의 더 많은 사람이, 더 많은 일에 적용할 수 있지 않을까? 그런 사색과 고민의 나날들이었습니다. 주식 안 사고 말이죠.

그리고 섬광의 순간을 맞이했습니다. 섬광처럼 스치는 생각의 전율을 온몸으로 느꼈습니다. 학자로서 평생 딱 한 번 경험한 순간은 아니었지만, 그래도 색다르고 남다른, 잊지 못할 순간을 맞았습니다.

순간 머리가 띵해졌다. 아이스 아메리카노의 얼음을 깨물고 으깨니 갑자기 멍해졌다. 정확히 말하면 치아가 얼얼하고 냉기가 신경을 타고 올라 머리까지 아팠다. 그런데 그 얼얼함과 통증만으로 띵하고 멍해진 것은 결코 아니었다.
"아, 현실에는, 이 모든 현실에는, 지금까지 번잡하게 스쳐 가며 오가던 모든 생각과 상황에는…."
한 가지가 있었다. 하나의 공통된 뭔가가 있었다.
그것이 서서히 머릿속에, 눈앞에 윤곽이 잡히다가, 입안에 맴돌았다. 오후 내내 머물던 심통과 짜증에 살짝 피곤하여 포기하는 마음이 겹쳐져서 그것을 입안으로 삼키려 했다. 그러나 도저히 견딜 수 없는 한 덩어리가 목구멍 속으로 넘어가지 못하고 드디어 입 바깥으로 튀어 나왔다.

"매…개, 매개!"

존재 사이의 존재, 사이 존재, 존재 사이에 낀 존재. 그러나 부와 권력을 끌어 모으는 자, 얄밉지만 영리한 매개자.

2015년 출간한 《매개하라》의 프롤로그, '판도라의 상자는 열렸다'에 나오는 구절입니다. 아직도 종종 물어보는 사람들이 있습니다. '매개'라는 단어를 어찌 쓸 생각을 했냐고. 흔하지 않지만 은근히 흔하고, 쉬운 용어는 아니지만 은근히 많이 쓰는, '매개'를 어떻게 끄집어냈느냐고. 오랜 사색에 연유한 것이겠죠. 좋게 봐주시는 독자들이 힘내라 응원해주며, 어찌해서 인문사회와 경제경영, 그리고 문화예술과 과학기술 얘기들을 잘 엮어 설명했느냐고 칭찬해줍니다. 부끄럽습니다만, 꾸준한 고민에 연유한 것이겠죠. 오랜 사색과 꾸준한 고민이 조금이나마 의미 있게 발현되었다면, 모두 그간에 애써온 매개능력 덕분입니다. 여러 얘기를 잘 엮는 것도 '매개'니까요. 《매개하라》 역시 매개능력으로 집필했음을 고백하지 않을 수 없군요.

위 구절에 묘사된 깨달음의 장소로, 책에는 '광화문 스타벅스'가 등장합니다. 하지만 그건 사실이 아니고요. 독자들의 매끄러운 글 읽기를 위한 설정입니다(1장 분류능력에서도 '광화문 스타벅스'가 등장했는데, 그건 설정이 아닙니다). 그러나 나머지는 실제의 일이었습니다, 아이스 아메리카노도요. '매개'라는 단어는 앞서 언급한 마르크스가 저에게 선사해준 단어입니다. 그의 책을 보다가 도저히 견딜 수 없는 한 덩어리가 목구멍 속으로 사라지지 못하고 입 바깥으로 튀어나왔죠. 마르크스의 선물과 마찬가지로 책에 등장한 많은 논리, 고찰, 사례는 모두 남의 것입니다. 저의 것이 아니며, 저는 그저 엮기만, 연결하기만, 매개자로 매개하기만 한 것입니다. 스티브 잡스의 말처럼,《매개하라》가 독창적이라 치켜세워주는 이들에게 죄책감을 느낄 수밖에 없습니다. 그렇지 않나요? 오래 꾸준하게 한 생각에 빠져 있다 보면 모든 것이 그 생각 주위로 돌아갑니다. 주위에 도는 것들을, 중앙에 자리 잡고 지켜보다가 적절히 골라서 적당히 연결하면 얘기가 탄생하는 거죠. 사이에서 매개자로 중심 잡고 매개능력으로 글을 쓰는 거고요.

매개능력의 원천

저에게 매개능력이 있다면, 그것은 아마도 3가지 원천의 도움을 받은 것 같습니다. 이 또한 여러분의 매개능력 향상에 참고가 되기를 바라는 마음으로 밝히겠습니다. 첫째는 저의 전공입니다. 이미 많이 얘기했죠? 산업공학의 한계,

한계로 인한 장단점. 그런 전공의 영향으로 자연스레 매개의 기회가 많았으리라 싶습니다. 그렇다고 산업공학을 전공해야 한다는 뜻은 아닙니다. 융합과 연결의 시대 아닙니까? 어떤 분야를 전공하더라도 매개의 관점을 지향하면 됩니다. 그러한 접근을 마음에 간직하고 몸에 익히면 됩니다.

둘째는 책이지요. 직업이 대학교수니 전공 책을 포함하여 책 보기가 일상입니다만, 매개에 도움이 되는 책은, 더 편한 마음으로 접하는 일상의 책입니다. 교양서적이라 할까요. 다양한 분야의 책은 사고의 폭을 넓혀줍니다. 당연하지 않겠습니까? 폭이 넓어야 연결하고 매개할 게 다채로워지겠죠.

온라인 콘텐츠가 폭증하여 정보를 향유하는 경로가 적지 않습니다. 그러나 종이책은 특별합니다. 책을 가까이하는 누구나 알고 있겠죠. 책을 손에 쥐고, 책장을 넘기며, 정독과 속독을 병행합니다. 행간에 드러나는 저자의 생각을 읽고, 거기에 다시 자신의 생각을 씁니다. 책을 열어 생각을 부양하고 책을 덮어 생각에 침잠합니다. 폭넓은 사고가 깊이를 가지려면 필수적인 과정입니다.

이러한 종이책에 대한 집착과 궁합이 맞는 세 번째 원천은 음악입니다. 어쩌면 유달리 저에게만 국한된 것 같기도 하고요. 저의 삶은 항상 음악과 함께였습니다. 집에서, 학교에서, 차에서, 항상입니다. 특히 책을 볼 때 합이 맞는 음악은 사고에 리듬과 율동을 주어 생각의 근육이 생성되는 데 한몫하더라고요. 책을 보며, 음악을 듣고, 차 한잔 마시는 기쁨을 뭐라고 형용할 수 있을까요. 형용할 필요가 있을까요. 사색이 깊어지고 연결이 창발하며 매개의 능력이 숙성하는 시간입니다.

그리고 하나 더. 책을 읽는 것으로 끝내지 마세요. 기회가 된다면 꼭 책을 써보세요. 고생스럽긴 하지만 좋은 점이 많습니다. 그래서 그런지 근자에는 책 쓰는 사람이 정말 많습니다. 참고할 정보도 많고, 접근도 수월하고, 집필 작업과 출판 작업이 용이해진 영향도 있을 것입니다. 이런저런 이유는 차치하고, 매개능력의 습득이나 발현을 위해서는 단연 책 쓰기가 최고입니다. 책은 크게 문학서적과 실용서적으로 나눌 수 있습니다. 예술적 가치를 우선시하는 문학서적은 논외로 하겠습니다. 제 책도 주로 정보를 제공하는 실용서적이죠.

이 실용서적도 작가의 글쓰기 방식에 따라, 2가지로 나눌 수 있습니다. 하나는 산발적 글쓰기이고, 또 하나는 구조적 글쓰기입니다. 어느 쪽이 더 좋다고 말할 수는 없습니다. 그렇지만 훨씬 쉽게 집필할 수 있는 방식은 산발적 방식이죠. 주제와 주제 범위의 윤곽이 잡히면 바로 쓸 수 있습니다. 일단 먼저 쓴 다음에, 책 제목에 준하는 대주제를 정하는 경우도 심심치 않게 있고요. 산발적으로, 개별적으로, 에세이식으로 그때그때 쓰고 싶은 내용을 씁니다. 이렇게 모아진 글 20~30개를 몇 개의 그룹으로 나누고, 그룹별로 중간 제목 붙이고, 전체의 구성과 글을 다듬으면 어쨌거나 책의 모양이 되는 거죠.

그러나 저는 구조적 글쓰기를 고집합니다. 전자보다 더한 고통과 고생이 수반되는 방식입니다. 남의 책을 고를 때도 (개인적 취향입니다만) 구조적으로 집필된 책을 선호합니다. 주제에 대해 충분한 지식을 확보하고, 그 지식을 전달하기 위해 치열하게 고민한 저자는 대개 구조화된 책을 집필한다고 생각하기 때문입니다. 먼저 대주제를 정한 다음 중주제를 잡고, 다시 소주제로 나누어 갑니다. 주제별로 들어갈 내용을 안배하고, 각 내용의 흐름과 수준을 일관되게 유지하려고 애씁니다. 바텀업bottom-up의 산발적 글쓰기와는 달리, 톱다운top-down의 구조적 글쓰기는 소주제 하나를 집필할 때에도, 모든 다른 소주제를 동시에 떠올리는 과정을 수반합니다. 말이 좋지, 일관된 흐름과 수준은 쉽사리 얻어지는 것이 아니니까요.

말하고 싶은 요점은 이겁니다. 구조적 글쓰기는 지식의 연결, 즉 매개능력으로 가능한 작업입니다. 그러니 이를 염두에 두고 글을 읽는 것과 쓰는 것, 이 모두 매개능력의 습득과 발현에 긴밀한 관련이 있다는 사실입니다.

실용서적을 쓰고자 하는 여러분께, 반드시 처음부터 구조적 글쓰기를 하라는 것은 아닙니다. 그렇지만 구조적으로 나이스하게 써진 책을, 그런 노고를 아끼지 않은 저자를 인정해주는 시각은 필요하다는 얘기입니다. 그런 시각이, 결국 매개 습관과 매개능력 함양에 밑천이 될 테니깐요. 이 대목에서 이 책의 목차를 한번 봐주세요. 매개자의 자세로 처절하고 철저하게 구조적 글쓰기에 매달린 노력의 흔적이 보일 겁니다. 그렇다고 오해는 마세요. 제가 고집하는 방식이라서 바람직한 것이 아니고, 바람직한 것을 아니까 고집하는 방식이라고 생각해주길 바랍니다.

매개능력이 곧 편집능력

'편집력'이라는 말 들어보았나요? 각종 콘텐츠 제작의 꽃이죠. 콘텐츠를 제작하는 측면에서는, 매개능력이 곧 편집능력입니다. 정보의 홍수를 살아가는 요즈음에, 편집이 얼마나 심대한 영향력을 미치고 있는지는 더 설명할 필요 없겠죠? 뉴스도 편집한 것이고, 방송도 편집한 것입니다. 뉴스와 방송 자막, 다 편집자가 한 것입니다. 영화 시나리오

작가나 영화감독이 되려면 모두 편집능력이 관건이고요. 일본의 세계적 거장 영화감독인 구로사와 아키라는 말합니다. "영화의 본질은 편집이다." 세계적이라 할 순 없지만, 일본에서는 거장인 마쓰오카 세이고는 《지知의 편집》에서 편집력을 강조합니다. 읽어볼 만한 책입니다.

지식의 매개가 책이고, 지식의 매개자가 작가이다 보니 책 얘기를 꽤 했습니다. 매개능력인 편집력도 말했고요. 책을 읽거나 쓰거나, 책의 내용으로나 형식으로나, 매개의 관점과 매개의 능력을 구비하면 큰 힘이 됩니다. 어차피 인간이 인생을 살아가면서 접하는 거부할 수 없는 소중한 가치에, '사랑', '자유', '희망', 이런 것들이 있다면, 소중한 물건에는 '책'이 포함되어 있지 않을까요? 책이 있는 풍경을 누군들 찡그리며 바라볼까요. 게다가 음악의 선율과 차의 향기까지 곁들인다면요. 매개능력의 정점인 책을 쓰세요. 책을 좋아하지만 말고, 읽지만 말고, 인생에 한 번은 책을 써 보세요. 그리고 잊지 못할 섬광의 순간, 전율의 순간도 맞이해보세요.

나는 황무지의 작은 연못 속 작디작은 물고기로 남기로 한 결정을 후회하지 않는다.
낚시꾼이 날마다 낚시를 하러 가느냐는 그다지 중요하지

않지만, 언제라도 갈 수 있다는 것은 중요한 문제다.

가족이든 친구든 낚시든 진정으로 사랑하는 대상과 가까이 있는 것이야말로 기쁨의 원천인 것을.

이 구절은 제 책의 문장이 아닙니다. 무슨 자기애, 자존감 과잉도 아닌데, 2개나 연속해서 쓸 수는 없죠. '매개 3부작'의 집필을 마치고 한숨을 돌리고 있는 어느 날 눈에 들어온 책입니다. 폴 퀸네트Paul Quinnett의 《인생의 어느 순간에는 반드시 낚시를 해야 할 때가 온다》죠. 스스로에게 질문하던 시기였습니다. 내가 작은 물고기인지, 연못이 작은 것인지, 아니면 황무지라 어쩔 수 없는 것인지. 답은 아직 모르겠습니다.

그러나 나름 바쁜 제 본업 와중에도, 했습니다. 매일 책을 읽고 글을 쓰는 것은 그다지 중요한 문제가 아니지만, 언제라도 할 수 있다는 것은 중요합니다. 진정으로 사랑하는 삶과 삶의 방식에 가까이 있는 것이야말로 기쁨의 원천인 것을 깨달았으니까요. 여러분도 그렇게 하기를 바랍니다. 진정으로 사랑하는 대상에게 언제라도 갈 수 있을 만큼 가까이 있기를 바랍니다. 그러니 인생에 한 번은 책도 쓰고요. 매개능력도 키우고요. 그러기 위해 사이로 들어가기도 하고요.

8

룰을 정하는 자가 되라

_ 규정 regulation

똑똑한 바보가 되고 싶나요?

똑똑한 바보? 설마 여기서 '똑똑한'이 먼저 와닿지는 않았
겠지요? 결국은 '바보' 얘기입니다. 똑똑해봐야, 똑똑한 척
해봐야 결국은 바보라는 거죠. 지금 세상에서 똑똑한 사람
들이 많이 하는 일이 '사업'입니다. 창업가나 기업의 CEO
가 그들이죠. 그런 그들이 어떻게 바보가 되어가는지를 집
요하게 연구하는 교수가 있습니다. 스탠퍼드 대학의 로버트
서튼Robert Sutton은 주저 없이 이들을 '멍청이(asshole)'라 부
릅니다. 사실 영어 표현은 훨씬 강하지만요.

그의 오랜 관찰의 결론은 이겁니다. "기업의 리더는 언
제나 아첨을 더 좋아합니다. 그들을 멍청이로 만드는 방법
은 간단합니다. 리더의 행동을 비판하지 않고, 하라는 대로
만 하는 직원들을 주위에 잔뜩 두면 됩니다." 과연 그럴까
싶었습니다. 아무리 그래도 똑똑한 사람들인데, 그 정도의
주의사항은 익히 알 만한 사람들인데 말입니다.

그러나 그의 지론을 거부하기가 어렵게 되었습니다. 비단 그가 저와 같은 전공의 교수라는 유대감 때문은 아니었습니다. 그의 관찰이 저의 성찰로 이어지는 순간, 고개가 끄덕여지더라고요. 사회생활을 하다 우정을 쌓은 인연이 꽤 됩니다. 원래 사교적인 데다 술자리도 즐기는 편이어서 좋은 친구들을 적지 않게 사귀었습니다. 나이도 있고, 그간 각고의 노력도 해온 이들이라 CEO들이 많은데, 서로를 존중하고 서로의 얘기를 귀담아 들어주는 좋은 친구들이죠.

그런데 생각해보았습니다. 과연 늘 그럴까? 모든 사람에게 늘 그럴까? 일단 저부터. 과연 얼마나 학생들의 말을 귀담고, 학생들의 의견을 마음 담고 있을까요? 그런 척하지만 실상은 귀와 마음을 닫고 있는 건 아닐까 하는 의구심이 치밀어 오릅니다. 게다가 저야말로 늘 "네, 교수님!", "그렇죠, 교수님!" 하며 제 얘기를 비판 없이 받아들이는 학생들에게 둘러싸여 사는, 혹시 그 멍청이 아닐까요?

그리고 그들, CEO들. 수년 수십 년에 걸친 경쟁에서 생존한 그들입니다. 자신의 선택에 책임과 의무를 다하며 자신에 대한 신념을 하루하루 다져왔던 사람들이죠. 그러한 그들에게 비판을 가하는 것은 쉽지 않습니다. 회사에서 모두의 상사인 그들의 신념에 반기를 들 직원을 찾기는 쉽지 않겠죠. 그러니 학업성적을 평가하는 교수가 학생에게, 직무고과를 평가하는 CEO가 직원에게 '듣기 좋은 말'을 듣기란 결코 어렵지 않겠죠.

존재가 아니라 관계

왜일까요? 만일 저와 그들에게 그런 증상이 있다면, 왜 그럴까요? 만나면 그토록 매너 좋고, 배려 있고, 상대를 존중하는 친구들이, 왜 직장에서는 그러지 않을까요? 왜 점점 바보와 멍청이로 변해갈까요? 그렇게 되지 않으려고 나름 바짝 신경 쓰고 있는 똑똑이들인데 말이죠. 결국은 존중의 문제입니다. 존중하니 귀담아, 마음 담아 들어주는 것입니다. 명색이 선생이라고 인정해주고, 한 회사의 리더이자 수장이니 인정해줍니다. 우리끼리야 어차피 직장에서 부딪힐 일도 없으니, 때론 잔소리와 쓴소리를 해도 존중하여 받아들여주는 것입니다.

그렇다면 문제가 더 심각해집니다. 그렇다면 교수가 학생을, CEO가 직원을 존중하지 않는다는 말인가요? 물론 그건 아닙니다. 저도, 제 친구들도 그 정도로 멍청하지는 않거든요. 포인트를 두어야 할 곳은 존재가 아니라 관계입니다. 존중이 부족한 대상은 학생이나 직원이라는 존재 자체가 아니라, 교수-학생 또는 CEO-직원의 관계라는 얘기입니다. 그 관계의 상황과 입장에서 존중의 결여가 나타나는 것이겠죠.

정치학과 사회학, 심리학과 경제학 등 인간의 관계에 대한 모든 연구결과가 뒷받침합니다. 사람은 누구나 권력을 더 많이 가질수록 타인을 위한 공감은 줄어들고, 자신을 위한 욕구는 늘어난다는 사실을요. 가끔 접하는 이해 못 할 뉴스가 있죠. "와, 어떻게 저런 위치에 있는 사람이 저런 어처구니없는 일을 했을까?" 하며 놀라곤 합니다. 다 그런 이유입니다. 권력에 도달하는 사투의 과정에서 끊임없이 공감을 줄이고 욕구를 늘린 탓이죠. 권력이라 하기 뭐하다면, 권한이라 순화해보겠습니다. 교수-학생, CEO-직원 관계에서 권한의 추는 분명 한쪽으로 기울어져 있습니다. 그 권한과 권력이, 그 관계의 입장과 상황이 사람을 바보로 만드는 것이지요.

그러나 아직 의구심이 조금 남습니다. 그러기에는, 그렇게 뻔한 바보가 되기에는, 충분히 똑똑한 사람이 많거든요. 의식적으로 의도적으로 공감을 늘리고 욕구를 줄이는 노력을 견지할 정도의 똑똑함은 견지하는 사람이 정말 많거든요. 그래서 남은 의문을 해소하기 위해 한 꺼풀 더 밑으로 가봐야 할 것 같습니다. 저와 저의 소중한 친구들에 대해 생긴 의문이니 여기서 중단하지 말고 그 저변을 들여다봐야겠죠? 곰곰 골똘히 노심초사하던 차에, 다시 '똑똑한 바보 연구의 대가'가 힌트를 주었습니다.

성공한 리더, 그러나 멍청해져 가는 그들에게는 '나는 이겼고 너는 졌다'의 사고방식이 강하다고 합니다. '아, 그렇구나. 그러니 그렇구나.' 나름 성공한 자, 그간 성공해왔던 자, 수많은 경쟁에서 살아남으며, 수많은 경쟁을 진두지휘하는 그들에게는 그렇지 않겠습니까? 경쟁에서 승리한 그들의 관념에는 승과 패의 명암이 뚜렷이 각인되어 있지 않겠습니까? 칭송과 복종으로 점철된 아첨마저 이긴 자의 축복으로 당연시하지 않겠습니까? 그러니 자신에게 패한 자, 또는 남을 이겨보지 않은 자에 대한 공감과 존중이 떨어지는 것 아니겠습니까? 그런 누를 범하며 서서히 멍청이가 되어가지 않겠습니까?

진정한 승리

자, 이제 스스로에게 물어볼 시간입니다. 여러분과 여러분 주변은 어떤가요? 저와 저의 친구들만의 얘기인가요? 성공했든 아니든, 똑똑하든 아니든, 우리 대부분의 이야기 아닌가요? 이긴 자와 진 자, 가진 자와 못 가진 자의 구분이 명확하고, 이기고 가지기 위해 승리를 갈구하고 있지 않나요? '승' 아니면 '패'의 논리로 경쟁하며 아직 이기지 못한 자와 아직 가지지 못한 자에게 귀 닫고 마음 닫고 있지는 않을까요? 또는 자신만의 신념과 고정관념으로, 혼자만의 승리에 도취된 것 아닐까요? 그래서 공감능력 떨어지는 바보 명청이가 된 것 아닐까요?

관계에서의 승리란 무엇일까요? 상대를 무찌르고 제압해 굴복시키는 것인가요? 그런 일은 없습니다. 상대에 대한 존중은 눈곱만큼도 없고, 상대 존재의 씨를 말려야 승리라 일컫는 전쟁의 역사가 아닌 다음에야, 그러한 승리는 이제 없습니다. 영원한 승리와 영원한 패배는 없습니다. 심지어 초토화되었던 패전국도 다시 일어서고, 쫄딱 망해가던 조직도 부흥하고, 꼴딱 넘어가던 사람도 부활하는 마당에 영원한 승리와 패배가 어디에 있을까요? 개개인의 존엄한 가치를 존중하는 사회에서는, 패자와 약자를 그냥 그대로 남아 있도록 절대 놔두지 않습니다. 바로 그렇듯, 절대 승자와 강자도 그냥 놔두지 않습니다. 현실에는 엄연한 승과 패가 있지만, 그 승패가 지속되지 않음도 엄연합니다. 승자가 패자 되고, 패자가 승자 되는 섭리를 알기에, 승자도 승리를 표방하지 않고, 패자도 패배를 인정하지 않습니다. 승패의 논리가 불안하고, 승과 패의 명확한 구분이 불안정한 이유입니다. 그렇다면 관계에서의 진정한 승리란 무엇일까요?

똑똑이가 멍청이가 되고, 과거의 승자가 현재의 패자가 되는 첩경은 주변과 함께하지 못하는 것입니다. 얼핏 함께인 듯 보이지만 주위의 사람들과 공감하지 못하니 실상은 외톨이인 거죠. 함께하는 사람들을 마음속으로 존중하지 못합니다. 근원적으로 승자와 패자로 양분화된 논리로 관계의 승리를 보는 데에서 비롯된 것이죠. 그렇다면 이렇게 생각해보면 되겠네요. 관계의 진정한 승리가 무엇인지 알아보기 위해서, 과연 서로를 존중하는 것이 최우선인 관계가 무엇인지 생각하고, 그 관계에서의 승리의 방식이 어떤 것인지 배우면 되겠네요.

어떤 관계가 그럴까요? 이견 없이 가족관계일 겁니다. 진실한 우정과 애정 관계도 그렇고요. 서로를 존중하고 아끼는 관계입니다. 상대에게 귀와 마음을 여는 정도가 아니라 상대의 깊은 속을 듣고자 애씁니다. 그런 그들 사이에 이기고 지는 '승-패'가 있을까요? 그 관계에 만일 승자와 패자가 있다면 그 관계가 진실하다고 할 수 있을까요? 존중의 관계는 당연히 '승-승'을 추구합니다. 서로 잘되기를 바랍니다. 상대가 이겨서 기쁘면 나도 기쁘고, 그래서 나도 이긴 셈이지요. 그런 관계입니다. 그렇습니다. '승-승'에 도달할 수 있다면, 그 관계에서 승리한 겁니다. 패자도 없고, 패자로 바뀔 일도 없고, 패자의 부활과 복수를 두려워할 필요도 없으니까요. 똑똑한 바보가 될 염려도 없고요.

압니다. 이겨야죠. 승리해야죠. 결국은 승리하자고, 경쟁에서 이기자고 역량과 능력을 키우는 것 아니겠습니까? 남 좋은 일이나 하자고 이 책을 보는 건 아니잖습니까? '승-승'의 관점은 현실의 실리로 따져봐도 궁극적인 승리이기 때문에 그리하자는 것입니다. 더 큰 승리, 더 지속적인 승리, 복수와 보복의 위험에서 자유로운 승리, 때론 실리와 명분을 모두 챙길 수 있는 승리를 원한다면, 갈고닦아 내면화시켜야 할 관점입니다. 얘기했죠? 승자와 패자를 그 위치에 그냥 그대로 남아 있도록 절대 놔두지 않는 세상이라고요. 상생, 생태계, 플랫폼…, 다 그런 의미에서 시작된 개념입니다. 갑질과 을질, 다 그런 세상이라는 뜻에서 발현된 용어입니다.

쿼드 프로 쿼

로버트 서튼보다 훨씬 유명한 스티븐 코비는, 자기계발서 역사상 최고 베스트셀러인 그의 책《성공하는 사람들의 7가지 습관》에서 '승-승'에 대해 유달리 많은 지면을 할당합니다. 그만큼 중요하고 어렵다는 얘기겠죠. 저와 제 친구가 똑똑하다고 하기도 뭣하지만, 바보라 하기도 그렇지 않겠습니까. 바보가 아닌 저희도 헤어나지 못하는 '승-패'의 사고방식이, 동시대 같은 사회를 살아가는 여러분과 상관없다고 하지는 못하겠지요. 누구는 이기고 누구는 지는 게임으로 세상과 관계를 보면, 사람은 누구나 자기방어적이 됩니다. 이기기 위해, 지지 않기 위해 방어를 하는 과정에서 자연스레 상대의 결점을 찾고 상대를 탓하게 되겠죠.

그런 적 있죠? 탓을 돌리려는, 결점 많은 상대를 존중할 리 없습니다. 상대에 대한 이해와 배려가 고갈됩니다. 의식적으로 무의식적으로 상대를 무시하게 됩니다. 그런 적 있죠? 경쟁에 몰입하고 자신만의 승리에 집착하다 보면, 어느 순간에는 원래의 목적도 잊은 채, 이기는 것 자체가 목적이 된 자신을 발견하곤 합니다. 그래서 인간관계에서 외톨이가 되고, 비즈니스 관계에서 멍청이가 됩니다. 그런 적 없기 바랍니다.

스티븐 코비는 '풍요의 심리'를 강조합니다. 이 세상에는 사람들을 위해 많은 것이 풍부하게 존재한다는 패러다임을 마음에 지녀야 한다는 겁니다. 밥그릇을 놓고 치열하게 싸우지 말고, 그릇도 많고 밥도 많다는 생각을 우선 가져야 한다는 거죠. 흔히 말하는 '파이 키우기'보다 한 수 위 발상입니다. 파이가 여기저기 많이 있다는 긍정적 심리를 품자는 메시지입니다. 협상과 설득은 '승-승'으로 가는 과정입니다. 협상과 설득에 대한 3권의 책을 꼽자면, 로버트 치알다니Robert Cialdini의 《설득의 심리학》, 허브 코헨의 《협상의 법칙》, 그리고 스튜어트 다이아몬드Stuart Diamond의 《어떻게 원하는 것을 얻는가》 정도입니다.

이들 책에 공통적으로 나오는 요점은, '상대의 승리를 생각해보라'입니다. 상대가 원하는 것, 상대가 얻고자 하는 것을 고려하고 배려하라는 거죠. 내가 원하는 것을 얻으려면, 상대가 원하는 것도 얻게 해주라는 말이니, 결국 '승-승' 하라는 말이죠.

과학적 근거도 있습니다. 스티븐 코비보다 더 유명한지는 모르겠습니다만, 학술적인 성취만큼은 비교 불가의 사람도 '승-승'을 뒷받침합니다. 노벨경제학상에 빛나는 수학자, 존 내쉬John Nash. 그는 게임 참여자가 서로를 의식하며 협조하면, 각자 개인의 몫이 커짐을 수학적으로 증명합니다. 그의 굴곡진 일생을 다룬 영화 '뷰티풀 마인드'에서는 이런 대사로 표현되죠. "최고의 결과는, 집단 내 개인이 자신은 물론 소속된 집단을 위해서 최선을 다해야 실현된다." 이는 개인이 자신만의 이익(승리)을 추구할 때 최고의 결과가 나온다는, 당시의 애덤 스미스의 주류 경제학을 비트는 논리죠. 이것은 후에 그 유명한 '내쉬 균형'의 토대가 되는 발상입니다. '승-승'의 발상이기도 하고요.

스티븐 코비보다 무조건 더 유명한 도널드 트럼프, 정치인으로 평가는 훌륭하다 보기 어렵지만, 사업가로서의 수완은 인정하지 않을 수 없죠. 사실 앞서 말한 협상과 설득에 관한 3권의 책보다 제가 더 좋아하는 책은, 그가 사업가 시절에 쓴 책《거래의 기술The Art of the Deal》입니다. '딜deal'이라는 단어가 들어간 영어 제목에서도 느껴지죠? 훨씬 날 것의, 신선한 경험지식입니다. 먹고 먹히는 승부사 시절, 그가 지켰다는 룰이 있답니다. 힐튼 그룹으로부터 싼값으로 카지노를 사들일 때 한 말입니다. "나는 2억 5,000만 달러를 제시했다가 다시 3억 2,000만 달러를 통보하여 사들였다. 이런 종류의(승기를 잡은) 협상에서는 너무 약삭빠르게 굴면 안 된다는 것을 아니까." 혼자만 과하게 이익을 보는 것은 좋지도, 옳지도 않다는 거래의 법칙이죠.

대통령 시절, 우크라이나에 대한 군사원조를 정치적 목적으로 활용했다는 스캔들에 휘말렸을 때, 그가 트위터에 올려 대유행시킨 단어가 있습니다. '쿼드 프로 쿼quid pro quo'죠. 영어로 '섬씽 포 섬씽something for something'을 뜻하는 라틴어입니다. '무엇을 위한 무엇'이니 '대가성代價性'의 의미입니다. 우크라이나의 원조에 대가는 없었다고 항변할 때 사용한 단어입니다. 그의 항변에도 불구하고 대통령 탄핵의 벼랑 끝까지 몰린 이유는, 모두가 그의 기술을 알기 때문이죠.

줄 건 주고, 받을 건 받는 '거래의 기술' 말입니다.

그런데 아세요? '퀴드 프로 쿼'는 '승-승'의 뜻으로도 쓰입니다. 기본적으로 그런 발상입니다. 합법적이지 않은 이득으로 활용되는 경우가 문제이지, 기본적으로는 합리적입니다. 혼자만 좋자는 발상은 결코 아닙니다.

어떤가요? 로버트 서튼과 스티븐 코비가 웅변합니다. 로버트 치알디니, 허브 코헨, 스튜어트 다이아몬드도 설득합니다. 존 내쉬가 증명하고 도널드 트럼프가 항변합니다. 외국 사람들뿐 아니라 저와 제 친구들도 방증합니다. 여러분과 여러분의 주변 관계들이 은근히 알려줍니다. '승-승'으로 가라고. '승-패'를 버리고 '승-승'의 사고로 가야 진정으로 승리한다고. 그러니 '승-승'을 만드는 실천적인 능력, 규정능력을 키우라고.

로워 더 워터라인

역병의 시대, 비대면의 세상이 열리며 넷플릭스가 대세 폭발했습니다. 그러면서 우리의 콘텐츠도 날개를 답니다. '킹덤'으로 시작해 '스위트홈', 전 세계 1위에 오른 '오징어 게임'과 '지옥', '지금 우리 학교는'까지. 몇 개의 편으로 한 시즌을 이룬 한국 드라마의 부상이 예사롭지 않습니다. 그런데 그 와중에 아주 도발적인 제목으로 역시 예사롭지 않았던 작품이 하나 있었습니다. '이 구역 미친 ✕'입니다. 설정은 이렇습니다. 울화병 있는 남자의 옆집에 강박증 있는 여자가 이사 옵니다. 홍보 카피에 있듯이, 분노 조절 0%의 남자와 분노 유발 100%의 여자가 티격태격하다 종국엔 사랑이 싹튼다는 로맨틱 코미디죠.

바보 멍청이를 넘어 말 그대로 '미친 ✕' 수준의 또라이들의 결합이죠. 이런 관계에 무슨 '승-승'입니까. 100% 유발에 0% 조절이니 가히 분노 만빵인데요. '승-승'은커녕 관계 자체도 성립되기 어려운 커플이지요. 이런 비정상 커플의 로맨스 영화의 대표선수라 할 수 있는 '실버라이닝 플레이북'도 제목에서 함축해줍니다. 표면의 모습과 행동만 보면 이러한 커플의 로맨스가 성립되기는 '어둠 속의 한 줄기 빛과 같은 희망(silver lining)'이겠죠.

표면적으로 궁합 제로의 미친 또라이 X 커플이 해피엔딩의 결말을 맞았다는 건, 명확한 또 다른 결론으로 안내합니다. 무언가가 더 있다는 겁니다. 표면 아닌 무언가, 내면의 무언가가 있어, 그곳에서 합이 이루어졌다는 겁니다. 그러니 비정상이 정상이 되는 승화가 가능했겠지요. 예상할 수 있듯이, 자극하고 폭발하는 분노 커플의 내면에는 그럴 만한 이유가 있었고, 그 아픈 상처를 서로 알아채고 보듬어주며 사랑이 싹트고 영급니다. 그 이유와 원인을 몰랐다면, 그 내면으로 내려가보지 않았다면, '승-승'의 결말은 절대 가당치 않았겠고요.

지향능력에서 언급한 공대 교양과목 얘기 다시 꺼낼게요. 해야 해서, 누가 하라고 해서 한 수업이 아니었습니다. 과목명은 '테크노 리더십', 제 전공도 아니고 그렇다고 교과 내용이 일반적인 리더십도 아닙니다. 그저 제 나름으로, 성장기의 공대 학생들이 꼭 숙지했으면 하는 내용을 모았던 수업입니다. 예를 들면, 자아 성찰, 경쟁과 공존, 시스템 사고와 창의적 사고, 정체성과 가치관, 행복과 자기관리, 그리고 표현과 소통과 같은 것들이죠. 학교 선생으로서, 인생 선배로서 해주고 싶은 내용을, 2년 가까이 공부하고 연구해서, 준비하고 정리해서, 공들여서 만들고 진행한 수업이었습니다. 기억에 남을 멋진 수업을 만들고 싶어서죠.

알다시피 수업은 선생과 학생이 하는 것입니다. 그렇다면 선생과 학생에게 모두 좋은 수업은 무엇일까요? 수업에는 학점이 따르고 학점은 평가에 따릅니다. 선생은 학점을 주고 학생은 학점을 받고, 선생은 평가하고 학생은 평가받는 구조이죠. 마치 분노를 주고 분노를 받는 것처럼요. 이렇게 한쪽이 칼자루를 쥐고, 한 방향으로 누구는 주고 누구는 받는 시각에서, 양편이 다 좋은 수업이란 무엇이라 할 수 있을까요.

쉽지 않습니다. 일단 스티븐 코비의 충고를 좇아 '풍요의 심리'를 갖기로 했습니다. 수업의 목적이 학점이라면, 학생들은 높은 학점을 원하겠죠. 그런데 제가 줄 수 있는 높은 학점, 이를테면 A가 한정되어 있다면, 많은 학생들이 A를 받지 못할 것이고 급기야는 좋은 수업이 아니라며 만족하지 못할 테죠. 그래서 학교를 설득했습니다. "이런 유형의 수업은 수리 능력이나, 암기 능력을 진작하는 수업이 아니고…, 특정 일부만 잘했다고 하기도 어렵고…." 등등.

상대평가하지 않고 절대평가 하겠다는 거죠. 제한된 A의 비율이 아닌, 열심히 잘만 한다면 모두에게 A를 줄 수 있는 '풍요'의 평가방식을 확보한 셈입니다. 그렇게 선생과 학생에게 모두 좋은 '승-승' 수업의 첫발을 내디딘 거죠.

그런데 단지 첫발일 뿐이라는 생각이 들었습니다. 풍요롭게 맘껏 뿌린 A로 학생들을 잠깐이나마 즐겁게 할 수는 있겠지만, 선생인 저는, 인심 쓴 것으로 교육자의 본분을 다했다며 즐거워할 수 없겠지요. 아마 학생들조차도 '그 과목은 꿀이야.' 하며, '좋다'기보다는 '달다'고 했겠죠. 단맛이 떨어지면 기억도 못 할 거고요. 달리 생각해보았습니다. 표면에 드러난 학점과 평가를 벗어나 내면의 모습을 보기로 했습니다. 학점을 우리가 수업하는 본질적 이유라 할 수는 없잖아요. 학생에게 좋은 수업이란, 많은 것을 배우고, 실제 배웠다고 생각하고, 뭔가 배웠다고 오래 기억하는 수업일 겁니다. 그런 수업은 무엇보다도 대학 수업에 걸맞게, 단순 지식 주입이 아닌, 스스로 느끼고 체감하는 수업 아니겠습니까. 반면에 교수에게 좋은 수업이란 뭘까요? 그런 것을 느끼는 학생들을 보는 것이겠죠. 그런 학생들의 반응을 듣고 보며 교육자의 보람을 느끼는 수업이겠지요.

내면으로 들어가니 확연합니다. 실타래의 꼬투리는 선생이 쥐고 있습니다. 평가의 칼자루가 아니라, 선생과 학생 모두에게 좋은 수업을 만드는 출발의 끈을 쥐고 있는 이는, 결국은 저였습니다. '승-승'의 실마리는, 어쩌면 너무 당연한 사실인데, 선생인 제 손에 있음을 알았습니다. 많이 노력했었습니다. 엄청난 양의 PPT에 이전에는 없었다고 자부하는 내용을 담으려 노력했습니다. 기술과 경영, 인문과 사회, 예술과 문화 전반에 걸친 내용을, 딱 그 또래의 공대 학생들에 특화된 내용으로 준비했습니다. 간간이 유명인사를 특강 연사로 초청하여, 학생들의 머리뿐 아니라 마음의 문을 열어, 그 속으로 '서프라이즈'를 밀어 넣었습니다. 안철수, 이명박, 손석희 등, 어때요? 대충 알겠죠? 정치적인 얘기는 물론 없었습니다. 당시 현직의 고려대 총장께서 연세대 학부 수업에 와주시기도 했고요.

제발 자랑한다고 폄하하지는 마세요. 그만큼은 분명 애쓰고 열심히 강의했으니까요(너무 힘들어서 몇 년 후에는 다른 방식으로 전환했을 정도로요). 600명 가까운 학생들이 자리가 부족해 대형 강의실의 계단에 앉아 수업을 들으며, '불테리(불멸의 테크노 리더십)', '대테리(대한민국 최강 수업 테크노 리더십)'라는 별명까지 붙여주었습니다. 학생들로부터 각종 칭찬과 감사의 표현을 들었습니다. 어찌 아느냐고요? 수업 후에(평가도 끝난 후에) 학생들 각자에게 수업 감상문을 받았거든요. 저도 기쁘고 좋아야죠. 그래야 '승-승'이죠. 암튼 제 교육자 인생에 최고의 보람이자 자랑으로 간직하게 되었습니다.

내면의 갈등과 욕구

이해관계는 서로의 이해, 즉 이익과 손해가 걸려 있는 관계입니다. 한쪽의 행위가 다른 한쪽에게 이익이나 손해를 주는 사이라는 거죠. 금전적인 관계, 꼭 비즈니스 관계가 아니더라도 대부분의 인간관계는 이해관계입니다. 감정의 소모도 손해이고, 하다못해 시간의 낭비도 손해입니다. 반대면 이익일 테고요. 흔하디흔한 인간관계에 현명하게 처신하기 위해서는, 이해관계를 제대로 이해해야 합니다. 이익과 손해의 관계라고, 이익과 손해의 결과로만 관계를 판정하는 과오를 범하면 안 되겠죠. 따지려 들면 궁극적인 득과 실이 있겠지만, 그것들이 생성되는 과정, 과정으로 출발한 원인이 모두 얽히고 섞인 것이 '관계'니까요. 그렇지 않나요? 운전하다 양보했을 때, 상대가 손 한 번 들어주고 깜빡이 한 번 켜주면 그깟 손해는 아무렇지 않지 않나요? 말 한마디에 천 냥 빚을 탕감해준 적 있지 않나요?

관계의 승리를 원한다면 우선 관계를 이해해야 합니다. 이해득실이 전면으로 표방된 이해관계라 하더라도, 꼭 그것만 있는 건 아니겠죠. 누구누구가 왜 그것을 원하는지, 그래서 왜 그것을 하는지, 실제로 원하는 것이 무엇인지가, 그리고 그것들을 빼놓지 않고 고려하는 것이 중요합니다. 단지 먹음직한 파이에 군침 흘리며 빼앗고 뺏기는 관계로 보면, 누가 더 큰 쪽을 챙겼는지에만 집중하면, 잘 보이지 않는 중요한 것들입니다. 표면화된 현상(이를테면 분노) 또는 표면화된 대상(이를테면 학점) 같은 것으로 관계를 정의해버리면 놓치기 쉬운 중요한 것들입니다.

상대가 손해를 봐야 내가 이익이고, 상대의 승리가 곧 나의 패배인가요? 알고 있으리라 믿습니다만 현실에서 그런 관계는 의외로 많지 않습니다. 표면적으로는 그래 보여도, 내면적으로는 그렇지 않은 경우가 더 많습니다. 내면의 그 중요한 것들의 상호작용과 역학을 찾는 것이 관건이고, 바로 그것이 관계의 월계관을 쓰고 승전고를 울리며 승전보를 알리는 기술입니다. '승-승'의 기술이라고나 할까요.

일상의 인간관계조차 그럴 진데, 하물며 엄청난 국가적 이해가 걸린 상황에서는 어떨까요? 이스라엘이 아랍 국가와 맺은 최초의 평화조약은 1978년 이집트와 이루어졌습니다. 그러나 이 평화조약은 처음부터 난항이었습니다. 결코 양보할 수 없는 파이 1판이 걸린 협상이었거든요. 그 파이는 시나이반도였습니다. 이집트는 전쟁으로 빼앗긴 시나이반도 전체 반환을 주장했지만, 이스라엘은 이스라엘 인접 지역 일부의 반환을 거부했습니다. 양측의 표면적인 주장으로만 보면 협상의 타결은 불가능해 보였습니다.

그들은 점차 내면에 품은 이유를 들춰냅니다. 무려 11년이 걸렸으니 '점차'라 하기도 그렇네요. 이집트에게 있어서 빼앗긴 영토는 곧 잃어버린 국가적 자존심이니 일부라도 포기하는 모양새를 수용하기 어려웠습니다. 반면에 이스라엘의 내심은 영토확장의 욕심보다는 군사적 완충지 확보의 열망이었습니다. 내면과 내심으로 들어가니 해결의 빛이 보였고, 결국 이스라엘은 시나이반도를 전부 반환하되 이집트는 인접 지역에 UN 평화군을 주둔시키는 방법으로 양국은 '승-승'의 길로 접어듭니다.

시나이반도의 동쪽으로 가면 이라크가 있습니다. 지금 이라크가 선진국이라 할 순 없지만, 고대에는 선진 문명의 땅이었죠. 기원전 1700년경 이곳의 왕은 지금까지 유효한(?) 성문법을 제정합니다. 바빌로니아의 함무라비 왕이죠. '눈에는 눈, 이에는 이.' 설령 눈과 이가 아닐지라도, 어떤가요? 간혹 주장하고 사용하고 있죠? 그만큼 간결하고 알기 쉬운 룰입니다.

일견 공평하고 공정해 보입니다. 그러나 착각입니다. 복수를 승리로 여긴다면 모를까, '승-승'은 물론 '승-패'도 아닌, '패-패'입니다. 눈 빠지고 이 빠진 승자가 무슨 승자입니까? 상처뿐인 영광은 영광이 아닙니다. 이유와 원인을 찾지 않고 그저 표면, 표층, 피상적인 결과로 이해관계를 정리한 것이죠. 말했었죠. 상대에 대한 존중은 눈곱만큼도 없고, 상대 존재의 씨를 말려야 승리라 일컫는 전쟁의 시대가 아닙니다. 인간의 존엄성이 무시되었던 고대가 아닙니다. '패-패'를 승리라 부르려 하는 분노폭발 복수심은 조절해야 하는 그런 시대입니다.

'로워 더 워터라인lower the waterline', 뭔가 멋있는 표현 같죠? 맹목적 사대사상은 결코 아닙니다만, 같은 말도 영어로 하면 왠지 그럴듯해 보일 때가 있습니다. 그냥 '새로운 게 신선하다' 정도로 하고 넘어가죠. 이 말은 '수심을 낮추어라'로 해석할 수 있습니다. 저수지의 물이 정말 깨끗한지 알려면 수심을 낮추면 되죠. 수심을 낮출수록 민낯이 드러납니다. 어쩌면 예상하지 못한 경관을 볼 수도 있겠고요. 괜한 끔찍한 상상을 했다면 지워버리고, 이번에는 청정한 남극의 바다에 떠 있는 빙산을 떠올려보세요. 눈에 보이는 빙산은 빙산의 일각입니다. 조물주가 되어 워터라인을 낮추지 않아도, 우리는 수면 밑의 빙산이 얼마나 큰지 알고 있습니다. 전체 빙산의 약 90%가 잠겨 있다죠.

눈에 보이는 빙산, 눈에 박힌 표면의 현상에 매몰되면 안 됩니다. 수심을 낮춰야 합니다. 워터라인을 낮추다 보면,

저수지의 오염물질이 보이고 빙산의 거대한 무게중심이 보입니다. 낮추고 낮출수록 진정한 원인과 이유가 보입니다. 고작 10%의 일각을 보고, 청명한 햇살에 비친 저수지의 빛나는 표층만 보아서는 진실을 알 수 없습니다. 표면의 이해와 득실만 따져서는 관계의 승리를 취할 수 없습니다. 절대 양보할 수 없는 것들을 놓고 다툽니다. 승리와 패배가 엇갈리고, 승자와 패자의 운명이 엇갈립니다. 엇갈리기 전에 '로워 더 워터라인'을 해보아야 합니다. 한발씩 양보하여 타협합니다. 겉으론 악수하고 타협했으나 불만의 불씨는 남아 있습니다. 불타기 전에 '로워 더 워터라인'을 해서 보아야 합니다. 감춰진 갈등과 숨겨진 욕구를 보아야 합니다. 갈등과 욕구를 해소하지 못한 타협은, 승전도 패전도 아닌, 휴전일 뿐입니다.

많은 길을 걸어온 듯합니다. 바보 멍청이가 되지 않으려 고심했습니다. 그래서 '승-승'의 사고방식을 익혔습니다. 심지어 미친 또라이가 되지 않으려 노심초사했습니다. 그리하여 수심을 낮추어야 함을 알았습니다. 수심을 낮추어, 숨겨진 갈등과 욕구, 진정한 이유와 원인을 봐야 함을 알았습니다. 그것이 '승-승'으로 가는 길임을 알게 되었습니다. 이제야 목적지의 표지판이 보이는군요. '규정능력'입니다.

규정능력

뜬금없는 질문 하나. 누이가 좋으면 매부가 좋을까요? 서로 아끼고 서로 잘되길 바라는 대표적인 관계가 가족입니다. 그 가족의 기본은 부부죠. 부부로부터 모든 가족관계가 잉태되고 형성되니까요. 그런데 부부는 '0촌'이라 합니다. 기막힌 숫자 '0'이죠. 너무 가까워서도 '0'이고, 피 한 방울 안 섞인 관계니 '0'입니다. 남녀와 부부관계가 좋을 때는 목숨도 바칠 것 같지만, 아닐 때는 남이죠. 아니, 남보다 못하죠. 대충 동의하리라 믿습니다. 그러니 쉽고도 어렵습니다. 누이 좋고 매부 좋기가요. 매사에 누이 좋고 매부 좋으면 일석이조, 꿩 먹고 알 먹고, 도랑 치고 가재 잡고, 마당 쓸고 엽전 주우니 얼마나 좋아요. 그만큼, '0'의 가족, 부부관계도 '승−승'은 만만치 않다는 얘깁니다.

황금연휴가 다가오니 부부는 들뜹니다. 문제는 다른 방향으로 마음이 뜨고 있다는 거죠. 아내는 오랫동안 기다렸던 오붓한 제주여행을 준비합니다. 그러나 남편의 마음은 울산에 가 있습니다. 홀로 계신 연로한 어머니 곁에서 며칠이나마 못다 한 효도를 계획하고 있네요. 제주와 울산, 가족여행과 효도방문, 도저히 누이 좋고 매부 좋을 형국이 아닙니다. 타협할 수도 있겠죠. 제주 찍고 울산으로. 죽도 밥도 아닌 식사로 끼니를 때우면서요. 한쪽이 양보할 수도 있겠죠. 겉으로는 해결된 것처럼 보이지만 양보한 이는 마음속 앙금으로 끼니를 때우겠지요.

좀 더 내려가야 합니다. 표면 밑의 내면으로 수심을 낮추어야 합니다. 아내는 여행, 제주 자체가 목적이 아닙니다. 오롯이 부부끼리 혹은 아이들과 시간을 보내며, 특히 연애 시절 남편이 보여준 자상하고 섬세한 대접을 잠깐이나마 받아보고 싶었던 거죠. 남편은 어머니를 모시고 있는 남동생에게 미안한 마음도 큽니다. 어머니 살아생전에 어머니와 어머니 곁을 지키고 있는 동생 가족과 함께 시간을 보내고 싶었던 거죠. 어떤가요? 상극의 대치 상황에 '실버라이닝'이 비치지 않나요? 어렵지 않게 뭔가 방안을 만들 수 있겠지요?

부부는 정합니다. 첫째, 제주 대신 울산의 고급 휴양지를 예약하고 인근 여행 계획을 세웁니다. 둘째, 숙박은 휴양시설에서 하되 연휴 절반은 어머니와 함께하고, 그중 하루는 어머니와 남동생 가족을 휴양지로 초대하여 같이 지냅니다. 셋째, 나머지 연휴 절반은 아이들을 남동생에게 보내고 남편은 최선을 다해 아내와 행복한 추억을 만듭니다. 어떻습니까? 이만하면 잘 정한 거 아닌가요? 휴가치고 너무 고달픈 것 아니냐고 할 수도 있겠지만, 두 사람의 내면의 목적과 그 이유를 생각한다면 감수해야 할 일들입니다. 아내 좋고 남편 좋고, 어머니 좋고 남동생 좋고, 아마 아이들도 좋아할 것 같으니, 이만하면 성공적인 룰이죠. 표면만 봐서는 절대 생각하지 못했을 룰이기도 하고요.

'승-승'을 향하는 과정은 고달플 수 있습니다. 까짓 각자 원하는 결과나 내세우고, 파이나 나누고, 아니면 '눈눈이이'나 하면, 복잡할 것도 없습니다. 잠깐의 고달픔을 멀리하는 대신 두고두고 인생의 쓴맛을 볼 수도 있겠지요. 내면의 원인, 그 원인의 원인을 따져보는 과정, 그 과정의 과정을 지켜보는 일이 쉽지는 않겠죠. 감춰진 모순과 숨겨진 갈등을 파악하여 이들을 제거하는 것 역시 절대 만만한 일이 아닙니다. 그러나 소중한 인간관계, 귀중한 비즈니스 기회가 결국은 다 이런 상황의 이러한 일들이니 어쩌겠습니다. 대처하고 대응하는 능력을 길러야지요.

'승-승'의 사고방식을 갖는 것, 내면의, 심층의 이유와 요인을 파보고 파악하는 것이 중요합니다. 그러나 이것이

다가 아닙니다. 최종적으로 누이와 매부가 다 좋게 만들어야겠죠? 그러기 위해서는 '첫째, 둘째, 셋째' 해야 합니다. 부부가 했던 것처럼 손가락을 꼽아가며 정해야 합니다. 룰을 정해야 합니다. 그래야 '승−승'이 이루어지고, 모두 다 좋고 모두 다 만족합니다.

우리가 언짢은 뉴스를 접할 때 새어 나오는 넋두리로 "시스템이 없어. 시스템을 갖추어야 해." 합니다. 결국 사람이 하는 일인데, 완벽하지 못한 인간의 부정확성에 기인한 사건사고에 안타까워하며 하는 얘기죠. '인풋−프로세스−아웃풋', '원인−과정−결과', 이들의 인과관계를 고민하고 고찰하여 문제를 해결하고, 그에 합당한 시스템을 설계하고 구축해야 한다고 믿는 거죠. 그렇다면 시스템은 어떻게 설계되고 구축되나요? 결국은 룰rule입니다. 인간사회가 법과 제도로 지탱되듯이, 인간이 만드는 시스템 역시 시스템의 법칙, 즉 룰에 의에 지속됩니다. 그 룰을 어떤 방식으로 정하느냐가, 시스템의 성패를 좌우하고, 시스템에 결부된 이해관계자의 승패가 결정됩니다. 아, 설마 오해하지는 않겠지요? 여기 나오는 '승패'의 '승'이, 관계의 승리를 의미하는 '승−승'임을 기억하겠죠? '승−승'을 이루냐 못 이루냐가 결정된다는 말입니다. 오해 없기를 바랍니다.

룰과 스탠더드

룰을 정하는, 규정하는 능력입니다. '상대와의 이해관계를 이해득실 결과뿐 아니라 원인과 과정 전반에 걸쳐 규명하여, 이를 바탕으로 발전적 관계를 도모하는 합의의 룰을 도출하는 능력'으로 '규정(regulation)능력'을 정의하겠습니다. 이제까지의 설명으로 충분히 납득되죠? 쉽게 납득은 되나 귀한 능력입니다. 대상을 전반에 걸쳐 규명하기도 쉽지 않은데, 합의된 룰까지 도출하라니요. 그러나 이 또한 연습으로 얻어지는 능력입니다. 하다 보면 느는 능력입니다. 귀찮아하지 않고 단계적으로 꾸준히 훈련하면 습득할 수 있습니다.

사회생활을 하다 보면 그런 이들을 봅니다. 관계의 룰, 조직의 룰, 행사의 룰, 비즈니스의 룰을 앞장서 정하고 원만한 진행을 구가하는 사람들이 적지 않습니다. 단연코 그들이 처음부터 그랬던 건 아니겠지요. '승-승'의 원칙으로 무장하고, 수심을 낮추는 규명에 익숙한 그들은, 발전적 합의의 룰을 규정하고 실행하는 데 실력을 발휘합니다. 룰을 정하는 발군의 실력을 보유한 이러한 자들이, 지금 세상에 얼마나 귀하게 쓰이는지 앞으로도 계속 강조할 겁니다. 일단은 귀한 능력이니만큼 규정능력자는 '귀인'이 된다는 사실만 염두에 두세요.

강조에 앞서 할 얘기가 좀 있는데, 일단 룰과 스탠다드 standard를 구분할 필요가 있습니다. 스탠다드는 '기준'입니다. '기본이 되는 표준'이니만큼 상세한 조항이 아니며, 다소 원칙적인, 말 그대로의 기준을 설정한 것이 스탠다드겠죠. 그렇다면 상대와의 이해관계를 이해득실 결과뿐 아니라 원인과 과정 전반에 걸쳐 규명하기에는, 턱없이 그 세밀함이 부족하리라 싶습니다. 게다가 발전을 도모하기 위해 합의하는 실행방안으로서의 룰에는, 한참을 모자랄 것이 확실하고요. 룰이 실행방안이라면, 스탠다드는 실행지침에 불과합니다. 충분히 구체적으로 규정하는 룰, 그것이 규정능력에서 의미 있는 룰입니다.

연구실 생활을 저와 밀접하게 같이하는 대학원생들이 결혼에 임박하면, 그래도 선생이라고, 예비 신랑 혹은 신부를 데려와 미리 인사를 시켜줍니다. 그러면 저 역시 선생이랍시고 좋은 말씀 한마디 해야겠죠. 그때 저는 "룰을 정하라."고 부러지게 말합니다. 신혼여행 가서 추억만 만들지 말고 룰을 만들라고요. 서로 행복하고 서로에게 관대한 시기입니다. 모든 것이 이해되는 시기입니다.

그렇지만 곧 현실이 닥치니, 이에 대비하는 두 사람만의 룰을 정하라 합니다. 예를 들면, '양쪽 부모에게 서로 잘

하자'는 부족합니다. '시댁, 친정에 모든 것을 똑같이 하자'
도 부족합니다. 이 정도는 기준, 즉 스탠다드 수준이죠. '친
가에 2주에 1번 가면 처가에도 똑같이 간다', '명절, 생신에
양쪽 부모님께 용돈은 얼마씩…' 이 정도는 되어야 룰이라
하겠죠.

그리고 '잘하자', '잘하겠다' 하는데 대체 얼마나 '잘'이
죠? 누구에게는 이만큼이 '잘'이고, 누구는 요만큼이 '잘'입
니다. '잘'에 대한 서로의 기준도 다를진대, 하물며 룰은 어
떨까요. 구체적이어야 합니다. 숫자를 동원해서라도 충분히
구체적이어야 룰의 역할을 하게 됩니다. 애매함으로 포장된
상대의 언행에 구체적인 룰을 요구해야 합니다. 너무한다고
요? 규정능력의 정의를 다시 읽어보세요. 다 '발전적 관계를
도모'하기 위함입니다. 상황과 분위기를 살펴서 적절한 타
이밍에 구체적인 룰을 언급하고 이에 합의하는 것도 능력
의 일부입니다.

비즈니스의 룰 = 비즈니스 모델

회의하다 보면, 자기 발언 차례에서 "짧게 말하겠습니
다." 또는 "간단히 말하겠습니다."로 시작하는 사람들이 있
습니다. 그런데 경험상 그런 사람의 발언이 짧고 간단했던

적은 별로 없었던 것 같습니다. 오히려 '짧고 간단히 할 테니 내 말에 집중하라'의 의도가 강했겠죠. 노래방에서 "1곡만 더 부르겠다."도 마찬가지입니다. 1곡 후에도 마이크가 그의 손을 떠나지 않습니다. 물론 이때 마이크를 뺏을 수 있습니다. 사회자가 "짧지도 간단하지도 않으니 그만하세요."라고 할 수 있죠. 철천지원수를 만들 각오라면 그리하면 됩니다.

사전에 룰을 구체적으로 만들면 됩니다. '3분 발언으로 시간 확인하며 발언하기', '1곡 추가당 1만 원씩 내기'처럼요. 구체적인 룰은 발전적 관계를 도모합니다. 서로 얼굴 붉힐 일 없게요. 3분을 넘으면 어쩌냐고요? 1만 원 안 내면 어떻게 하냐고요? 그것도 룰을 정해야죠. 단지 그렇게 룰을 지키지 않는 상대와의 발전적 관계는 이미 물 건너간 듯하네요. 다음 셰익스피어의 《베니스의 상인》에 나오는 구절을 보면, 어떻게 룰을 확실히 정할지 확실히 감잡힐 겁니다.

"만약 원금을 갚지 못하면, 위약금 조로 당신의 몸뚱이에서 흰 살을 꼭 1파운드만 베어내겠소. 내가 베어내고 싶은 부분으로."

다사다난한 비즈니스 현장에서 비즈니스 룰은 복잡다

양합니다. 비즈니스 계약서 읽어보세요. 별의별 조항에, 있는 얘기 없는 얘기, 일어날 수 있는 모든 경우를 가정한 룰들이 일사천리로 나열됩니다. 구체적이다 못해 지나치게 구태의연합니다. 이해관계자들의 엄연한 이해득실이 걸렸으니 그렇겠죠. 다수의 이해관계자 간 합의와 시장규칙으로 성립되는 비즈니스, 그 비즈니스를 성립하기 위한 비즈니스 방안과 비즈니스 룰, 이것을 비즈니스 모델Business Model, BM 이라 합니다.

전공 분야 얘기가 나오니 은근히 신나네요. 디지털 환경의 신산업, 신사업 분야에서 BM은 보석입니다. 이 보석을 갈고 닦아 대박을 친 기업가와 사업가가 한둘이 아닙니다. 아직 기억하죠? 규정능력이 얼마나 귀한 능력인지, 지금 세상에 얼마나 귀하게 쓰이는지요. 규정능력을 맘껏 성심껏 펼쳐서 영민한 비즈니스 룰을 만들고 참신한 BM을 개발해 귀인이 된 이들. 부럽다면 다시 마음 부여잡아야죠.

즐겁게 오래 가는 관계

이렇게 중하지만 만만치 않은 비즈니스 모델을 간략히 표현해 주는 도구가 있습니다. 'BM 캔버스'인데요. 알렉스 오스터왈드Alex Osterwalder가 창안한 것으로, 비즈니스 모델을 몇 가지 주요 항목과 그들의 구조적 위치를 나타내는 빈칸들로 구성한 그림입니다. 캔버스마냥 비어 있는 공간에 채워 넣으라고요. 간단히(진짜 '간단히'입니다) 설명하면, 기업이 어떤 협력업체들과 어떤 활동을 하고, 어떤 지원을 받아서 어떤 가치를 생성하며, 이를 고객에게 어떤 방법과 어떤 방식으로 전달할지를 일목요연하게 정리하게 해주는 캔버스죠. 덧붙여 그때 소요되는 비용과 창출되는 수익까지도요. 이러한 총 9가지 항목의 내용과 그들의 관계의 위치가 A4용지 1장에 다 들어갑니다. 잘 모르겠다고요? 인터넷 검색하면 다소 휑해 보이는 표 같은 그림 하나 발견할 텐데요. '복잡한 비즈니스 모델도 이렇게 단순하게 정리될 수 있구나'를 알 수 있을 것입니다.

플랫폼 비즈니스의 비즈니스 모델은 더 복잡합니다. 플랫폼의 속성상 비즈니스에 참여하는 이해관계자들이 훨씬 많기 때문입니다. 그래서 오스터왈드의 BM 캔버스는 플랫폼 기업의 비즈니스 모델과 비즈니스 룰을 설명하기에는 부적합합니다. 저의 연구진이 만든 '플랫폼 BM 캔버스'도 있지만, 그 얘기는 생략하겠습니다. 하여간 비즈니스 룰을 정립하는 규정능력을 도와주는 도구가 있다는 사실만 기억하길 바랍니다.

근자에 새로운 비즈니스로 엄청난 부를 거머쥔 이들은

모두, 이해관계를 잘 이해하고, '승-승'을 표방하는 플랫폼을 구축하고, 이해관계자들과의 발전적 관계를 위한 비즈니스 룰을 규정한 사람들입니다. 내면의 모순과 갈등을 원인으로 보고 이를 해소하는 비즈니스 룰을 창안한 기업들이고요.

애플은 통신업자들의 전횡을 모순으로 보았고, 구글은 애플의 전횡을 모순으로 보았습니다. 알리바바는 중국기업과 세계시장 간의 소통문제를 갈등으로 보았습니다. 배달의민족은 음식점과 고객의 물리적 거리를 갈등으로, 토스는 은행에 대한 고객의 불편과 불만을 갈등으로 보았습니다. 원인이 규명되자, 모순을 해결하고 갈등을 해소하는 비즈니스 룰을, 비즈니스 시스템을 만들어 갑니다. BM 캔버스를 썼는지는 모르겠지만 그와 유사한 그림을 그려가면서요. 다시 한번 힘주어 말하자면, 그들처럼 세상을 앞서가려면 규정능력을 가져야 합니다.

또 있습니다. 규정능력으로 세상을 즐겁게 오래 사세요. '지자는 물을 좋아하고 인자는 산을 좋아한다'는 말 들어보았죠? 《논어》의 〈옹야雍也〉 편에 나오는 문구입니다. 그런데 원문은 '지자요수知者樂水 인자요산仁者樂山, 지자동知者動 인자정仁者靜, 지자락知者樂 인자수仁者壽'입니다. 지자는 동적이고 인자는 정적이며, 지자는 즐겁게 살고 인자는 오래 산다는 말이 뒤에 이어져 있네요. 지자와 인자, 아는 자와 어진 자는 모두 현명한 자들입니다. 세상의 이치와 관계의 룰을 습득한 이들입니다.

부부가 한쪽은 바다로 가자 하고, 다른 쪽은 산으로 가자 합니다. 한쪽은 집 밖에서 놀자 하고 다른 쪽은 집 안에서 놀자 합니다. 그래도 괜찮을 듯싶습니다. 갈등과 모순을 풀고 현명하게 대처합니다. 아내 좋고 남편 좋은 발전적 관계를 염원하는 사이니까요. 관계의 룰을 중시하는 지자와 인자니까요. 즐겁고 오래 지탱할 수 있는 룰을 정해 즐겁게 오래 살아가는, 규정능력이 있는 부부니까요. 그렇게 살아야 하지 않겠습니까?

어떻게 규정능력을 얻을 것인가

규정능력은 바로 앞장에서 소개한 매개능력의 연장선입니다. 이들은 세상을 앞서가는 능력으로, 다음 장에 소개할 능력과 함께 묶여 있지요. 이 셋을 통틀어 '연결역량'이라고 명명했었고요. 매개능력으로 '사이에 들어가자'고 했습니다. 사이에 들어가 일단 자리를 잡았다면 다음은 계속 눌러앉아야 합니다. 이해가 얽힌 여러 관계자 사이에서 굳건히 자리를 지키기 위해서는 룰이 필요하겠죠. 그렇게 오래, 때론 즐겁게 자리를 지키는 능력이 규정능력입니다. 조그마한 조직이라도, 보스는 조직의 룰에 의지해야 하잖아요. 의지할 만한 룰을 만드는 것도 보스의 자질입니다. 플랫폼 경제에서 플랫폼 기업들이 자사에 적합한 룰을 세팅하는 데 그토록 혈안인 것도 이런 이유겠지요.

물론 매개능력만은 아닙니다. 이전의 모든 능력도 규정능력의 발현에 혁혁한 공로를 세우는 역할을 합니다. 상대와 발전적인 합의를 도모하기 위해서는, 상황을 체계적으로 인식하고(분류능력), 쌍방의 원하는 것을 명확히 이해하고(지향능력), 모두 다 얻을 수 없으니 우선순위를 정해야(취사능력) 합니다. 또 자신의 입장을 정리하고(한정능력), 이를 상대와 소통하며(표현능력), 상대의 입장도 받아들여야(수용능력) 하겠지요. 달리 말해도 됩니다. 먼저 쫓아가고(분류·지향·취사능력) 일단 함께해야지(한정·표현·수용능력), 다음에 앞서갈 수 있지 않겠습니까. 하여간 기회를 틈타 전체적으로 한 번 조망했으니 다시 규정능력으로 가겠습니다.

그런데 룰을 정하라고, 그것도 구체적으로 정하라고 채근하니 독자 여러분들이 너무 어렵게 생각할 듯해 걱정입니다. 어떤 형식으로 작성해야 할지, 시작부터 주저하게 됩니다. 귀찮기도 하고, 꼭 내가 해야 할 일인가 싶어 빼고 싶은 마음도 들 것입니다. 그렇지만 너무 어렵게 생각하지 마세요. 그럴 필요 없습니다. 우리가 잘 아는 육하원칙(5W1H)을 준용하면 됩니다. 누가(Who), 언제(When), 어디서(Where), 무엇을(What), 어떻게(How), 왜(Why)죠. 이 6가지에 필요한 내용을 다 담을 수 있을 겁니다. 룰을 구성하는 형식으로 무난합니다. 그릇에 음식을 담듯이, 형식을 알았으니 상황에 따른 내용을 채우면서 룰을 정합니다.

이때 주의할 점이 있습니다. '누가', '어디서', '무엇을'

은 상대적으로 명확하게 설정됩니다. '언제'도 그렇긴 하지만, 만일 '언제까지'로 정해야 하는 룰이라면 더욱 신경 쓸 필요가 있는 항목입니다. 특히 '어떻게'와 맞물려 '언제까지 어떻게'가 되면 구속력이 훨씬 강해지는 룰이 됩니다. 한편, 과정을 중시하는 관계라면, '언제' 혹은 '언제까지'와 '어떻게'가 여러 번 등장할 확률이 높습니다. 최종결과만 명시하는 룰이 아니라, 과정 중에도 몇 번의 '언제까지 어떻게'로 구속하니 피곤한 룰이죠. 과정은 상관없이 결과만 이루면 되는 룰에 비해서 훨씬 빡빡합니다.

또 '왜'가 각별합니다. 이유와 원인에 해당하기 때문이죠. 굳이 룰에 명시될 필요가 없는 항목입니다만, 별도로 기록해두면 좋습니다. 왜냐하면 도중에 룰을 만들기로 한 이유를 잊거나 혼동할 수 있기 때문입니다. 룰의 참여자 모두가 종종 되새김함으로써, 더 효율적인 룰의 집행과 시행을 기대할 수 있습니다.

그런데 각별한 '왜'에게 닥치는 흔한 문제가 있습니다. '왜'로 정하고자 하는 원인을 규명하기가 수월하지 않은 경우죠. 원인이 없어서가 아니라 너무 많아서입니다. 이것도 원인이고 저것도 원인입니다. 이것저것 다 이유 같아 보입니다. 그러나 여기서 흔들리면 안 됩니다. 세상의 모든 일에는 원인이 있고, 다수의 원인이 작용해도 그중 핵심이 되는 원인은 분명히 손꼽을 수 있습니다. 세상 이치의 내재적 단순함을 믿고 가장 핵심이 되는 원인 중심으로 이치를 풀어가야 합니다. 그렇게 하는 것이 맞기도 하지만, 사실 그렇게 할 수밖에 없다고 말하는 게 맞을 것 같습니다. 다 고려하고 다 고민할 수 없습니다. 원인을 단순화하세요. 더 중요한 건 단순화된 원인을 상대와 합의하는 것입니다. 상대와 함께 믿는 원인이 진짜 원인입니다. 이 모든 번잡한 일들은 상대와 서로 만족하는 합의를 하는 것이 주목적이니까요.

가치교환

형식은 이 정도로 하고, 이제 내용으로 가볼까요? 하지만 내용은 천차만별입니다. 천차만별의 내용을 세세하게 이래라저래라하길 기대한 것은 아니겠죠? 그런 책은 세상에 없습니다. 현실적인 한계를 인정하며 약간의 도움을 받을 방법을 소개하겠습니다. 이번에도 그림을 하나 그렸습니다. 정확히는 그림을 그리게 도와주는 그림이죠. 이름하여 '룰 캔버스'. 룰을 그리는 캔버스입니다.

오른쪽 [그림8]을 보세요. 먼저 위의 그림은 충분히 이해되죠? 나와 상대가 있고, 나와 상대가 표면적으로 원하는 결과가 있습니다. 그것을 그 칸에 적습니다. 그리고 '로워 더

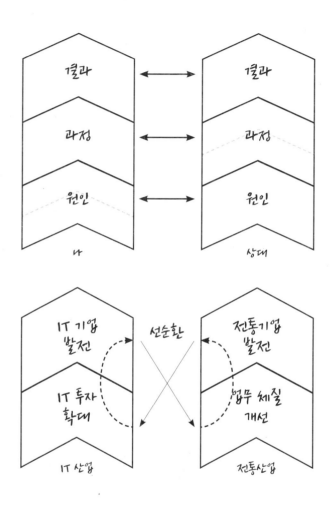

그림8_ 룰 캔버스와 선순환

워터라인'을 해야죠. 수심을 낮춰 표면적으로 드러난 요구 아래에 있는 내면의 욕구를 봅니다. 계속 수심을 낮춰 숨겨지고 감춰진 원인까지 봅니다. 여러 원인이 있을 수 있습니다. 그러나 핵심을 찾아 주원인 위주로 적습니다. 그리고 원인이 꼬리를 물 수도 있습니다. '나' 쪽의 '원인' 칸에 점선으로 예시되어 있듯이, 원인의 원인을 계속 밑으로 붙여 적어봅니다. 또한, 과정에 중간 결과가 강조되는 경우도 있겠죠. 그러면 이번에는 '상대' 쪽의 '과정' 칸에(예시처럼) 중간에 요구되는 중간 결과를 구분하여 적으면 됩니다.

상대와의 '승-승'을 염두에 두고 그립니다. 어렵사리 그렸다면, 그래서 한 눈으로 비교해보았다면, 의외로 쉽게 룰을 정할 수 있을지도 모릅니다. 내가 원한다고 한 것, 내가 사실 진짜 원하는 것, 그리고 상대가 원한다고 한 것, 상대가 사실 진짜 원하는 것을 안다면, 그리고 그것을 적어서 한눈에 모두 본다면, 발전적인 방향으로 쉽게 합의를 규정할 수 있을지 모릅니다. 원인과 이유를 파악하고, 모순과 갈등을 해결하기만 한다면 발전적인 룰을 설정하는 것은 그리 어렵지 않겠지요. 더욱이 일을 처리하고 일이 되어가는 과정까지 눈여겨 감안한다면 잘못될 일은 그다지 많지 않을 겁니다. 모든 것은 룰 캔버스를 사용해 나와 상대, 둘의 관계에서 서로 각자의 결과, 과정, 원인을 비교해보는 데서 출발합니다.

　물론 각각을 비교한다고 해서, 비교의 대상이 꼭 같은 물자나 가치를 의미하는 것은 아닙니다. 파이 하나를 나와 상대가 나누어야 하는 상황은 비교의 대상이 같습니다. 각자 얻은 파이 조각이겠죠. 둘 다 조금이라도 더 큰 조각을 갖고 싶을 것입니다. 알기는 쉽지만 풀기는 어렵습니다. 앞에서 제주와 울산을 고민했던 부부, 기억하죠? 그냥 여행의 행선지를 최종결과로 삼으면 알기 쉬운 문제지만, 그 과정은 풀기 어려운 문제입니다. 한정된 시간을 똑같이 나누거나 어느 한쪽으로 몰아야 하니까요. 그렇지만 현명한 부부는 어떻게 문제를 풀었죠? 각자 추구하는 바를 같은 것으로 보지 않고 다른 것으로 치환했습니다. 최종목적을, 시간을 어떻게 쓰느냐로 똑같이 보지 않고, 아내는 남편의 사랑과 위로로, 남편은 효도와 형제애로, 각자 달리 보았죠. 비교의 대상을, 서로에게 각기 다른 가치로 만들어낸 것, 그것이 해결의 실마리가 된 것이죠.

　앞서 언급했던 협상과 설득의 전문가들은, 이를 '가치 교환'이라 부르더군요. 같은 가치를 쪼개거나 나누는 것이 아닌, 서로 각자에게 중요한 다른 가치를 상대에게서 받는 교환입니다. 앞서 배운 라틴어 '쿼드 프로 쿼'는 '승-승'의 의미와 '기브 앤 테이크give and take'의 뜻을 동시에 갖고 있습니다. '기브 앤 테이크'는 보통 서로 다른 것을 주고받는 겁니다. 서로 다른 가치를 주고받으며 '좋은 게 좋은 거 아니냐'며 함께 웃는 관계입니다. 어쨌거나 '승-승'을 이루기에 보다 적합한 형태가 '가치교환'입니다.

그래서 그런지 협상전문가, '네고시에이터negotiator'들은 중재해주어야 하는 양편의 특성과 기호, 입장과 상황이 다르면 다를수록 협상의 룰을 제시하기가, 협상에 이르기가 수월하다고 하네요. 어떤가요? 지금 만나는 연인이 여러분과 취향이 다르다고 낙담하고 있나요? 생각하기 나름입니다. 한 사람은 노른자를 좋아하고 한 사람은 흰자를 좋아한다고, 계란 취향이 다르다고, 그래서 맞지 않는 사이라고 생각하나요? 어떤 커플은 이런 상반된 취향을 요철이 들어맞는 찰떡궁합이라며 기뻐합니다. 가치교환이 용이하잖아요.

다른 입장의 '가치교환' 과정을 응시하다 보니, 엄청나게 막중한 발상이 복받쳐 오릅니다. 사실 이미 20여 년 전부터 제 머리와 마음속으로 들어와 지금껏 나가지 않고 있는 연구주제인데요. 여기서 다시 몽실몽실 피어오르고 있네요. [그림8]의 아래를 보면 그 주제명을 발견할 수 있습니다. '선순환'입니다. 좋은 현상이 되풀이되는 순환 형태를 뜻합니다.

세상에는 서로 다른 목표를 가진 사람과 서로 다른 목

적을 지닌 조직이 부지기수입니다. 이들을 극한대립이나 충돌 없이 조화롭게 구성하고 운영하는 것이 모든 리더의 바람입니다. 리더가 그런 역할을 해주는 것이 대다수 구성원의 바람이고요. 하지만 쉽지 않으니 바라고 또 바라는 것이겠죠. 조화롭고 평화롭게, 게다가 좋은 현상이 되풀이되기까지. 그야말로 잘되는 집안의 전형입니다. 걸핏하면 상충하는 이해관계를, 개편하고 개선해 선순환 구조로 만든다면, 그런 룰을 만들기만 한다면, 이 사회가 얼마나 발전적이겠습니까.

제가 그런 이상적 꿈을 꾸기 시작한 것이, 20여 년 전이었습니다. 당시는 인터넷과 IT 열풍이 불어닥쳐 정보통신산업, 즉 IT산업이 융성하던 시기였습니다. 전통산업과는 사뭇 다른 생리와 생태계를 가진 IT산업을, 어떻게 하면 기존 산업과 동시에 조화롭게 발전시킬까, 그런 방안과 그를 뒷받침하는 논리는 뭘까를 고민하던 시절이었습니다. 정보화의 물결이 넘실대던 그 시절, 전통산업의 정보화를 이런 맥락으로 '기업정보화', '산업정보화'라 명명하며 정부의 정책에 활발하게 관여하던 시절이기도 했습니다. 그때 제가 만들었던 소위 '기업정보화 선순환모형'이 [그림8]의 아래 그림입니다. IT나 산업정책 전문가가 아니어도 이해할 수 있습니다. 어떻게 선순환이 작동하는지, 어떻게 좋은 현상이 되풀이되는지 이해하고 인정할 수 있을 겁니다.

먼저 그림의 왼쪽 'IT산업'부터 시작할까요? IT기업이 발전하여, 경쟁력 있는 IT제품과 솔루션을 개발해냅니다. 화살표를 쫓아 '전통산업' 쪽으로 넘어가서, 다음은 좋은 IT 제품과 솔루션을 도입해 전통기업의 업무체질이 개선되고 프로세스가 혁신되죠. 이는 자연스레 전통기업의 발전으로 이어집니다. 또, 발전한 전통기업은 투자의 여력이 생겨 기업의 IT투자가 증가하고, 결과적으로 이를 받아 매출과 수익이 늘어난 IT기업이 더 발전하게 됩니다. 어렵지 않죠? 이러한 흐름으로 선순환을 타면 누이 좋고 매부 좋고, IT산업과 전통산업이 모두 발전하는 좋은 현상이 반복, 되풀이되겠지요.

방아쇠를 당기는 자

그런데 그림에서 놓치지 말아야 할 포인트가 있습니다. 선순환을 이루고, 선순환의 구조와 법칙을 만드는 비결이 그림에 나옵니다. 위 그림과 아래 그림을 같이 보세요. 나와 상대의 이해관계에는 각자의 원인과 결과가 있습니다. 이때 나의 결과가 상대가 바라는 결과의 원인에 기여하고, 마찬가지로 상대의 결과가 내가 바라는 결과의 원인에 자극을 줄 수 있다면, 그런 흐름을 만들 수 있다면, 그렇게 되면 선순환이 가능해집니다. 마치 아래 그림과 같이 말이죠. 그렇게 되면, 아래 그림에서 화살표와 점선으로 이루어진, '반복의 사이클(∞)'이 형성됩니다. 괜찮죠? 존 내쉬처럼 수학적으로 증명하진 못해도, 스티븐 코비처럼 수많은 사례로 (아직) 주장하진 못해도, 산업공학도답게 시스템공학적으로 연구하고 있습니다. 일명 '(임춘성의) 선순환 법칙'인데, 다음 기회에 더 자세히 설명하겠습니다.

선생과 학생 모두에게 좋은 강의는, 서로 잊지 못할 멋진 강의라 했습니다. 서로 최선을 다해 열심히 하는 강의입니다. 선생은 열심히 합니다. 학생들에게 시대의 요구에 맞는 내용을 제공하려 최선을 다합니다. 이에 반응해 학생들도 열심히 합니다. 선생에게 아낌없은 성원을 보내려 최선을 다합니다. 이에 보람을 느낀 선생은 신나서 더욱 열심히 합니다. 다시 학생들도 더욱 열심히 합니다. 뭔지 알겠죠? 서로에게 선한 동기를 부여해 좋은 현상이 되풀이됩니다. '승-승'을 추구하는 관계라면 어떤 관계라도, 이런 선순환을 도모할 수 있습니다.

선순환은, '선순환을 도모하는 법칙'은 정말 중요합니다. 말처럼 쉽지는 않겠지만, 선순환의 메커니즘을 설계하고, 그 메커니즘을 작동하게 하는 룰을 확보하고, 그 룰의 시행이 확산된다면, 정말 좋은 현상이 되풀이될 것입니다. 사회의 비합리성과 관계의 비대칭성이 상당 부분 해소될 수 있고요. 설령 정치적이거나 또 다른 미묘한 이유로 그리되지 않는다고 할지라도, 적어도 우리는 사회의 혹은 관계의 바람직한 모습이 어떤 것인지 정확히 알 수 있겠지요. 그런 데에 미약하나마 조금이라도 일조하고 싶은 마음으로 연구의 끈을 놓지 않고 있습니다.

여기서 끝내기 아쉬운 마음에 짧게 첨언할게요. 선한 순환을 하고 긍정적인 물결을 타려면 누군가는, '트리거링 triggering', 즉 '방아쇠를 당겨야' 합니다. 선한 영향력을 행사하여 긍정적인 물결이 생성되도록 시작해야 합니다. 임계점 (critical point)을 넘을 정도의 충분한 물결을 일으켜 순환되게 하는 시작점이 있어야 한다는 얘기죠. 선순환이 탐난다면, 누군가의 역할론과 적정 수준의 임계점을 기억하세요.

만일 그 누군가가 트리거링 역할을 충실히 하지 않았다고 가정해보세요. 그래서 순환이 시작되는 임계점에 도달할 만큼의 충분한 물결이 일어나지 않았다고 말이죠. 선한 방향의 충분한 물결은커녕 반대 방향의 물결이 일어났다고 칩시다. 그러면 뭐가 되죠? '악순환'이죠. '선순환'이 최선인 딱 그만큼, '악순환'은 최악이 될 겁니다. 네, 이제 그만하겠습니다. 규정능력이 있어야 관계의 승리도 이루고 선순환의

대명제도 이룰 수 있다는 말을 하다 보니 계속 길어지는군
요. 암튼 규정능력을 얻기 바랍니다. 그러기 위해 노력하기
바라고요.

모두의 룰, 나만의 룰

법 없이도 살 사람이 있다고 하죠. 그러나 저는 그런 사람은 없다고 생각합니다. 정확히 말해서는, 어떤 사람도 그렇게는 살아가기 어렵다고 생각합니다. 법이라는 게 뭔가요. 국가권력에 의해 강제되는 사회규범입니다. 국가사회 구성원의 안녕과 평화를 위해 최소한으로 지켜야 할 규범을 제정하는 게 법의 취지입니다. 자유민주사회라면 말이죠. 그러나 살아가면서 지켜야 할 것이 법만은 아닙니다. 법으로 강제하지는 않았어도 사회의 관습과 통념은 구속력이 있습니다. 사실상 법과 같다고 하겠지요.

사회의 상식과 예의는 우리의 사고와 행동을 구속하는 것들입니다. 이 모든 것들의 구속에서 자유로운 사람은 없겠지요. 자유지상주의라도 말이죠. 결국 그 누구도 법이나 '법 아닌 법'의 구속을 인식하지 않으며 살 수는 없습니다. 그렇다면 피할 수 없는, 유효한 관습과 통념, 상식과 예의를 준수함과 동시에, 더 나아가야 합니다. 십분 활용해야 합니다. 거부할 수 없는 모두의 룰, 즉 법이나 법 아닌 법을 출발점으로 삼아, 룰을 정하는 규정능력을 발휘하는 것이 현실적인 접근이겠죠.

반대로 생각해보면, 모두의 룰에 어긋나는 룰을 합의하는 것은 무척 위험한 일입니다. 나라의 법을 위반하는 위법이 위험하다는 뻔한 얘기가 아닙니다. 강제력이 없는 모두의 룰이라 하더라도, 모두의 룰에 어긋나는 룰을 정하는 것은 (설사 상대와 합의를 했다고 하더라도), 항상 상대가 합의를 깰 가능성이 있다는 얘기입니다. 심지어 죄책감도 없이, 미안하기는커녕 되려 공격하며 맘대로 합의를 저버리기도 합니다.

미국대학 교수 시절, 동료 중국인 친구가 그러더군요. 자신의 아파트에 들어오기로 한 세입자가 느닷없이 계약을 파기하자고 한다고. 이유는 그 아파트가 13층이라서입니다. 모르고 계약한 것도 아닌데, 일방적으로 파기하면서 왜 이런 아파트를 내놓았냐고 심지어 화까지 내더랍니다. 동양은 죽을 사死와 발음이 비슷한 숫자 '4'를 꺼리지만, 서양 사람들은 예수를 배반한 13번째 제자 유다와 관련이 있다고 '13'을 싫어한다면서요. 동료는 그런 관념 없이 13층에 있는 아파트를 샀나 봅니다.

그런데 그런 관념이 있어 노벨문학상을 탄 사람도 있

습니다. 같은 중국인인 작가 모옌莫言은 중국 현대문학의 거장입니다. 장이머우 감독의 영화 '붉은 수수밭'의 원작 소설을 쓴 것으로도 유명하지만, 중국 최초로 노벨문학상을 받은 그의 결정적 작품은 《열세 걸음》입니다. 참새가 열두 걸음까지는 천운으로 한 발 한 발 내딛지만, 열세 걸음의 순간 그간의 천운이 악운으로 바뀐다는 서양의 민담을 모티브로 한 소설입니다. 하여간 '우리'만의 룰보다 모두의 룰이 더 위력적일 때가 있다는 말을 하고 싶었습니다. 어차피 노벨문학상은 서양에서 주는 상이니, '우리만의 동양'보다는 '그들 모두의 서양'의 룰이 더 강력한 건 어쩔 수 없겠죠.

존중하는 듯 보이지만 옭아매는 방식

그런데 이보다 더 강력한 게 있습니다. 세상의 법, 모두의 룰보다 더 강력하게 작용하는 것이 있습니다. 바로 상대가 외면하기 어려운, 상대에게 특별히 적용되는 것이 그것입니다. 어떤 기자가 제게 인터뷰를 요청해 응했는데, 뜬금없이 이런 질문을 합니다.

"요새 젊은이들의 애환을 보듬어줄 수 있는 정책이 무엇이라고 생각하십니까?"

원래 인터뷰 주제도 아닌지라 대답을 피하자 표정을

바꾸며 다시 물어봅니다.

"대학교수로서, 요새 젊은이들을 위한 정책이 무엇이라고 생각하십니까?"

회피하기가 어렵더군요. 대학교수 맞죠. 저에게 특화된 프레임으로 옭아매니 갑자기 답을 해야겠다는 감정이 솟구치더라고요. 안 했지만요. 만일 그가 한 번 더, "교육자로서…" 했다면, 틀림없이 주절주절 답했을 겁니다. 특화된 프레임에 도덕적인 초상화까지 걸린 판에 전들 무슨 수가 있었겠습니까.

양식과 양심이 있는 사람이면 누구나, 자신에게 부과된 틀, 즉 프레임을 무시하지 못합니다. 또 자신이 설정한 틀이나 기준을 벗어나지 않으려 노력합니다. 자신이 천명했던 원칙과 룰, 하다못해 자신이 했던 사소한 말과 행위로부터도 자유롭지 못합니다. 상대와 관계에 대한 룰을 정할 때 이는 매우 요긴합니다. 상대의 기준과 언행을 근거로 삼으세요. 표면적으로는 상대를 존중하는 듯 보이지만, 내면적으로는 상대를 옭아매는 방식입니다. 그런 식으로 원하는 룰을 정하면 합의에 이를 여지도 충분합니다.

입장을 바꿔 생각해보면, 언행을 조심해야겠다는 생각이 드네요. 언제 부메랑이 되어 돌아올지 모르니까요. 참고로 모옌은 필명인데, '말하지 않겠다'라는 뜻이랍니다. 이것도 표면으로는 현명해 보이지만, 실상의 내면은 위험해 보입니다. '말하지 않고 글로만 표현하겠다'는 의지의 표명이라는군요. 두고두고 남는 글이 말보다 더 무서운데요. 자신의 글과 틀, 룰에 책임을 지겠다는 지식인의 자신감이겠죠.

'악법도 법'이라는 것은, '법은 지키라고 있는 것'이라는 얘기입니다. 룰도 지키라고 있는 거고요. 관계의 룰이 깨지면 관계도 깨집니다. 누울 자리를 보고 다리를 뻗으랬다고, 룰도 실천할 수 있는 룰로 정해야 합니다. 다시 말해, 룰에는 그 룰을 실천하게 하는 룰도 포함되어야 한다는 말입니다. 법에도 위반 시의 벌칙조항이 있고, 계약도 파기 시의 보상조항이 있습니다. 그러나 인간관계에서는 이런 공식화와 명문화가 어렵습니다. 서로의 양심에 맡길 뿐이죠. 상대의 눈을 빤히 쳐다보면서도 했던 말을 뒤집고, 안 했던 말을 했다고 하는 경우가 있습니다. 살면서 그런 경험 몇 번은 있죠?

그래서 제3자가 필요합니다. 사적일수록, 평상시 믿음이 굳건하다고 믿는 사이일수록 제3자가 필요합니다. 사람은 믿어도 사람의 말은 믿지 말라고 하지 않던가요. 괜스레 야박하다 생각하지 말고 '즐겁고 오랜' 관계를 원한다면, 여러분의 규정능력에 '제3자 활용법'을 추가로 장착해야 합니다. 모두의 룰에 비해, 우리만의 룰은 구속력이 약합니다. 제3자를 추가하여 우리만의 룰을 가급적 모두의 룰에 가깝게 만들어야죠. 그래야 효력이 증가하여 양심 없는 상대조차 옭아맬 수 있습니다. 참, 이번 단락에는 모두에게 자주 통용되는 문구를 유독 많이 썼습니다. 우리만이 아닌, 모두의 룰을 활용하여 여러분을 옭아매려 했습니다. 부담 없는 내용이었으니 이해하겠죠?

세상에서 가장 실천하기 어려운 룰을 합의한 상대가 누굴까요? 바로, 자신입니다. 자신과의 약속, 자신과 합의한 룰, 나만의 룰이죠. 정말 지키기가 어렵습니다. 우리만의 룰보다 더한 사상누각이 나만의 룰이죠. 대단하고 엄청난 것도 아닌데, 걸핏하면 어기고 걸핏하면 깨는 게 자신과의 약속, 자기 스스로에게 규정한 룰입니다. 우리는 매일매일 위반하고 파기하며 삽니다. 범칙금도 안내고요. 여기에도 제3자 활용이 빛을 발합니다.

문득 두 사람이 생각납니다. 둘 다 꽤 친한 사이입니다. 둘 다 흡연자인데 금연을 결심하고 제게 말하더군요. "내가 담배를 다시 피우면 네게 100만 원을 줄게." 비슷한 시기에 각각 따로 제게 선포한 룰이었죠. 저를 제3자로 채택한 겁니다. 저야 마다할 이유가 없죠. 한 달쯤 지난 후에, 한 사람이 저에게 갑자기 밥을 사더니, 100만 원 대신 사는 밥이라며 담배를 여유롭게 물더군요. 또 한 사람은요? 역시 한 달쯤 지난 후에 술좌석에서 여유롭게 담배를 물더군요. "나 다

시 피기로 했다. 100만 원? 우리 사이에 무슨 100만 원이
야." 그것으로 끝이었습니다. 밥도 안 산 후자가 훨씬 더 친
한 사이였습니다. 정말 믿는 사이일수록 제3자가 필요한 것
맞습니다.

원조 한류스타 배용준은 '자신과의 약속'을 아예 일본
잡지에 공개합니다. 수많은 일본 팬들을 제3자로 끌어들인
것이죠. 총 10가지인데 기억에 남는 것은, 첫 번째 '상추쌈
과 함께 아침을 항상 먹는다.' 상추쌈이 중요한지, 아침을
항상 먹는 게 중요한지 헷갈리네요. 행동경제학자들은 이
를 '자기약속계약(self-commitment contract)'이라 부릅니다.
자신의 룰, 자신과의 약속에 효력을 부과하는 방법이죠. 룰
을 지키기 위해 누가 시키지도 않은 계약을 체결하는 것입
니다. 제3자를 활용하면서요. 일본에는 '잔소리 와이프'라는
앱이 있어, 가상의 와이프가 '채소 먹는 걸 잊지 말라'는 등
의 잔소리 문자를 보낸다고 합니다. 배용준의 '상추쌈 약속'
에서 영감을 얻지 않았나 싶네요.

게임체인저의 실상은 룰메이커

법 없이도 살 사람? 없습니다. 작금의 세상은 룰이 지
배하는 세상입니다. 공식적인 법과 제도, 실질적인 관습과

통념, 다 룰입니다. 이해관계자들의 이해득실이 얽힌 공적·사적 약속, 모두 룰입니다. 룰이 지배하고, 룰이 지탱하는 세상입니다. 세상을 지배하는 이들은 자신들이 만든 룰을 끔찍이 아낍니다. 할리우드의 대표적인 악동녀, 린제이 로한. 그녀는 어느 날 페이스북으로부터 봉변을 당합니다. 실명 활동이 철칙인 페이스북에서 가명을 쓰고 제멋대로 활동하다 들통이 났거든요. 3살에 데뷔하여 무려 20년 가까이 스타덤을 지킨 여배우를 추방하고, 그녀의 이름을 플랫폼 기업이 기피해야 할 상습 위반자 명단에 올립니다. 시쳇말로 '얄짤 없이' 말이죠.

부지기수 다수 이해관계자와의 발전적 관계를 표방하는 플랫폼에서 룰은 생명입니다. 그러니 룰의 실천은 곧 생명의 연장이죠. 흔한 '조직' 영화에서 자주 보았죠? 조직의 룰을 위반하면 배신이고, 배신은 곧 죽음입니다. 따져보면, 룰로 흥망성쇠가 결판나는 플랫폼, '조직'과 여러모로 공통점이 있습니다. 룰에 살고 룰에 죽는다는 점에서요.

퇴출과 추방 외에 감옥에 보내기도 합니다. 구글은 자사의 규칙을 어긴 사이트에 죽음을 선고하지는 않습니다. 대신 '구글 감옥'에 보내죠. 검색하면 검색결과로 나열되는 리스트의 맨 끝 쪽으로 그 사이트를 보냅니다. 누가 마우스 휠을 수십 차례 굴려 저 맨 아래 검색결과까지 봅니까. 무기

징역 감옥에 보내는 것과 대동소이하니 결국은 죽음이군요. '조직의 쓴맛'을 보지 않으려면 룰을 지켜야 살아남을 수 있는 세상입니다. 여러분이 아무리 유명인이라도요. 아니 유명인이라면 더더욱 그래야 하는 세상입니다.

기억하고 또 기억해야 할 사실은, 그들이 룰을 정한다는 사실입니다. 힘센 그들, 플랫폼 기업과 조직의 보스가 정합니다. 힘이 세서 룰을 정하는 것인지, 룰을 정하니 힘이 세지는 것인지는 모르겠지만, 확실한 것은 힘과 룰이 돌고 돌아 그들에게 좋은 방향으로 되풀이된다는 사실이죠. 그렇습니다. '힘 있음'과 '룰 정함'의 '선순환'입니다.

골프를 하다 보면, 가벼운 친선 수준의 내기를 합니다. 아무리 가볍더라도, 친선이라도, 일단 게임에 몰입하면 얄짤 없습니다. 그런데 꼭 중간에 게임의 룰을 바꾸자는 사람이 있습니다. 한번 생각해보세요. 누가 게임의 룰을 바꾸는지. 그는 거기에서 가장 힘센 사람입니다. 힘이 있어야 목소리도 크죠. 게임체인저game-changer라 하죠. 게임체인저의 다른 이름은 룰메이커rule-maker입니다.

룰을 정하는 사람이 되어야 합니다. 냉정하게 말해, 만일 당신과 상대의 관계에서, 룰을 정하는 사람이 상대방이라면, 그 관계에서는 아예 룰이 없는 게 낫습니다. 룰 없는 관계만도 못한 관계입니다. 괜찮다고요? 아끼고 존경하는 상대니까 괜찮다고요? 좋습니다만, 대체 언제까지 괜찮을까요? 이미 룰이 여러분의 손아귀를 벗어났다면, 관계를 버리든가 마음을 비우세요. 그 관계에서는 크게 기대할 것 없다는 의미입니다.

존 내쉬는 '뷰티풀 마인드'로 관계의 균형을 설파했지만, 균형의 관계에서도 결국 진정한 승자는 룰을 정하는 자입니다. '조직' 영화의 명작 중에 '스카페이스'가 있죠. 흉터(scar)가 있는 얼굴이니 '뷰티풀'과는 거리가 멉니다. 대신 '마인드'가 아닌 '페이스'니 실체가 뚜렷한 날것의 메시지가 튑니다. 영화의 전편에 흐르는 2개의 룰은, '룰1: 상대의 욕심을 과소평가하지 마라', '룰2: 자신의 능력을 과대평가하지 마라'입니다.

상대와 나의 이해관계입니다. 이해득실이 난무하는 관계입니다. 상대의 욕심과 나의 욕심, 나의 능력과 상대의 능력, 이것들의 균형을 맞추려면, 룰을 정해야 합니다. 뷰티풀 마인드로는 모자랍니다. 룰을 정하세요. 그 룰을 정하는 사람이 되세요. 규정능력을 습득하세요. 과소평가해서 귀찮아하지 말고, 과대평가해서 빼지도 말고, 룰을 정하는 자가 되세요.

9

나는 여러 사람이라는 사실을 기억하라

_ 전환 changeover

이중인격이 어때서

요새 재미없고 지루하세요? 뭔가 변화가 필요한가요? 그렇다면, 영화를 보세요. 그것도 반전反轉 영화를요. 마음만 그렇지 삶에 큰 변화를 주기는 쉽지 않죠. '영화 같은 삶'은 쉽지 않으니 '삶 같은 영화'에 의지할 수밖에요. 서스펜스와 스릴이 충만한 반전 영화는 우리네 일상과는 거리가 있지만, 충격으로 촉발된 카타르시스로 축 처진 삶에 활기를 불어넣어줍니다. 잠깐이라도 뻔하고 빤한 삶을 흔드는 최고의 반전 영화 3편을 꼽으라면, 일단 '유주얼 서스펙트'와 '식스 센스'는 이견이 없을 것이고, 저는 여기에 '아이덴티티'를 포함시키겠습니다.

폭풍우가 몰아치는 밤, 네바다주 사막의 어느 외진 모텔에 이런저런 10명의 사람이 모여듭니다. 거센 폭우에 전화선마저 끊겨 꼼짝없이 모텔에 고립된 그들은 곧 하나둘씩 살해당하기 시작하죠. 그중에 누가 범인일까, 궁금증과 긴장감이 커집니다. 그런데 그 모든 사람은 사실 한 사람입니다. 다중인격을 지닌 한 사람의 머릿속에서 연출되는 상황이었죠.

긴장은 계속됩니다. 이제는 다중인격 중 어떤 출연자가 살인자의 인격을 대변하는지가 관건입니다. 그 하나의 인격이 영화에서, 다중인격자의 머릿속에서, 다중인격자의 실제 생활에서 살인을 저지릅니다. 항상 그렇듯이 최고의 반전은 마지막에 등장합니다. 가장 아닐 것 같은, 생각지도 못한 사람이 살인자, 아니 살인자 인격으로 밝혀지며 영화의 엔딩은 마지막 반전으로 치닫습니다.

'영화 같은 삶' 이전에는 '소설 같은 삶'이 대세였죠. 반전의 별미는 역시 추리소설에 있습니다. 제가 꼽지 않아도 이렇게 저렇게 3대 추리소설이 호명되더군요. 그중에 항상, 그것도 제일 먼저 호명되는 작품은, 애거사 크리스티 Agatha Christie의 《그리고 아무도 없었다(And Then There Were None)》입니다. 제목만으로도 압권입니다. 특히 영어 제목이요. 저는 노후 대책의 일환으로 책을 모읍니다. 특히 소설류는 여유시간이 많아질 노년으로 미루어 놓았는데, 총 80권의 애거사 크리스티 전집도 그중 하나죠. 전집 1권은 당연히 《그리고 아무도 없었다》. 서가의 새빨간 색깔의 책 80권은, 아무리 귀퉁이에 묵혀놓아도, 아무리 피하려 해도 눈이

갑니다. 어쩔 수 없이 1권을 보고 말았습니다. 애거사 크리스티는 반전의 극적인 효과를 위해 서술상의 트릭을 많이 사용한다고 합니다. 그런데 한 번 사용한 스타일의 트릭은 두 번 다시 쓰지 않는다고 하네요. 나머지 79권도 기대가 큰 이유입니다.

그러나 정작 그녀의 스타일은 반복됩니다. 낯선 곳에 고립된 사람들, 서로 모르는 그들의 정체가 하나씩 밝혀지며 하나씩 죽어 나갑니다. 과연 범인은 누구이고, 왜 그랬을까. 익숙하죠? 굳이 '아이덴티티'가 아니더라도, 어디선가 본 듯한 상황, 스릴러나 공포물의 흔한 설정, 다소 진부해 보이는 클리셰cliché입니다. 하지만 《그리고 아무도 없었다》에서는 진부한 것이 아니라 진보한 것이었죠. 이 반복되는 설정의 원조니까요.

《그리고 아무도 없었다》에는 총 10명('아이덴티티'는 모텔 주인까지 총 11명)이 등장합니다. 이번에도(참, '이번'이 오리지널이니 '이번에도'라는 표현이 맞진 않지만) 가장 아닐 것 같은, 생각지도 못한 사람인 판사가 살인자입니다. 그리고 이번에도 이중인격자입니다. 정의감과 극악함을 동시에 지녀, 정의감으로 사람들을 속이고 극악함으로 사람들을 죽이는 살인자죠.

반전 소설, 반전 영화는 독자와 관객을 속이기 위해 트릭을 쓰기도 하지만, 줄거리 내내 힌트도 줍니다. 이러한 힌트들을 떠올리게 되는 그때, 반전의 결말에 당혹해하면서도 반전을 수긍하고 받아들이게 됩니다. 그러면서 작가와 감독의 의도에 충실히 굴복하죠. '아이덴티티'와《그리고 아무도 없었다》의 범인은 중간에 이미 살해된 줄 알았는데, 사실은 죽지 않은 이들입니다. 유독 그들만 죽는 바로 그 순간의 장면을 보여주지 않았습니다. 넷플릭스 드라마 '오징어 게임'에서, 후반부에 게임 설계자로 판명된 사람만큼은 피 튀기며 총에 쓰러지는 장면을 보여주지 않았던 것처럼요. 이로써 모든 반전 작품의 황금률이 완성됩니다. '보지 않은 것은 믿지 마라.'

'아이덴티티', 정체가 없는 정체성

라스베이거스에서 있었던 일이랍니다. 카지노의 딜러가 룰렛에 공을 굴려 넣었습니다. 회전을 멈추니 룰렛의 7번에 공이 있었죠. 그때 베팅은 하지 않고 지켜만 보던 한 남자가 한숨을 푹 쉬더니 딜러에게 10달러를 건네줍니다. 그러면서 "머릿속에서 15번에 10달러를 걸었단 말이요." 딜러는 어이가 없었지만, 말없이 10달러를 받았습니다. 그 후에도 비슷한 일이 반복되며 딜러는 계속 그 남자로부터 10달러

받았죠. 그러다가 한 번은 공이 17번에 멈추자 그 남자는 갑자기 환성을 지릅니다. "1만 달러다! 17번에 걸었단 말이야." 하며 딜러에게 1만 달러를 달라고 합니다. 이번에도 딜러는 어이가 없었지만 말 없을 상황이 아니었습니다. 결국은 분쟁으로 이어지고 그들은 재판정에 서게 됩니다.

어떻게 되었을까요? 판결은 이랬습니다. "졌을 때도 머릿속 내기를 인정하고 딜러는 돈을 받았으니, 이겼을 때도 딜러는 돈을 주어야 합니다." 어때요? 예상했던 판결인가요? 이번에도 반전이 있습니다. 이번에도 반전의 주인공은 판사고요. 남은 판결문은 "단, 머릿속의 내기이니 주는 돈은 머릿속의 돈이어도 됩니다." 그렇습니다. 보지 않은 것은 믿지 마세요.

보지 않은 것을 믿지 말라는 말은, 본 것을 믿으라는 얘기라 할 수 있습니다. 본 것은 사실이라는 얘기입니다. 머릿속의 관념보다는 눈앞의 관찰을 믿어야 한다는 뜻이겠죠. 그런데 우리는 종종 본 것을 믿지 않고 보지 않은 것을 믿습니다. 특히 자기 스스로에 대해서 그렇습니다. 자신에 대한 머릿속의 관념이 자신에 관한 눈앞의 관찰을 앞섭니다. 분명히 내가 한 일이고 말이고 행동인데, 그것이 나라고 생각하길 거부합니다. 그러곤 "내가 미쳤지.", "잠깐 정신이 나갔었나 봐." 합니다. 또는 예민해서, 짜증 나서, 술 마셔서 한 언행이라고, 진정코 진정한 내가 아니라고 발뺌합니다.

그러나 다 나입니다. 어떻게 그럴 수 있냐며 의아해합니다만, 다 당신입니다. 솔직히 답해보세요. 예민하고 짜증나서 했던 말, 전혀 본심이 아니었나요? 술 마시고 했던 행동, 전혀 기억 안 나나요? 치매가 아닌 다음에야, 이중인격이 아닌 다음에야 그럴 리 없겠죠.

여기에 반전이 있습니다. 이중인격 말이죠. 우리에게는 이중적인 모습이 있습니다. 돌려서 말하지 않으렵니다. 우리 모두에게 이중인격이 있습니다. 오해는 마세요. 서로 다른 인격의 언행을 기억 못 하거나(치매성 이중인격), 보유한 여러 인격 중 하나가 과도한 공격 성향을 띤 것(파괴성 이중인격)은 예외입니다. 그런 걱정스럽고 극단적인 것 말고, 다소간의 차이는 있겠지만, 다양한 환경에서 다양한 관계로 살아가는 인간은 모두 이중인격체, 심지어 다중인격체입니다.

아니라고요? 기분 나쁘다고요? 반전 영화와 추리소설 속 범인 얘기가 아니라는 걸 알고 있겠죠? 반전으로 집중을 끌어내고 앞으로의 전개에 힌트를 주려고 한 것입니다. 어쨌거나 강조하려는 것은, 나는, 당신은 단 1명의 당신이 아니라는 것입니다. 단 1명의 당신을 가정하는 것은 보지 않은 것을 믿는 것입니다. 믿고 싶은 것을 믿는 것입니다. '아이덴티티'라는 것, 때론 정체가 없는 정체성을 깊이 믿고 있는 것입니다.

무엇이 기본이고, 본질인가?

교수는 신기한 직업입니다. 교수의 정체는 많은 사람들이 알고 있나 봅니다. 그러니 '교수다운 교수'나 '교수 같지 않은 교수'라는 표현을 쓰겠죠. 드물지만 들어본 적이 있어 장담하건대, 둘 다 교수를 칭찬할 때 쓰는 표현입니다. 그런데 신기하죠? 칭찬받으려면 '교수다우라'는 것인지, '교수 같지 않으라'는 것인지 헷갈립니다.

하긴 '교수답지 않은 교수'와 '교수 같은 교수'가 부정적으로 쓰이는 걸 보면, 문제는 '교수'가 아니라 '○○답다'와 '○○같다'의 뉘앙스 차이네요. 암튼 반듯함의 장점과 고리타분함의 단점을 동시에 지닌 학자로서의 직업이 교수이다 보니, 이에 연유하는 신기함이네요. 세상의 모든 것, 모든 일에는 장단점이 있으니, 이런 태생적 양면성을 '이중성'이라 하긴 어렵겠죠. 그러나 저의 본격적인 이중인격은 여기서 출발합니다. 학생들과 함께하는 자리, 그리고 공석에서는 최대한 반듯한 인격이 등장합니다. '교수다운 교수'가 되어야죠. 친구들과 함께하는 자리, 그리고 사석에서는 최대한 고리타분하지 않은 인격이 등판합니다. '교수 같지 않은 교수'가 되어야지요.

이중적이죠. 심지어 이중적이려고 최대한 노력합니다. 그렇다고 제가 가식적인가요? 최대한 반듯하려 노력하는 저도 저이고, 최대한 고리타분하지 않으려 노력하는 저도 저입니다. 반전 추리, 공포, 서스펜스, 스릴러에 출연하는 전형적인 이중인격이 문제지, 남에게 극심한 피해를 끼치는 다중인격자가 문제지, 인간 모두가 어느 정도는 가진 이중성, 이중적 인격의 모습이 문제는 아니라는 겁니다. 때에 따라서는 더욱 노력하고 강화해야 할 이중과 다중의 성격, 그리고 모습이어야 한다는 말입니다.

그럼에도 불구하고 우리는 단일한 게 좋다고 합니다. 딱 하나, 변치 않는 하나의 인격체를 선호합니다. 그게 가능할까요? 저도 한결같은 사람, 언행에 일관성이 있는 사람을 좋아합니다. 그러려고 노력하는 사람도 좋아합니다. 그러면서 은근히 그 근원이 변치 않는 뚜렷한 정체성에 기인하기를 바랍니다. 그게 쉬울까요? 그런 사람은 좋아할 대상이 아니라 존경해야 할 대상이겠지요. 막연한 단일함의 추구가, 단일하지 않은 것을 막연히 달갑지 않게 여기는 경향으로 흘러갑니다.

벌써 꽤 오래되었네요. 젊은 교수 시절, 방송 출연을 할 때가 있었습니다. 그러다가 학교 복도에서 존경하는 선배 교수님과 부딪쳤습니다.

"임 교수, 꼭 해야 해?(그렇게 뜨고 싶어?)"

부끄러웠습니다. 왠지 대학교수의 정체성에 어긋난 것 같은 심정이 몰려오더라고요. 별건 아니었지만, 그래서 아예 그만뒀고요. 그때는 그랬습니다. 교수 하던 사람이 방송하고, 방송하던 사람이 정치하고, 정치하던 사람이 교수 하면, 일단 의심의 눈초리를 보냅니다. "하던 거나 잘하지." 하며 본래의 정체성에 의문을 던집니다. 기본과 본질을 벗어난 외도라고 일갈하면서요. 물론 이젠 시대가 바뀌었죠. 하던 걸 더 잘하기 위해 자발적·자체적으로 영상을 제작하는 시대니까요. 그러나 이젠 저도 바뀌었죠. 파릇파릇 젊었던 교수는 온데간데없어졌으니 '하던 거나 잘하자' 하며 스스로 자제하고 있습니다.

비즈니스 세계에서도 그렇습니다. 비즈니스 하다 보면, 트집 잡기 어려운 말들이 있죠. 왠지 불변의 진리인 듯하여 그냥 받아들이고야 마는 말들, 이를테면 '기본에 충실하자', '본질에 충실하자', '쓸데없이 눈 돌리지 말고, 하던 대로 하던 것 잘하자', 이런 것들이죠. 장인정신이나 핵심역량으로 확대해석하며, 다각화와 신사업의 의욕을 잠재우는 금언 아닌 금언이지요.

그렇지만, 우리 기업의 기본이 뭐죠? 여러분 사업의 본질이 무엇인가요? 하던 대로 하던 것이 꼭 기본이고 본질이라고 호언할 수 있을까요? 해왔던 일이 꼭 그 기업의 실질적 정체였다고 장담할 수 있을까요?

기업의 정체성이라면, 브랜드죠. 기업은 모두가 기억하는 자사만의 강력한 브랜드를 원합니다. 무슨 제품이면 무슨 회사, 무슨 서비스면 무슨 브랜드의 칭호를 생명과 같이 지키고 아끼는 거죠. 그런데 이번에는 그토록 또한 지키고 아끼는 고객의 관점으로 생각해볼까요? 고객, 특히 성장하는 젊은 세대들은 정체성에 그다지 목매지 않습니다. 경제적인 이유로 직장의 근무시간 후에는 다른 잡job을 갖습니다. 사회적인 이유로 전공 이외에 다른 취미를 찾습니다. 이중적이고, 때론 다중적인 자신의 모습을 몸소 체험하고 있는 거죠.

상당한 시간을 게임과 영상에 쏟습니다. 게임에서는 주로 사용하는 캐릭터인 '본本캐'로는 충족하지 못한 욕구와 활동을 위해 '부副캐'를 지정합니다. 영상에서는 유산슬, 유야호와 유재석을 구분 짓습니다. 이쯤의 다중성은 개의치 않습니다. 기업은 일관된 브랜드로 어필합니다. 그러나 고객은 상관없습니다. 자신의 다양한 상황의 다양한 욕구를 채워주기만 한다면, 그깟 브랜드와 정체성, 기본과 본질에 관심 없습니다.

어떻습니까? 여러분의 정체성은 무엇입니까? 여러분의 실질적 정체는 무엇인가요? 좀 이중적이면 어떻습니까? 당신의 '아이덴티티'를 나타내는 'ID'는 무엇입니까? 쓰고 있는 'ID'는 총 몇 개죠? 그 수만큼의 정체면, 뭐 어떻습니까? 어차피 당신은 당신인데요. 지금 하는 일, 그동안 해왔던 일의 기본은 무엇입니까? 그간에 지켜왔던 본질은 무엇입니까? 그런데 그 기본이 꼭 진짜 기본이고, 그 본질이 꼭 진짜 본질인가요? 그리고 혹시 그것 때문에(그에 대한 과도한 집착 때문에) 새로운 기회를, 새로운 '나' 혹은 새로운 비즈니스로 전환할 기회를 놓치고 있는 것은 아닐까요? 괜찮습니다. 이중인격이 어때서요. 이중인격이라도 괜찮습니다. 그게 사실은 이중이 아닐지 모르고, 설령 그렇다 하더라도 괜찮습니다. 어차피 그런 세상이고, 그게 인간이니까요.

상반된 두 특성을 보유한 사람을 '이중적이다', '야누스적이다'라며 차가운 시선을 보냅니다. 차가운 시선의 차가운 마음은 버려야 합니다. 시대가 바뀌었잖아요. 근자에는 전혀 상관없고 연관하기 어려운 것들을 연결하는 창의적 사고능력을 지칭할 때 야누스를 들먹인다고 합니다. 혹시 알고 있나요? 야누스는 로마신화에 나오는 문(門)의 수호신입니다. 모든 일의 시작을 관장하는 신으로 묘사한다죠. 이중적인 당신, 이제 야누스의 문을 열고 전환능력을 얻는 길로 접어들었습니다. 자꾸 뒤를 돌아보지 마세요. '아이덴티티'와 정체성을 부르짖던 사람들이 신경 쓰이나요? 돌아보면 알게 됩니다. '그리고 아무도 없었다'는 것을요.

꼰대의 고백

아마 20대 후반의 어느 날이었을 겁니다. 수십 년 전의 일이 지만 그날만큼은 생생합니다. 아니, 그날 그때의 그 느낌만은 생생히 기억납니다. 아침에 일어나 여느 때와 마찬가지로 잠이 덜 깬 채 욕실에 갑니다. 반쯤 감은 눈으로 물을 틀고 손에 잡히는 비누로 거품질을 하고, 그러곤 잠이 확 깼습니다. 눈이 확 떠졌습니다. 갑자기 가슴이 뛰기 시작했으니까요. 가슴은 콩닥거리고 마음은 설렙니다. 기쁜 마음으로 입가에 미소가 번집니다.

왜일까요? 그날 특별한 일도 없고, 그 전날 특별했던 일도 없었는데요. 이유는 비누 때문이었습니다. 비누의 향 때문이었습니다. 거품질하는 손에서, 손에서 코끝으로, 코끝에서 머리와 가슴 깊숙이 파고든 비누향기 때문이었습니다. '왜일까? 이 느낌, 이 설렘은 뭐지?' 하다 문득 떠올랐습니다. '아, 맞아. 그날이네. 그날이었네.' 그로부터 다시 수년 전의 하루가 소환되었습니다.

대학 1학년 겨울이었죠. 몇 달 동안 학교에서 눈여겨 마음 새겨 본 여학생에게 용기 내어 말을 건 적 있습니다. 화답이 와서, 처음으로 도서관 데이트를 하기로 했습니다. 그때가 학기말 시험 기간이었거든요. 첫 데이트 날, 바로 그 날의 아침의 향기였습니다. 오랜 기다림이 닥친 기대감으로 바뀌었던, 그날 아침에도 같은 비누였나 봅니다. 수년 후에 다시 접한 그 날의 그 향기가 그 느낌을, 그 설렘을 마음에서 꺼내 가슴에서 뛰어놀게 했던 것 같습니다. 고작 비누 하나가, 비누향기 한줌이 말이죠.

책과 음악은 저의 소중한 벗입니다. 늘 함께했고 앞으로도 함께할 벗입니다. 그러다 보니 여러 번 제 얘기에 등장했는데, 음악 얘기를 조금만 더 할게요. 저는 잘 때와 남들과 일할 때를 빼곤 항상 음악을 듣습니다. 심지어 TV를 시청할 때도 음악을 틀어 놓는데, 음악 듣는 시간만 못하다는 생각이 들면 가차 없이 TV를 끕니다. 영화, 다큐, 스포츠를 위주로 보는데요. 보다가 집중하게 되면 그제야 오디오를 끄죠. 음악을 가까이하는 누구나 알고 있겠죠. 음악의 용도는 현재를 소비하는 것만이 아닙니다. 현재에 듣고 과거를 느낍니다. 정확히는 현재와 과거가 뒤섞입니다. 마치 그 날의 비누향기로 그랬던 것처럼요. 현재에서 과거로 가기도 하고, 과거가 현재로도 옵니다.

동명의 영화로 인해, 퀸Queen의 '보헤미안 랩소디'가 다시 유행할 때, 여기저기서 다시 들릴 때마다 저는 과거로 갔습니다. 또 소싯적 과거가 현재로 오더라고요. 그 어리고 여렸던 소년이 저에게 찾아옵니다. 김현철의 '춘천 가는 기차'를 듣는다고 꼭 춘천에 가고 싶고, 꼭 기차가 타고 싶은 것은 아닙니다. '춘천 가는 기차가 나를 데리고 가네…' 이 가사 알죠? '춘천 가는 기차'가 나를 데리고 가는 그 시절 그 느낌, 이 곡이 내 마음 깊이 들어온 바로 그때의 느낌이 되살아납니다. 그러곤 그 꿈 많고 풋풋한 청년이 저에게 찾아옵니다. 만약 저에게 '교수 같지 않은 교수'의 면모가 조금이라도 있다면, 그건 몽땅, 모두, 전부, 다 저의 벗, 음악 덕분이지요.

고정관념의 화신

그러한 친구들이 있음에도 꼰대가 되었습니다. 나이만 그런 게 아니라 원체 직업이 그렇잖아요. 그래서 자신 있게 말해줄 수 있습니다. 사람들이 꼰대가 되는 이유를요. 3가지로 정리해줄 테니, 제 고백을 잘 읽고 생각해보세요. (나이와 상관없이) 내가(혹은 그가) 혹시 꼰대인가, 어떻게 하면 꼰대가 안 될 것인가, 어떻게 꼰대를 상대할(이해할) 것인가 등과 같은 질문에 답을 얻는 데 도움이 될 겁니다.

꼰대가 되는 첫째 이유는, 꼰대가 되는 게 편해서입니다. 아무도 꼰대라는 소리를 듣고 싶지는 않겠지만, 몸과 마음은 이미 꼰대로 향했습니다. 따지고 고민하기가 귀찮습니다. 남 신경 쓰기도 싫고요. 자신만의 사고방식과 행동지침을 정하고 그에 따르면 편합니다. 살다 보면 터득합니다. 인지적인 부하를 최소화하는 방법은, 기계적인 사고와 기계적인 반응이라는 것을.

둘째는 자기방어의 수단입니다. 자신의 정체성을 지키는 수단이라고 말한다면, 너무 좋게 말해주는 겁니다. 그냥 자신의 편함과 편함의 추구를 합리화하고 싶은 거죠. 놀랄 일도 없고 놀라게 할 일도 없습니다. 감흥과 감동도 좀처럼 없습니다. 고작 향기나 그깟 음악으로는 꿈쩍하지 않습니다. 그러고 싶지도 않습니다. 괜히 그래 봐야 그 틈을 뚫고 세상과 타인의 칼끝이 들어오는 게 싫습니다. 좀 거추장스러우면 어떻습니까. 철갑을 두르면 상처받지 않는데요. "감정 소모하기 싫어!"라고 외쳤나요? 잘 방어했습니다. 단지 그만큼 꼰대로 더 다가갔다는 사실은 감안하세요.

꼰대가 되면 자아의식과 자아관점이 강해집니다. 세상이 자기중심으로 돌아갑니다. 실상은 그렇지 않은 걸 알고 있지만, 자기중심적인 사고가 편하기도 하고 방어하기도 수월한 것 또한 잘 알고 있거든요. 한동안 금주하던 때 귀한 양주를 선물 받았습니다. 37년산이라나요. 비록 술은 못 먹게 되었지만, 감동과 감흥으로 현장 개봉했더니 30년산입니다. 의아해하는 저를 보고, 그는 "제가 7년 갖고 있었으니 37년산이죠. 하하!" 합니다. 자아의식에 자아관점이 증폭된 '아재개그'의 그가 꼰대인지, 그 개그에 웃지 못하고 숫자나 따지는 제가 꼰대인지 아리송하더라고요. 둘 다겠지요.

자아의식과 관점이 무르익으면 자기주장으로 모양이 바뀝니다. 꼰대의 자기주장이 무서운 것은, 남에게 강요하기 때문이죠. 특히나 성공했던 특별한 기억이 있는 사람이 더 무섭습니다. 이제는 확신에 차서 집요하게 상대를 괴롭히는 '왕꼰대'로 등극할 가능성이 높습니다. 알고 보면 대단한 성공도 아닌데, 따져보면 고리짝 얘기인데요. 이것이 셋째 이유입니다. 자신에게 특별한 그 무엇이 상대에게도 특별할 것이라는 그 믿음, 그 얄팍한 성공의 기억과 추억으로 자아도취에 빠져듭니다. 빛나는 '꼰대 훈장'의 빛에 눈이 멀어 상대의 입장과 처지는 안중에 없습니다.

첫째, 둘째, 셋째로 나눠 열거했지만, 한마디로 '고정관념'입니다. 부지불식 관념이든, 애지중지 관념이든, 경직된 관념이죠. 꼰대가 되는 이유, 사람을 꼰대로 만드는 이유는, 한번 정착하면 웬만해선 변하지 않는 사고체계에 기인합니다. 꼰대의 다른 말은 '고정관념의 화신化身'이죠. 나이가 많은 사람, 저 같은 선생 직업을 가진 사람이 꼰대라고요? 아닙니다. 그럴 확률이 더 높은 것은 맞지만, 나이와 상관없이 직업과 상관없이, 꼰대 많습니다. 관념이 고정되면 고정될수록, 생각이 변화하지 않으면 않을수록, 더 꼰대입니다. 견고한 원칙과 세세한 법칙으로 무장할수록 더 왕꼰대입니다. 변화하기 어렵고 전환하기 어려운 꼰대, 정말 많습니다.

고정관념은 영어로 '스테레오타입stereotype'이죠. '전형典型'이라고도 합니다. '전형'은 '원형'에 비해 세세합니다. 교수의 전형은, 공부를 많이 했으니 반듯하고, 공부만 했으니 고리타분하고, 이런 것 맞죠? 큰 안경 쓰고, 양복 입고, 머리 희끗하고, 말 많고, 가르치려 들고…, 이렇기도 하고요. 혹 비슷하게 떠올렸다면, 고정관념이 자리 잡은 것입니다. 꼰대 지수가 꽤 높다고도 할 수 있고요.

하여간 전형은 구체적이죠. 구체적인 만큼 변화의 여지는 적습니다. 반면에 원형 '아키타입archetype'은 추상적입니다. 스테레오타입의 반대 개념으로 종종 '프로토타입prototype'을 칭하기도 합니다만, 프로토타입이 공학에서 '시제품'으로 자주 쓰이는 반면, 아키타입은 정신분석학이나 심리학에서 '근본적인 실체' 개념으로 인용됩니다. 칼 구스타프 융은 아키타입을 무의식적으로 발현되는 보다 추상적 심상으로 지칭했고, 이는 외부세계와의 상호작용으로 드러나는 본체라 하였다죠. 마치 말랑말랑한 어린 마음, 소년·소녀 감성처럼요. 그래서 딱입니다. 꼰대의 고정관념과 상반되는 것, 견고하고 굳건한 것과는 거리가 먼 것으로, 딱 맞습니다. 선천적으로 변화에 민감하고 변화로 덧붙이고 채색될 수 있는 것, 주위와의 상호작용으로 정체가 드러나며 그 정체조차도 변화의 여지가 있는 것으로, 아키타입이 딱 들어맞는 것 같습니다. 꼰대가 되지 않기 위해 추구해야 할 무엇으로 말이죠.

이런 식의 논의는 철학에서 매우 익숙한 담론입니다. 철학이라는 학문의 대상은 인간의 인식이고, '인간의 인식이란 무엇인가?'라는 질문은 자연스레 인식의 근원을 찾게 됩니다. 플라톤은 그것을 '이데아idea'라 부릅니다. 우리말로 '관념'이라 하는 이것은 절대불변의 원형이죠. 여기에 유연성을 가한 이가 아리스토텔레스입니다. 플라톤의 '관념'에 대한 해석은 지나치게 경직되어 있어 현실 세계와의 상호작용, 즉 감각의 현상을 설명할 수 없다고 반박합니다. 어떤가요? 아리스토텔레스가 '관념'을 고정시키지 않고 우리의 아키타입에 보다 가깝게 해주었죠?

암튼 좋습니다. 꼰대론이나 철학이나 모두 근원적인 실재와 실체를 탐합니다. 흔히 말하는 '본질'이라는 것이죠. 그냥 일상용어로 '기본'이라 해두죠. 다시 처음으로 돌아갔네요. 기본과 본질에 충실하자? 그렇다면 기본과 본질이 무엇인가? 그 기본은 정말 기본이고 그 본질이 정말 본질이 맞는가? 어디까지가 기본이고 어디까지가 본질인가? 기본과 본질이라고 하는 것은 좀 변하면 안 되나? 어디까지 변하면 괜찮고, 어느 이상으로 변하면 안 되나? 그렇다면 변하지 않는 본질, 변하면 안 되는 기본에 충실하자…?

골 아프게 할 의도는 없습니다. 괜스레 이리저리 돌고 돌았던 얘기의 요점을 말하려 합니다. 본질이 중요합니까? 만일 변하지 않는 본질, 변하면 안 되는 본질이 있다면 그것을 알고 싶습니다. 그것을 안다면 이럴 수 있습니다. 뒤집어 말해서, 물러서서는 안 될, 지켜야 할 본질 외에는 다 바꿀 수 있다는 뜻입니다. 단지 편하자고, 자기방어 하자고, 혹은 자기주장 하자고 본질 아닌 것을 본질인 양 관념으로 고정하지 말아야 한다는 것입니다. 고정관념으로 만들지 말아야 한다는 것입니다.

본질조차 선택하는 자유의 존재

심지어 본질인 원형도 유동적입니다. 본질도 외부세계와의 상호작용으로 변화하고 변모하는 것임을, 이미 융 이

전에 아리스토텔레스가 그러한 인식의 길을 열어주었습니다. 그러나 뭐니 뭐니 해도 저에게 그 길을 훤히 뚫어주고 밝혀준 이는 장 폴 사르트르입니다. 개인적으로 그가 다 마음에 드는 것은 아닙니다. 지나치게 자유분방한 사생활, 또 최고의 지성인답지 않은 무지로 한국전쟁을 북침으로 믿은 사실이 그렇지만, 결코 미워할 수 없는 존재입니다. 앞서 소개했듯이 《지식인을 위한 변명》을 해주었고 작가들에게 '소설적 자유'도 안겨준 존재이기 때문입니다. 그리고 너무나도 멋진 말, '존재는 본질에 앞선다'를 선사해주었습니다. 인간의 본질을 미리 정해줄 신이 없으므로, 보편적이고 고정불변인 인간의 본질을 정의할 수 없다는 메시지죠. 고로 인간은 자신이 선택한 어떤 존재로든 변해갈 수 있다는 웅변입니다. 멋있지 않나요? 변하는 존재, 그것이 인간이고, 본질조차 선택하는 자유의 존재, 그것이 인간이라는 거죠.

자, 정리하면 이렇습니다. 우리의 정체성과 본질은 중요합니다. 그러나 그것들은 단일하지 않고 다양할 수 있습니다. 앞에서 이중인격도 용납하기로 하지 않았습니까. 또 그것들은 시간에 따라 변화합니다. 폭이 늘다가 줄다가, 깊이가 깊다가 얕다가, 그것이 본질이고 정체성입니다. 그것을 숙지하는 것이 중요합니다. 그것을 명심해야만, 비로소 그다음에서야 전환능력을 발휘할 수 있으니까요.

그토록 어렵습니다. 고정관념을 버리기가, 변하기가 어렵습니다. 변화하기는 정녕 어렵습니다. 지금까지의 다른 능력은, 적어도 시작하려는 마음은 쉽게 먹을 수 있습니다. 그러나 전환능력은 일단 마음먹기부터가 쉽지 않습니다. 왜 마음을 먹어야 하는지 동감하지 않기도 합니다. 또 마음먹어도 다시 제자리로 돌아가기가 십상입니다. 왜냐하면 그게 편하니까요. 자기방어도 해야 하고, 때론 자기주장도 해야 하니까요. 꼰대는 되기 싫지만 사실 꼰대를 벗어나기 싫은 꼰대니까요. 그래서 길게 설명했습니다. 제 보잘것없는 철학지식과 경험지식을 들먹이면서, 형이상학적 이성과 형이하학적 감성을 동원하면서 말이죠.

형이상학적 이성과 형이하학적 감성이 동시에 발휘된 동상 이야기를 하나 하고 일단락하겠습니다. 덴마크 코펜하겐에 있는 동상입니다. 그 유명한 '인어공주'요? 아닙니다. 한동안 그 옆에 전시되었던 '가장 뚱뚱한 자의 생존(Survival of the Fattest)'이라는 동상입니다. 피골이 상접한 깡마른 흑인 남성의 어깨 위에 고도 비만의 한 백인 여성이 올라타 있습니다. 검색해서 한번 보세요. 그 동상 밑에는 다음의 문구가 적혀 있습니다.

나는 한 사람의 등에 올라타 있다.

그는 나의 무게에 가라앉고 있다.

나는 그를 도울 수 있다면 무슨 일이든 할 생각이다.

단, 그의 등 위에서 내려가는 것은 빼고.

빈국을 위하는 듯하지만, 실상은 착취하는 부국을 비꼬는 동상이랍니다. 그러나 저에게는 왠지 저의 현재와 과거가 뒤섞인 모습으로 와닿았습니다. 아래에 힘겨워하는 이는, 그 어리고 여렸던 소년의 접니다. 꿈 많고 풋풋한 청년 시절의 저입니다. 뚱뚱한 자는 현재 고정관념으로 살찐 꼰대의 저이고요. 고백합니다. 과거의 저가 될 수 있다면 무슨 일이든 할 생각입니다. 단, 가진 것들, 꼴랑 그것도 알량한 부와 명예랍시고, 지금 가지고 있는 것들을 내려놓는 것은 빼고요. 한 줌의 비누향기로도 되돌아갈 수 있는 과거 아닙니까.

전환능력

퀸의 '보헤미안 랩소디'가 과거와 현재를 이어주었듯이, 또 요새 젊은 세대와의 대화도 이어주었죠. "이게 '보헤미안 랩소디'가 수록된 오리지널이야. 한번 틀어보렴." 하면서 으쓱대는 마음으로 퀸의 LP를 아들에게 건네주었습니다. LP와 턴테이블을 신기하게 바라보던 아들은 "근데 이 LP에는 '보헤미안 랩소디'가 없네." "어, 아니지. 뒤집어 봐." 그랬더니 아들은 외칩니다. "뭐, 뒷면에도 음악이 있다고?" 오, 맘마미아! CD만 보았던 아들은 뒷면을 생각지 못한 모양입니다. '보헤미안 랩소디'는 오리지널 LP의 뒷면 끝 곡이거든요.

고정된 관념은 나이와 시기를 가리지 않습니다. 익숙한 것에 고정되어 인지를 고착화하는 모든 상황에 고정관념은 고개를 듭니다. 고정관념 하니, 칼 던커Karl Duncker의 고전적인 실험이 생각납니다. 던커는 사람들을 벽에 붙은 책상 앞에 앉게 합니다. 책상에는 양초와 성냥, 압정이 든 상자가 놓여 있습니다. 이것들을 가지고 촛불을 벽에 붙이라 합니다. 여기에 조건이 있는데, 촛농이 책상으로 떨어지면 안 됩니다. 여러분이라면 어떻게 할 건가요? 맞습니다. 맞는 방법은, 압정으로 압정 상자를 벽에 고정하고 받침으로 사용해 그 위에 촛불을 올려놓으면 됩니다. 그렇게 생각했나요? 던커의 실험에 참가한 사람들 다수는 답에 도달하는 데 꽤 애를 먹었습니다. 압정으로 초를 벽에 붙이려고 하고, 촛농으로 붙이려고도 했습니다. 압정 상자는 그냥 압정이 든 상자에 불과하고, 벽에 고정해야 하는 것은 그저 촛불이라는 익숙한 방식의 관념에서 벗어나지 못했던 거죠. 익숙한 CD처럼 LP도 단면일 거라는 고착된 관념처럼요. 익숙한 관념을 압정으로 찍어 눌러 고정하려 한 겁니다.

처음에는 CD도 양면으로 개발하려 했다죠. 그때의 고정관념으로 '음반은 (LP처럼) 양면'이었으니까요. 오디오계에서는 고정된 압정을 뽑아 혁신을 이룬 사례가 많습니다. 전 세계에 2억 대 이상 팔린 소니의 워크맨. 이것도 어르신들에게는 비누향기 같은 겁니다. 카세트 플레이어에 스피커가 꼭 있어야 할까? 녹음 기능이 없으면 안 되나? 이런 질문이 압정을 뽑았습니다. 고정관념의 압정을 뽑아내니 가볍고 단출한 카세트 플레이어가 됩니다. 이어폰 꽂고 듣기만 하는 나만의 플레이어, 워크맨이 탄생한 거죠. 이어폰도 처음에는 귀를 덮었습니다. '이어'가 꼭 귀 바깥일 필요는 없다는 생각에 귀 안의 이어폰이 나왔습니다.

이것저것 몽땅 가능한 스마트폰이 있고, 스마트폰에서 이것저것 다 빼고 통화 기능만 남긴 피처폰이 있습니다. 아이폰에서 통화 기능을 뺀 아이팟, 아이팟에 통화 기능을 붙인 아이폰, 어떻게 보아도 상관없습니다. 암튼 압정으로 단단히 고정하지만 마세요. 뺏다 붙였다, 박았다 뽑았다, 정하지 말고, 고정하지 말고, 고착화하지 말고, 자유자재로 해야죠. 포스트잇이 창의성 도구로 각광받는 이유는, 압정과 달리 자유자재로 붙이고 뗄 수 있어서가 아닐까요? 세상의 벽은 그리 만만하지 않습니다. 괜히 압정으로 찍어 누르겠다고, 흠결이나 내겠다고 애쓰지 마세요. 포스트잇으로 유연하게 하세요.

일반화와 추상화

'전환(changeover)능력'을 소개할 차례입니다. '고정된 인과성과 연관성에 연연하지 않고, 유동적인 본질 인식에 입각하여, 사람과 사물, 그리고 그들의 관계에서 새로운 가치를 구현하는 능력', 이것이 전환능력입니다. 지금까지 제 얘기를 함께했다면 어렵지 않으리라 생각합니다. 그러자고 서설이 길었죠. 그래도 유연하게 정리하는 차원에서 몇 가지 첨언하겠습니다.

먼저, '인과성과 연관성'인데, 인과성은 말 그대로 원인과 결과로 '○○이니, ○○이다'입니다. 이에 비해 연관성은 단순히 '서로 관련 있다'는 정도니 인과성에 비해 훨씬 포괄적인 의미죠. 다시 말해 인과성이 훨씬 강력합니다. 만일 어떤 결과에 대한 원인을 어떤 것으로 고착화하여 확신한다면 유연성은 0%, 경직성은 100%라는 겁니다. 인과성을 연관성의 범주 안에 포함할 수도 있지만, 고정된 인과성이 자칫 불러올 폐해가 심각할 수 있어, 굳이 인과성을 정의의 앞쪽에 집어넣었습니다. 주위의 꼰대가 "이 일이 잘못된 것은 너와 관련이 있어." 하는 것과 "이 일은 너로 인해 잘못됐어." 하는 건 확 다르죠? 어깨 위에 올라탄 꼰대의 무게감이 확 다를 겁니다.

인과성과 연관성을 교묘히 아우르는 단어가 '일반화(generalization)'입니다. '제너럴라이제이션'이라는 발음도 기억해둘 만합니다. 논리학뿐 아니라, 최근 첨예의 관심사인 인공지능에서도 많이 쓰이거든요. 특정한 대상에 관한 사고를 그것과 유사한 대상에 적용하는 것입니다. 같은 대학에 근무하는 한 친구가 해준 얘기입니다. 대학생 때 교회

주보를 몇 장 가지고 다닌 적이 있다 합니다. 교회에 나가지도 않는데요. 그러다가 거리에서 마음에 드는 여성을 보면 용감하게 말을 걸어봅니다. 순간 여성의 반응이 씨도 안 먹힐 것 같으면, 얼른 주보를 내밀며 낮은 목소리로 "교회 나오세요." 했었다나요. 여성들은 보통 길에서 낯선 남성이 말을 걸면 방어적으로 반응합니다. '모르는 여성에게 말 거는 남성'에 대해 일반화합니다. '정상이 아닌 사람'으로요. 길을 물어볼 수도 있고, 도움을 요청할 수도 있는 일인데요. 그리고 종교를 가진 이에 대해서도 일반화하는 경향이 있습니다. 신앙심을 가진 이는 선하다거나, 신앙을 전파하는 데는 부끄럼이 없다고 생각하는 거죠. 꼭 그런 것도 아닌데 말이죠.

말이 나온 김에 '본질 인식'에 대한 이야기까지 하겠습니다. '추상화(abstraction)'입니다. 이것도 '앱스트랙션'으로 기억해두면 좋습니다. 이런저런 특성과 성질을 살펴보고 이들을 최대한 간단한 개념으로 통칭하는 것입니다. '일반화'가 일반적인 개념을 구체적인 사실에 적용하는 연역법에 가깝다면, '추상화'는 구체적인 사실들을 모아 일반적인 개념으로 정립하는 귀납법에 가깝죠.

사람들은 누구나 추상화를 하지만 저마다 추상화하는 방식이 다릅니다. '나이가 들면 가정을 꾸리기 위해 하는 것'으로 결혼을 추상화하는 사람도 있지만, '잘 맞는 이성을 만나면 삶을 같이하기 위해 하는 것'으로 하는 사람도 있습니다. 다 이해 공감할 수는 있는 앱스트랙션이죠. 그러나 이렇게 다른 추상화 방식이 만나면 서로 이해가 잘 안 됩니다. 우리가 소통에 애를 먹는 이유는, 이렇듯 상대와 나의 추상화 방식이나 수준이 달라서입니다. 그저 결혼을 '가족 중심의 행복을 추구하는 방편' 정도로 통일해 추상화한다면 큰 문제 없겠지요.

여기까지 읽으며 질문이 떠오를 수 있습니다. 가령 '자꾸 어린 시절, 젊은 나이 얘기하는데, 그렇게 옛날로 돌아가는 것은 옛날 그대로 머물러 변화하지 않는 것 아닌가요?' 혹은 '사람이 일관성이 있어야지 왜 자꾸 변화하고 전환하라는 건가요?' 이런 질문은 지금까지의 제 얘기와 추상화 수준이 다른 겁니다. 뭐가 좋고 나쁘다가 아니라, 그저 핀트가 안 맞는다는 것이죠. 굳이 답하지 않아도 되겠죠? 이 책을 여기까지 읽고 있는 독자라면, 저의 논지에 일정 부분은 수긍한 독자일 테니, 저의 앱스트랙션 방식에 맞추어주었다고 기대해도 무방하겠죠?

전환능력의 정의에서 중요한 것은, 오히려 설명하지 않은 부분입니다. '고정된 인과성과 연관성에 연연하지 않고, 유동적인 본질 인식에 입각하여'에서, '인과성과 연관성'에 관해 '일반화'를, '본질 인식'에 관해 '추상화'를 설명했지만, 그것이 다가 아닙니다. 더 중요한 나머지는 '고정된… 연연하지 않고'와 '유동적인… 입각하여'입니다.

사람은 모두 '일반화'와 '추상화'를 합니다. 활달한 사고와 활발한 전환능력을 위해서라도, 일반화와 추상화는 더욱 빈번하게 사용해야 할 것들입니다. 얘기했죠? 떼었다 붙였다, 박았다 뽑았다 해야 한다고요. 그 과정이 다름 아닌 일반화와 추상화입니다. 일반화하되 고정하지 말고, 추상화하되 유동적으로 하고…, 이것이 변화하고 전환할 수 있는 초석입니다. 이 초석을 발판 삼아 '새로운 가치를 구현하는 능력'이 전환능력입니다. 사람의 본질과 사물의 본질을 유동적으로 보고, 그들 사람과 사람, 사물과 사물, 때론 사람과 사물의 관계를 고정적으로 보지 않습니다. 그리하여 새로운 변화로 새로운 가치를 이끌어내는 능력입니다.

우리는 접한 일들, 닥친 사건들을 고정된 인과성과 연관성으로 바라보고 그에 연연합니다. 이런 정도가 심한 사람이 꼰대입니다. 반전 영화의 감독이나 추리소설의 작가는 이를 노립니다. 뻔한 인과관계와 연관관계를 뒤집고 뒤섞어 우리에게 충격을 줍니다. 또 우리는 접한 사람들, 닥친 사물들을 고착된 정체와 본질로 인식합니다. 이런 정도가 심한 사람이 역시 꼰대입니다. 반전 영화의 감독이나 추리소설의 작가는 이를 누립니다. 이중인격, 다중인격을 내세워 고착된 사람의 본질에 대한 인식을 뒤집고, 한편으론 과거와 현재를 뒤섞어 우리에게 탄성을 자아냅니다. 여러분이 영화감독이나 소설가가 되고 싶은지는 모르겠습니다. 그러나 꼰대가 되고 싶지는 않겠지요. 적어도 꼰대란 소리를 듣고 싶지는 않겠지요. 그렇다면 전환능력에 관심 가져야지요.

변화의 마음가짐

전환능력과 이웃사촌 능력이 몇 있습니다. 모두 매우 탐나는 것들입니다. 우선 통찰력. 저는 통찰을 이렇게 정의합니다. '아무런 관련이 없어 보이는 것들을 연결하는 것'이라고요. 고정된 인과성과 연관성에 연연하지 않아야 가능한 것입니다. 한번 해볼까요? '엄마가 추우면 아이가 입는다.' 어렵지 않죠? '엄마가 춥다'와 '아이가 입는다'을 관련지어보세요. 엄마가 추위를 느끼면, 아이도 추울 거라 생각합니다. 그래서 아이에게 옷을 더 입히니 아이가 입게 되겠죠. 어렵지 않은 만큼 멋진 통찰은 아니네요. 관점의 전환이 제대로 이루어진 상황은 아니거든요. 추워진 날씨에 엄마는 밖에서 뛰놀던 아이를 불러 옷을 덧입힙니다. 뛰어놀던 아이는 열기로 아직도 더운데요. 빨리 다시 놀기 위해 마지못해 옷을 입기는 하지만요.

그렇다면 '브라질에 비가 내리면 스타벅스 주식을 사라', 이건 어떤가요? 아예 피터 나바로Peter Navarro의 책 제목으로 등장한 통찰의 예시입니다. '브라질에 비가 내리면', 그러면 가뭄이 해소됩니다. 덕분에 커피 생산량이 늘고, 커피 원가가 떨어집니다. 덕분에 세계 최대 커피 전문점인 스타벅스는 원가절감이 되고 경영실적이 호전됩니다. 그래서 주가가 상승할 테니 '스타벅스 주식을 사라'는 거죠. 통찰력을 꼭 비범한 사람의 전유물로 보지 마세요. 국제정세를 관망하여 국내 주식시장을 예측하고, 사소한 연인의 행동을 보고 변심을 예견하고…. 다 하는, 대충은 하고 있는 일이지요. 얼핏 관련 없어 보이는 것들을 연결하는 전환능력의 하나입니다.

창의력도 있습니다. 한동안 국내에서는 '창조 경제'의 열기가 뜨거웠고, 해외에서는 창의력의 아이콘인 스티브 잡스 열풍이 불었습니다. 더 설명이 필요 없겠죠. 존재와 관계에 대한 고정관념을 탈피하여 새로운 가치를 창출하는 것이 창의력이니 전환능력의 가장 친숙한 버전입니다. 그렇지만 만만하지 않습니다. 친숙하지만 친하지 않고, 탐나지만 탐하기 어려운 능력이죠. 그러니 창의력, 그리고 통찰력의 기본기인 전환능력에 매진해야 합니다. 보이지 않는 것을 보고(see the unseen), 생각하기 어려운 것을 생각하는(think the unthinkable) 능력이니, 노력해야죠. 통찰과 창의의 날개로 전환하는 자유는 절대 공짜가 아니니까요(freedom is not free).

바야흐로 변화의 시기입니다. 세상도 변하고 사회도 변합니다. 삶도 변하고 업業도 변합니다. 존재도 변하고 관계도 변합니다. 그리고 이 모든 것들은 계속 변할 겁니다. 전환은, 변화는 끝이 없다는(changeover, change is not over) 사실을 명심하는 능력입니다. 어떤 분이 저에게 말하더군요. "변화해야 할 때 변화해야 함을 명심하세요." 맞는 말이죠. 그런데 어쩌다 한 번이면 모를까, 계속 변하고 계속 변화해야 하는데, 어찌 그때를 매번 알고 매번 힘써 변한단 말입니까.

좌절할 무렵, 두 분이 저에게 한 말이 도움이 되었습니다. 그런데 이 두 분은 실제로 만난 사람은 아니고요. 참고로 둘 다 제가 태어나기 전에 돌아가셨거든요. 한 분은 당근을 주었고, 한 분은 채찍을 휘둘렀습니다. 당근은, 미국의 시인 사무엘 울만Samuel Ullman의 한마디입니다. '청춘은 인생의 어느 기간이 아니라, 그러한 마음가짐을 말한다.' 나이 있는 꼰대들이 특히 좋아할 만한 당근이죠. 그러한 마음가짐입니다. 그러한 마음가짐이, 변화하겠다는 마음가짐이, 고정관념을 버리겠다는 마음가짐이, 청춘입니다. 청춘의 마음가짐으로 그때그때 변화의 마음다짐을 해야겠구나, 하고 명심했습니다.

채찍을 휘두른 분은 아인슈타인입니다. "같은 방식을 반복하면서 다른 결과가 나오기를 기대하는 사람은 정신병자다." 어이쿠! 정신병자라뇨. 꼰대도 되기 싫은데, 하물며 정신병자라뇨. 달라진 세상에서도 멋지게 청춘으로 살고 싶은 꼰대인데, 같은 방식을 반복할 수는 없지요. 여러분도 그렇죠? 몇 살이든 청춘으로 세상을 살고 청춘의 에너지로 세상을 앞서가고 싶죠? 자, 이제 전환능력을 얻으러 가보죠. 저의 방식을 보여드릴게요. 적어도 지금까지와는 다른 방식일 겁니다.

어떻게 전환능력을 얻을 것인가

전환능력은 새로운 발상으로 변화를 도모합니다. 그런데 새로운 발상이 용이한 곳이 있다 합니다. 그렇다면 그곳을 찾으면 전환이 가능하겠네요. 그곳은 어딜까요? 서양의 심리학자들은 보통 '3B'라 하더군요. 버스(Bus), 침대(Bed), 욕실(Bathroom)입니다. 동양에도 이와 유사한 '3상上'이 있는데요. 북송시대 시인 구양수는, 마상(말 위), 침상(침대), 측상(화장실), 이렇게 3곳에서 시가 잘 떠오른다고 했답니다. 결국은 같은 얘기죠? 동서양을 막론하고 같은 곳을 지적하니, 자주 이동하고, 자주 눕고, 자주 씻으면 되겠네요. 전환능력을 얻는 방법으로, 설마 '3B', '3상' 하라는 것은 아니니, 걱정 마세요.

통찰력과 창의력, 또 융합과 통섭까지, 전환능력의 언저리에 있는 인기 어휘들 덕분에 많은 방법이 있습니다. 어떤 때에는 도움이 되기도 하고 어떤 때에는 무용지물이기도 한 것들이 많죠. '창의 기법', '창의적 사고 방법'으로 검색창에 치면 줄줄이 나옵니다. 브레인스토밍과 브레인라이팅, 자유연상법과 강제연상법, 속성열거법과 평가행렬법, PMI와 PPC, 6색모자법, 스캠퍼, 마인드맵, 생선뼈기법 등등. 아마 수십 수백 가지도 넘을 겁니다.

게다가 할 일도 많습니다. 더해라, 빼라, 바꿔라, 대체해라, 결합해라, 분해해라, 나열해라, 뒤집어라 등등. 너무 부족해서가 아니라 너무 많아서 문제죠. 적절히 사용하면 분명 큰 도움을 받겠지만, '적절히' 사용하는 것 자체가 어려운 일이라서요. 하여간 많은 기법이 많은 사례와 함께 나와 있으니 필요할 때 습득하기를 포기하면 안 됩니다. 그렇다고 저의 방법이 기존의 것들에 비해 대단한 건 아닙니다. 절대요. 그러나 포인트는 지금까지 끌어온 제 논지와 부합하는 방법이라는 것입니다. 그간 공감하고 동감했다면 전환능력 향상에 반드시 도움이 되리라 싶습니다.

그에 앞서, 언제고 한 번은 꼭 얘기하고 싶은 것이 있습니다. 전환능력의 사고 훈련에는, 아니 지금까지의 다른 능력을 위해서도, 꼭 연필을 쓰기를 추천합니다. 써보고 그려볼 때는 펜보다 연필이 좋습니다(어쩌면 저에게 국한된 일일지도 모르겠지만요). 제가 연필을 선호하는 이유는 우선, 예상했겠지만, 지울 수 있습니다. 아예 지우기도 하고, 약간의 조작으로 굵기와 밝기도 조절할 수 있습니다. 다양하게 표기하고 표식할 수 있습니다. 맘껏 쓰고 맘껏 지울 수 있어, 홀가분하게 생각을 옮길 수 있어 좋습니다.

또 연필은 흑연이 종이 위를 매끄럽게 흐릅니다. 모나게 부딪쳐서 깨지고 부스러지는 게 아니라 마모하며 부드럽게 흘러가죠. 그러한 유연한 필기감으론 연필을 따라올 것이 없지요. 특별히 전환능력 연마에는 유연한 질감, 다양한 표식의 연필만 한 필기구는 없다고 봐야죠. 그리고 하나 더, 연필은 깎으며 써야 합니다. 연필 깎는 시간은 마음가짐을 다시금 가다듬는 시간입니다. 생각의 근육과 사고의 근력이 지칠 즈음이면 연필을 깎고 다시 뾰족해진 연필심으로 길을 헤쳐나갑니다. 연필 만져본 지 오래되었죠? 만져지는 나무의 촉감은 덤입니다. 많은 창작자들이 연필 애호가라는 사실을 기억하며 진심으로 연필을 권합니다.

아키타이핑

이제 연필 얘기도 했으니, 그림을 보고, 또 그려볼 시간이 되었네요. 다음 [그림9]의 위, 중간, 아래로 내려가며 설명할게요. 먼저 사각형을 그리세요. 물론 연필로요. 그 안에 쓴 내용은 예시입니다. 앞서 언급한 카세트 플레이어의 예

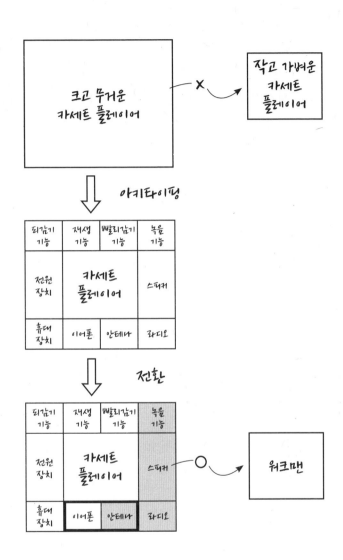

그림9_ 아키타이핑과 전환

죠. 위 그림의 '크고 무거운 카세트 플레이어'와 '작고 가벼운 카세트 플레이어'는 잘 연결이 안 됩니다. 일단 그렇게 알고 중간으로 갑니다.

중간의 그림이 중요합니다. 잘 보세요. 일단 사각형의 모습이 변했습니다. 가운데 '카세트 플레이어'가 써진 사각형은 위의 사각형보다 작아졌습니다. 대신 주위에 격자무늬가 한 겹 둘러싸고 있습니다. 사각형이 변했다는 것은, 집중하고 있는 주제에 대한 인식이 변했다는 것을(정확히는 축소됐다는 것을) 보여줍니다. '아키타입', 아직 기억하고 있죠? 원형입니다. 에센스와 액기스(?)를 추출하는 '아키타이핑archetyping'으로 보다 추상화되어 작아진 원형이 되었습니다. 그러니 더 작은 사각형입니다. 주변에 '카세트 플레이어' 하면 떠오르는 속성들을 적었습니다. '카세트 플레이어'를 일반화하면서 채울 수 있는 것들이기도 하고요.

그림에서, 위의 사각형이 중간 안쪽의 사각형으로 모양이 바뀐 것에 여러 의미가 내포되어 있습니다. 무엇보다도 대상에 대한 본질 인식이 유동적이라는 거죠. 큰 사각형이 (주위의 격자 모양을 뺀) 작은 사각형이 되며 본질을 축약했습니다. 물론 반대 방향의 흐름도 가능합니다. 작은 사각형에 주위의 격자 모양까지 합치면 큰 사각형으로 확대되어, 그냥 '크고 무거운 카세트 플레이어'가 되는 식이죠. 그러나

이 큰 사각형으로는, 이 추상화 수준으로는 '작고 가벼운 카세트 플레이어'와 연결하는 건 가당치 않습니다. 그래서 본질을 축소하는 방향으로 '아키타이핑'한 것입니다.

이제 격자 모양에 써진 속성들을 볼까요. 일반적으로 '카세트 플레이어' 하면, 기능으로서 카세트 재생, 되감기와 빨리감기 기능이 있고, 녹음 기능도 있죠. 음악을 들어야 하니 스피커도 있고, 이어폰으로 들을 수 있는 이어폰 잭도 있습니다. 보통 라디오도 내장되어 있고 라디오를 잘 듣기 위한 안테나도 있고요. 전자제품답게 전원장치가 있고, 휴대하라고 손잡이 같은 장치도 구비합니다. 아, 그러고 보니 소싯적에 책상 위에 카세트 플레이어 한 대쯤 올려놓은 사람이라면 턱 하니 그려질 모양새지만, 요새 젊은 세대라면 곤란하겠네요. 그냥 인터넷 이미지 한 번 찾아봐주세요.

이제 소니의 워크맨 신화를 되감아 볼까요? 녹음 기능도 빼고, 스피커도 빼기로 했죠? 이런 거 없애보자고 했죠? 까짓것 라디오도 뺄까요? 그러면 안테나 없애도 되고요. 사실 안테나는 이어폰과 합쳐도 되지만요. 맨 아래 그림에서는 드디어 벽이 허물어집니다. 하나를 빼니 틈이 보이고 몇몇을 빼니 벽이 무너집니다. 틈 사이로 전환의 빛이 보이고 무너진 벽 사이로 전환의 연결이 이루어집니다. 이제야 작고 가벼운, 퍼스널 포터블 워크맨으로의 전환이 가능해졌습니다.

　이 책 전반에 걸쳐 많이 써먹었죠. 도식화의 효능은 참 대단한 것 같습니다. 한 눈으로 보여주는 이미지는 전체적인 구조를 포착하게 해줍니다. 글자가 주는 텍스트text 정보와 더불어 컨텍스트context, 즉 맥락의 정보를 동시에 제공하니까요. 이번에는 전환능력의 정의 쪽으로 되감아 볼까요? '고정된 인과성과 연관성에 연연하지 않고, 유동적인 본질 인식에 입각하여, 사람과 사물, 그리고 그들의 관계에서 새로운 가치를 구현하는 능력'이었습니다. 전환능력 정의에서, 가장 설명하기 곤란한 부분이 '유동적인 본질 인식'입니다. 그러나 구조와 맥락을 보여주는 도식으로 큰 도움을 받았습니다. 아키타이핑을 통해 유동적으로 변하는 원형을, 그러한 본질 인식을 잘 그려주고 있으니까요.

　사과껍질이 없는 사과는 사과인가요? 사과 맞죠. 껍질을 벗겨도 사과는 사과잖아요. 사과는 사과를 둘러싼 사과껍질과 구분해서 생각할 수 있습니다. 빨간 사과만 꼭 사과가 아니고, 껍질의 영양분만 꼭 사과의 영양분은 아니잖아요. 어쨌거나 유동적인 본질 인식은, 원형과 원형을 둘러싼 껍질로 나누어서 생각하게 해줍니다. 껍질에 있는 어떤 것들은 빼기도, 붙이기도, 때론 합치기도 할 수 있습니다. 하여튼 이런 얘기들을 훨씬 더 쉽게 알려주는 게 도식의 힘이지요.

창의적인 사고를 갈구할 때, '상자 밖의 사고'라는 표현을 자주 씁니다. 정해진 틀, 고정된 사고체계에서 밖으로 나오라는 거죠. 우물 밖으로 튀어나오라는 거죠. 그렇다면 우리의 사고를 가두고 있는 상자가 얼마나 두꺼운지, 우물이 얼마나 깊은지 알아야 하지 않겠습니까? 그래야 상자를 뚫고 나오죠. 뚫고 나와야 할 그 두께를 보여주는 것이, 축소된 원형을 에워싼 껍질이었습니다. 뚫어야 할 카세트 플레이어에 대한 고정관념이었습니다. 뚫으니 고정된 연관성과 인과성이 제거되고, 뚫리니 새로운 가치가 구현되었습니다.

사과가 아니라 양파라 간주해도 좋을 것 같습니다. 까도 까도, 껍질을 벗겨도 벗겨도 원형이 남습니다. 아키타이핑을 몇 단계로 진행하는 것이죠. 난해한 전환 문제를 풀기 위해 필요한 과정입니다. 진정한 본질, 진정한 원형의 코어를 찾는 과정이니 힘들겠지만 보람은 있습니다. 단지 너무 많은 껍질을 상정하면, 뚫고 나오기가 어려울 것이라는 정도만 얘기해줄게요. 지나치게 많은 사공은 배를 산으로 가게 하고, 지나치게 많은 아이디어는 배를 늪에 빠지게 하잖아요. 늪에서는 이동할 수도, 누울 수도, 씻을 수도 없습니다.

아오모리 사과와 포스베리 플롭

대신 난해하지 않은 문제 하나 풀어보겠습니다. '아오모리 사과'라는 들어봤음 직한 문제인데, 앞에서 한 것과 같이 그림을 그려보세요. 태풍이 몰아친 아오모리 지역에 사과가 채 익기도 전에 떨어져 땅 위에 뒹굽니다. 나무에 겨우 붙어 있는 사과는 겨우 10%뿐. 이 사과를 어떻게 팔면 좋을까요?

아오모리 사과 농민들은 태풍에 살아남은 10% 사과의 가격을 10배 올려, 입시철 합격기원 선물용으로 팔아 대박을 쳤다죠. 그 사과처럼 붙으라고요. 사과의 본질에 '먹는 것', '맛있는 것', 그리고 '좋은 환경에서 자란 것' 등을 기필코 포함시켰다면 절대 나올 수 없었던 발상입니다.

'태풍'과 '합격'은 연관이 안 됩니다. '태풍사과'와 '합격사과'라 해도, 웬만해선 연결이 되지 않습니다. 그러나 해봐야죠. 자꾸 해봐야 합니다. 그래야 고정된 인과성과 연관성에 연연하지 않게 됩니다. 그래야 상자 밖으로 나옵니다. 그래야 통찰도 생기고 전환능력도 얻어져 새로운 가치를 구현합니다.

한 가지 연습방법 알려드리죠. '컬러 베스color bath'라는 연습입니다. 역시 '3B' 중 하나지만 '베스'에서 하는 것은 아닙니다. 욕조에 몸을 담그듯, 특정한 색깔에 의도적으로 푹 빠져보라는 것입니다. 오늘은 하루 동안 빨간색에 빠져보기로 합니다. 거리를 거닐며 빨간색을 찾아봅니다. 빨간 사과, 빨간 간판, 빨간 휴지통, 빨간 자동차, 빨간 우산, 빨간 치마, 빨간 립스틱…. 그리고 그것들을 연결해 생각합니다. 사과, 간판, 휴지통, 자동차, 우산, 치마, 립스틱…, 평상시에는 절대 연결해본 적 없는 것들이죠. 혹 알아요? 사과와 립스틱 연결해서 '사과 맛 립스틱'을 만들지. 이미 있다고요? 그럼 '사과 재료 립스틱', 아니면 '합격기원 립스틱'요. 그냥 그럴 수도 있다는 얘기입니다.

의도적이어야 합니다. 다른 것을 접하려는 노력을 의도적으로 해야 합니다. 전혀 다른 취향의 음악, 전혀 다른 분야의 책도 한 번씩 접하고요. 전혀 다른 타입의 벗도 사귀어보고요. 그리고 '전혀 다른'의 최고봉인 '극과 극'도 접해보고요. 극과 극을 연결해보세요. 뫼비우스의 띠는 한쪽 끝과 다른 한쪽 끝을 연결한 것입니다. 극과 극의 연결이죠. 게다가 면을 꼬아 뒤집어 연결합니다. 뒤집었으니 진정한 극과 극의 연결이죠. 그러나 끊임없이 이어집니다. 면을 타고 영원히 이어집니다. 극과 극은 통한다는 진리의 진정한 표본입니다.

1968년 올림픽에서 인간은 어떻게 우물 밖으로 뛰어나오는가를 보여준 이가 있습니다. 딕 포스베리는 꼬아 뒤집어 '우물 밖으로' 높이뛰기를 했습니다. 이전의 높이 뛰기는 배를 밑으로 하는, 엎드려 뛰는 동작이었습니다. 이것을 극적으로 뒤집어(등을 밑으로 하늘을 보며 뛰는) 일명 '포스베리 플롭'으로 금메달을 목에 겁니다. 지금이야 뻔한 높이뛰기 고정자세가 되었지만, 그때는 세계가 그의 극과 극의 연결에 경탄을 마다하지 않았죠.

"극과 극의 두 개념을 동시에 머릿속에 담고 있으면서도 멀쩡히 지낼 수 있느냐가 바로 최고의 지성인지 여부를 검사하는 방법이다."라는 말이 있습니다. 《위대한 개츠비》의 작가 F. 스콧 피츠제럴드가 한 말이죠. 위대한 전환능력을 얻으려면 새겨들어야 할 검사방법이네요.

위대한 전환능력을 보유한 위대한 학자에게 이번 장의 마무리를 부탁하려 합니다. 노벨상을 수상한 분자생물학자이면서 철학자이기도 한 자크 모노Jacque Monod입니다. 세포 단위까지 내려가는 실물에서부터 실체가 없는 정신세계까지 넘나드는 전환능력으로 우뚝 섰으니까요. 평생 음악을 무척이나 사랑했다는 점도 개인적으로는 호감이 가는 이유고요. 그의 저서 《우연과 필연》의 제목은, 철학자 데모크리토스의 말 "우주에 존재하는 모든 것은 우연과 필연의 산물이다."에서 따온 것이라 합니다. 그러면서 "정말 일어나기 어려운 우연한 생화학적 반응에 의해 세포가 탄생했고, 이후 복잡다단한 진화과정을 거쳐 고등생명체라는 필연적 존재가 만들어졌다."라고 하죠. 분자생물학을 철학으로, 철학적 사유를 분자생물학적 논제로 전환한 그의 진가입니다.

통찰과 창의를 우연의 것으로 보곤 합니다. 어쩌다 신들린 듯, 어쩌다 천재 끼가 발동한 듯 보이나, 우리는 필연의 것으로 보아야 합니다. 이런 방법과 저런 기법, 이런 그림과 저런 도식화가 도움을 주는 데는 한계가 있습니다. 이 한계로 인해, 전환으로 새로운 가치가 구현되는 걸 우연으로 보는 셈이죠.

그러나 각고의 노력이 있다면, 그 한계를 깨고 상자 밖으로 나오는 것은 분명 필연입니다. 아니, 필연이라고 믿어야 합니다. 믿어보고 마음 잡고, 노력해야 합니다. 지성인으로서, 그 외에 우리가 할 일은, 우리에게 남은 일은 없으니까요. 그러니 우연히 접한 저의 방법으로, 전환능력을 필연히 얻기 바랍니다.

미래가 있음에 과거가 있다

잘못 말한 것 아니냐고요? 과거가 있고 그다음에 미래가 있는 것 아니냐고요? 맞습니다. 당연하죠. 그러나 잘못 말한 것은 아닙니다. 시간의 흐름으로도 당연하고, 시간에 이루어진 사건의 인과로도 당연합니다. 역사의 의의는 '과거를 교훈 삼아 미래로 나아가는 것'이니, 이 역시도 당연함을 뒷받침합니다. 미래 예측의 과학적인 방법도 과거의 데이터를 사용합니다. 사람의 판단도 경험 데이터를 사용하는 것이고요. 모두 과거가 있음에 미래가 있음입니다.

하지만 생각해볼 게 있습니다. 만일 과거와 미래가 현저히 다르면 어떻죠? 다른 정도가 아니라 아예 판이하게 혹은 극과 극이면 어쩌죠? 과거를 거울삼아 현재를 살고 미래로 나아가는 순리는, 이런 믿음에 기초합니다. 현재가 과거와 대략 비슷하고, 미래가 현재와 얼추 유사할 것이라는 믿음에 기반하는 것이죠. 그런데 그 순박한 가정이 무너지고,

그 순탄한 과정이 무너지면 어떨까요? 기술과 사회가 기하급수적으로 발전하는 급격한 진보의 세상에서, 너무 진부한 생각 아닐까요?

꼭 기술 어쩌구, 기하급수 저쩌구 구구절절 설명할 필요 없습니다. 인간의 삶, 우리네 인생의 보편적인 현상으로도 극적인 변화는 충분합니다. 극에서 극으로의 변화는 비일비재합니다. 엄청난 반전과 극적인 전환을 경험합니다. 그 앞뒤에 있는 과거와 미래는 전혀 다른, 아예 다른 모습이지요. 꼭 영화나 소설에서 나오는 얘기가 아닙니다. 허름한 수험생이 사시 합격으로 화려한 법조인으로 상승하고, 당당한 사업가가 사업실패로 초라한 실직자로 추락합니다. 로또와 대박으로 벼락부자가 되거나 백마 탄 왕자로 신데렐라가 되는 한편, 하루아침에 알거지, 가정파탄, 교통사고로 폐인이 되기도 합니다. 그런 경우에도 과거가 곧 미래인가요? 과거가 있음에 미래가 있나요?

> "모든 음악에, 사실상 모든 기쁨에 몇 달간 아무 반응 없이 무감각했었으나,
> 이 음악이 비수처럼 내 심장에 꽂혔고,
> 추억이 물밀 듯 밀려들면서
> 이 집에서 있었던 모든 즐거운 일들이 떠올랐다.

온 방을 뛰어다니던 어린애들, 축제, 사랑과 일."

윌리엄 스타이런William Styron의 자전적 에세이 《보이는 어둠》의 문장입니다. 우울증을 심히 앓은 스타이런은 어디선가 들려온 브람스의 음악으로 자살 결심을 돌린 일화를 공개합니다. 그래서 그런지 그는 인간의 심대한 고통이 무엇인지 누구보다도 잘 알고 있는 것 같습니다. 대표작 《소피의 선택》에서도, 멀쩡한 두 자녀 중 하나를 살리고 하나를 죽여야 하는 선택을 강요받은 어미의 고통을 생생하게 묘사합니다. 행복했던 과거와 자살을 고민하는 현재, 사랑하는 자식의 현재와 주검으로 변할 자식의 미래, 도저히 연결하기 어려운 극과 극이죠.

아이의 인생에 그 한 사람이 있었는가?

다른 얘기도 해볼까요. 역사상 가장 큰 규모의 종단縱斷 연구는, 1955년 당시 미국의 식민지였던 하와이의 카우아이섬에서 시행되었습니다. 오랜 기간에 걸쳐 발달과정을 관찰하는 추적조사였죠. 한 해에 태어난 신생아 833명 전원에 대해 30년에 걸친 관찰이 이루어졌고, 유의미한 698명의 성장 과정을 분석했습니다. 한 인간이 어떤 부모로부터 태어나, 어떤 환경에서 자라나고 결과적으로 어떤 성인으로 성장하는지, 그 인과성과 연관성을 분석하는 연구였지요.

그 시절 카우아이섬은 매우 가난했고 상당수의 어린이들은 제대로 먹지도, 보살핌을 받지도 못했었죠. 그중 특히 201명은 극도로 열악한 환경이었습니다. 부모가 알코올 중독이나 정신질환, 우울증과 사회부적응, 질병과 범죄에 시달리고 있어 최악의 성장환경에 노출된 아이들이었습니다. 과연 그들은 어떤 어른이 되었을까요? 예상하는 바와 같이 부모와 유사한 삶을 살아갔습니다. 2/3 정도의 아이들은, 열악한 환경을 극복하지 못했던 거죠. 이 연구는 이렇듯 우리의 고정관념대로 결론을 맺고 끝나는 듯 보였습니다.

그러나 한 연구자는 이에 연연하지 않고 나머지 1/3을 집중분석 했습니다. 그러곤 알았죠. 그들은 그런 부모 조건에 굴하지 않고 귀감이 되는 훌륭한 어른으로 성장했다는 사실을요. 그러곤 또 알았죠. 아동발달학 역사상 엄청나게 중요한 사실을요. 그 1/3에 포함된 72명의 아이들에게는 적어도 한 사람이 있었습니다. 아이의 입장을 무조건 이해해주고 앞날을 무조건 응원해주는 사람이, 인생에 적어도 한 사람은 있었다는 것입니다. 엄마 아빠든, 할아버지 할머니든, 삼촌 이모든, 형제든 친구든, 단 한 사람의 존재가 그들을 역경에 굴하지 않고, 과거와는 다른 미래를 만들어준 것입니다.

너무 우울한 얘기였나요? 우울증, 부적응에 죽음까지. 그러나 이보다 더 극적인 전환은 없습니다. 고통의 심연에서 헤엄쳐 나오는 인간의 위대한 전환능력을 극적으로 보여주려고 든 사례입니다.

과연 브람스의 음악이 정말 스타이런을 살렸을까요? 아무리 음악을 좋아하는 저이지만, 그건 아닌 것 같습니다. 브람스의 음악이 되살려낸 과거의 즐거운 일들이 살렸겠지요. 그로 인해 되살아난 과거의 행복한 기억이 죽음의 결심을 거둔 것이겠죠. 그렇다면 과거가 있어 미래가 있는 건가요? 그렇긴 합니다만, 저는, 반드시 그것만은 아니라고 생각합니다. 기억과 추억은 이미 지나가버린 잔상으로만 남고 끝나는 것은 아니라고 생각합니다. 그것으로 촉발되는 기대감과 아쉬움으로 이어집니다. 그와 같은 앞으로의 행복감과 그것에 대한 기대감이 있어서가 아닐까요? 혹여 그와 같은 앞으로의 행복감을 맛보지 못할까 하는 아쉬움이 있어서 아닐까요? 그래서 그 맛을 잊지 않고, 포기하지 않고 사선에서 귀환한 것 아닐까요? 그렇다면 과거의 기억이 현재에 작용했듯이, 미래의 기대가 현재에도 작용한 것 아닐까요?

카우아이섬의 아이들을 꼭 안아준 사람, 그들 인생의 그 한 사람은, 그들을 무어라 이해해주고 무어라 응원했을까요? 안아주며 무어라 말했을까요? "너는 소중한 사람이야, 너는 잘될 거야. 비록 지금은 이렇게 힘들어도 너는 훌륭한 사람이 될 거야." 이러지 않았을까요? 과거가 있어 현재가 있고, 현재가 있어 미래가 있는 것은 당연합니다. 그렇다고 과거의 불행이 꼭 미래의 불행이 되라는 법은 없겠죠. 때로는 미래의 무언가에 대한 기대감이, 미래의 무언가를 갖지 못할 아쉬움이 현재를 이끄는 것이 아니겠습니까? 심지어 과거에 대한 기억조차 그에 걸맞게 끌어내는 것 아니겠습니까?

행동경제학의 영토를 개척한 대니얼 카너먼은, 우리에게는 '경험자아'와 '기억자아'가 있다고 합니다. 경험자아가 현재의 경험을 인식한다면, 기억자아는 과거의 기억을 인식합니다. 주어진 현상에 대해, 경험자아가 득세하는 순간은 고작 3초라죠. 3초 후는 모두 기억자아의 몫입니다. 현재, 현실에서 어떤 현상을 경험하든, 결국 3초 후면 기억의 편린이 된다는 뜻입니다. 경험자아가 제아무리 냉철해도, 기억자아의 손안에 우리네 삶의 시간이 있고, 기억자아의 손으로 인생의 역사가 쓰인다는 것입니다.

그렇습니다. 과거는 현재의 기억이고, 현재는 미래의 기억입니다. 우리의 과거는 기억자아가 현재 기억하는 과거일 뿐입니다. 현재가 과거를 정한다는 얘기입니다. 마찬가지로 미래가 현재를, 고로 미래가 과거조차 정한다는 겁니다. 그래서 미래가 있음에 과거가 있다 했습니다. 미래의 자아가 현재의 자아에게 힘과 희망을 주고, 더 나아가 과거의 자아에도 긍정적인 모습을 부여하는 것이겠죠. 카우아이의 아이들이 그랬던 것처럼요.

전환능력은 미래가 끌어야 하는 능력입니다. 끌어주어야만 하는 능력입니다. 과거, 현재, 미래의 일상적인 흐름, 그들의 인과관계와 연관관계에 연연하면 안 되는 능력입니다. 얽매고 옭아맨 관념과 인식, 형식과 방식, 행세와 처세에서 벗어나야 발휘되는 능력입니다. 자신의 원형과 자신이 처한 상황의 본질이 유동적이라 생각하고 미래로 향하는 능력입니다. 미래에 가질 것에 대한 기대감과 가지지 못할 것에 대한 아쉬움으로 '영끌'해야 하는 능력입니다. 미래가 멋진 이유는 실현되지 않아서고, 과거가 아름다운 이유는 실현되지 못해서죠. 기대감은 멋지고 아쉬움은 아름다운 것이 아니겠습니까?. 미래를 우선하며, 멋진 기대감과 아름다운 아쉬움을 충족시켜주는 것이 전환능력입니다. 그래서 '미래가 있음에 과거가 있다'고 했습니다. 이제는 이해해주고 응원해줄 수 있겠죠?

회복하고 탄력하고

카우아이의 반전을 증명한 학자는 에미 베르너Emmy Werner입니다. 그녀는 카우아이섬 아이들의, 인간의 이러한 전환능력을 '회복탄력성(resilience)'이라 불렀습니다. 근자에 많이 거론되는 용어죠? 생각지도 못한 역병의 창궐로 갑자기 바뀌어버린 일상의 변화에 어떻게 대응할 것인가를 고민하는 많은 이들에게 꽂힌 단어지요. 사전적으로 충격이나 부상에서의 회복력을 의미하니, 일상으로의 복귀를 원하는 우리에게는 매우 간절한 단어이기도 하고요.

그러나 우리는 '회복탄력성'에서 '회복'에만 너무 간절하면 안 됩니다. '탄력'도 있잖아요. 치고 나가야죠. '위기를 기회로 만든다'는 그 흔한 말을 흘려들어서는 안 됩니다. 위기가 닥치면 많은 것들에 균열이 생깁니다. 질서가 깨지는 거죠. 고착된 질서에서는 결코 생기는 것이 불가능했던 틈이 벌어집니다. 그 틈을 벌려 기회를 열어야죠. 알기 쉽게 주식 폭락장을 생각해보세요.

더욱 그래야 하는 이유는, 위기가 진정한 강자를 알게 해주기 때문입니다. 보스턴컨설팅그룹이 조사한 바로는, 1986년 이후 4차례의 경기침체와 경영위기에도 미국 기업 중 14%는 매출과 영업이익이 증가했다죠. 기업이나 개인이나, 같은 위기가 닥쳐도, 어떤 이는 속수무책인 반면, 어떤 이는 반면교사로 삼습니다. 그 차이가 결국 일생일대의 차이겠죠.

회복탄력성이 회복하여 단순히 과거로 회귀하는 것이라면 많이 아쉽습니다. 이왕 움츠렸으니, 움츠린 김에 가급적 탄력받아 미래에는 앞으로 튀어 나가야 하지 않겠어요? 과거보다는 미래에 초점을 맞추어야 하지 않을까요? 그렇지만 미래는 그 자체로 변화입니다. 전염병이 아니라도, 기술의 발전, 국제정세와 국내정치의 변화, 이로 촉발된 사회의 인식구조와 사람들의 가치관 변화는 항상입니다. 변화는 늘상입니다.

그렇다면 결국, 누구나 어떤 식으로든 항상 늘상 대응할 수 있는 능력을 키워야 합니다. "내가 바라는 것은 가벼운 짐이 아니라 보다 건장한 어깨다."라는 유대인 속담을 깊이 새겨야겠습니다. 섭생을 잘해 면역력을 높이고 운동을 잘해 근육량을 늘립니다. 기업도 체질을 개선하고 대응체계를 개편합니다. 전환능력을 키워 위기를 기회로 전환합니다. 영화에서 많이 보았죠? 위기의 순간, 절체절명 비상사태의 순간, 인간은 홀연히 기지를 발휘합니다. '3B', '3상'이 아니더라도 창발하여 위기를 벗어나고 기회를 잡습니다. 다 우리에게 내재한 전환능력 덕분입니다.

오랜 교수생활에 많은 제자가 있지만, 유독 관심이 가는 이들은 늦깎이 학생들입니다. 나이가 들고, 자신의 업에서 어느 정도 이룬 사람들입니다. 그런데 대학원에 진학해서 석사를 하고 박사를 하겠다고 열심입니다. 석박사를 한다고 자신의 업무에 꼭 엄청난 도움이 되는 것도 아닌데요. 그렇게 해서 꼭 무엇을 하겠다는 것도 아닌데요. 그저 못다한 공부를, 다하지 않은 인생의 족적을 채우려는 것이겠죠.

'계획'과 '기획'의 차이는, 계획은 눈에 보이는 미래에 대한 것이고, 기획은 눈에 보이지 않은 미래에 대한 것이라죠. 그렇다면 그들은 '인생기획'을 하는 것입니다. 어떤 일이 닥칠지는 모르지만 일단 건장한 어깨를 갖기 위함입니다. 그저 미래가 있다는 사실만으로도 힘을 내는 것이고, 그 미래가 혼란스럽고 불투명하더라도, 어떠한 무거운 짐을 부과하더라도, '회복탄력' 하는 힘을 키우는 것이겠지요. 그래서 그렇습니다. 제가 그들을 가르치지만, 정작 배우는 이는 저입니다. 정작 중요한 전환능력을요.

전환능력은 미래가 끌어주는 능력이라 했습니다. 비교적 명확하든 절대적으로 불명확하든, 미래가 끌고 가는 능력입니다. 과거에 연연하지 않고 말입니다. 미래가 있음에 과거가 있다 했지요? 시제를 뒤집었으니, 전환능력의 정의도 뒤집어 볼게요. '사람과 사물, 그리고 그들의 관계에서 새로운 가치를 구현'하고 싶다면, 그간의 지켜왔던 '본질 인식을 유동적'으로 바꾸어야 합니다. 그래야 '고정된 인과성과 연관성'에서 탈피할 수 있습니다. 너무 딱딱하죠? 그렇다면 바꿔볼까요? 꼰대가 되고 싶지 않다면, 그간 지켜왔던 자신과 세상에 대한 인식을 바꿔보세요. 그래야 고정관념에서 탈피할 수 있습니다. 아, 이건 너무 뻔하다고요? 좋습니다. 이렇게 하겠습니다. 나는 여러 사람이다. 나는 여러 사람이 될 수 있다. 나는 여러 사람이라는 사실을 기억하라. 이만하면 간결하고 강렬하죠?

사랑했던 이를 떠나야만 할 때는
빗방울이 되어볼 것

구름을 떠난 후
지면에 닿을 때
툭 하고 튀어 오를 한순간만큼은
잠시 뒤돌아보기를

얼마 전 서울의 한 지하철 승강장 스크린도어에 적혀 있던 시입니다. 2019년 시민공모작으로 당선되었다는군요. 마침 비 오는 날이라 촉촉한 마음으로 읽어 내려가며 마음에 담았습니다. 도착한 지하철을 타려는 순간, 제가 꼰대의 나이임을 깨달았습니다. 마음에 담아 외우기에는 나이가…. 다시 내려 사진을 찍었죠.

그 사이에 지하철은 떠났습니다. 영화 '슬라이딩 도어즈'가 생각나더군요. 지하철을 탄 주인공과 지하철을 놓친 주인공의 삶을 보여주며, 삶의 우연과 필연의 의미를 곱씹게 해준 영화였죠. 저에게 있어서, 이 시를 담느라 지하철을 놓친 것과 그 이후 지금까지의 삶은 과연 우연일까요, 필연일까요. 무엇이었든 그 후에(즉 미래에) 이 책에 이렇게 옮겨적었으니 기억될 과거입니다. 미래가 있어 과거가 있네요.

미래를 꿈꾸나요? 과거를 버리고 미래로 가려 하나요? 변화와 전환을 바라나요? 구름을 떠났나요? 지면에 닿기 위해 떠났나요? 그렇다면 회복하고 탄력하며 툭 하고 튀어 올라야지요. 그래도 그간의 정과 미련이 있으니 한순간만큼은 잠시 뒤돌아보고요. 참, 이 시의 제목은 '이별'입니다. 이제 이별할 시간이고요.

팔로우업 follow-up

누가-언제-어디서

오래 했나 봅니다. 교수생활을요. 끝날 때가 되니 자꾸 정리하려 드네요. 그래도 해야죠. 9개나 되는 능력을 내세웠으니까요. 매우 현실적인 능력이지만 현실의 교육과정에서 그다지 강조되지 않는 능력들이라, 논리적 이유와 경험적 사례를 들며 적지 않은 지면을 썼습니다. 정의도 하고 여러 가지 설명도 하고요. 알아주었으면 하는 것은, 이것들은 생각나는 대로 써본 것들이 아닙니다. 그래도 제가 공대 교수잖아요. 전체 구조를 잡고, 구조를 이루고 있는 구성요소를 정하고, 구성요소들의 관계와 맥락을 들여다봅니다. 그리곤 구조를 변형하고, 다시 구성요소를 정하는, 일련의 반복 작업을 했었습니다. 그다음에야 비로소 하나하나씩 고민하고 고찰하며 써 내려갔죠. 사실 이런 일을 이런 식으로 제대로 하지 않았다면, 일명 '시스템공학'이라고도 하는 산업공학 전공 교수의 자격이 없겠지요.

　어쨌거나 지금은 전체의 구조, 개별 능력들의 관계로 구성된 전체의 틀을 한번 설명할 때가 된 것 같습니다. 이 대목에서 이 책을 접한 여러분이 반드시 알아주길 바라는 것은, 단지 저의 나름의 노고만은 아닙니다. 9개의 능력이 어떻게 전체의 틀 안에 위치해, 어떻게 서로 연관되는지, 어떻게 기능을 주고받아 상호보완할지, 그것들을 알아주길 원하고 바랍니다. 그래야 기억도 잘 되고 체득도 쉬워져, 진정한 여러분의 역량으로 거듭날 수 있기 때문입니다. 그런 이유로 짧고 굵게 정리해보려 합니다. 끝까지 집중해주길 부탁합니다.

일단 목차에도 나왔듯이, 세상을 대하는 여러분의 상태가 어떠냐에 따라 다릅니다. 쫓아가는 상태, 함께하는 상태, 앞서가는 상태로 나눌 수 있지요. 그러나 딱 뭐라고, 어떤 상태라고 단정하기는 어렵습니다. 지금 이 순간에 어느 한 상태라 하더라도, 설령 저 앞에 앞서가는 상태라도, 그건 금방 바뀌는 것들입니다. 세상의 변화가 기하급수적이고 변화의 속도가 비선형적입니다. 하루가 다르게 새로운 뉴스와 정보, 새로운 양식과 양상이 펼쳐지는데, 영원한 게 어디 있겠습니까. 그저 앞서거니 뒤서거니 하고 가는 거지요. 암튼 어느 한 시점, 어느 한 대상, 어느 한 목표에 국한하여, 그에 대해 쫓아가고, 함께하고, 앞서가고, 이렇게 보는 것이 맞겠죠.

그럼에도 이 구분에는 분명히 순서가 있습니다. '세상

을 쫓아가는 역량'의 '분류능력', '지향능력', '취사능력'은 가장 기초입니다. 저는 이 세 능력만 잘 갖추어도 대단한 인재라 생각합니다. 이러한 인재는 당연히 공부도 잘하고 일도 잘할 겁니다. 탁월한 문제해결 능력을 가졌고요. 그러니 기초라 하기에는 그 진가가 훨씬 크고 넓습니다. 나머지 능력의 기초도 되는, 그만큼 중요한 능력이라 간주하면 되겠습니다. 일단 쫓아가야 함께하든 앞서가든 할 것 아닙니까. 세상을 쫓아가는 분류·지향·취사는 모두 세상을 바라보는 인식체계를 잡아주는 능력입니다. 마주한 세상 문제의 체계를 잡아주는 능력이죠. 이 셋으로 체계적인 사고방식이 확실히 잡힐 것입니다.

한편 '세상과 함께하는 역량'인 '한정능력', '표현능력', '수용능력'은, 은근히 개방을 강조하고 강요합니다. 그 점은 인정하지 않을 수 없네요. 이제 남과 함께하지 않으면 더 나아갈 수가 없습니다. 함께하지 못하면 아무리 노력해서 기초를 닦아도 다시 뒤처지기 십상입니다. 개방적인 마인드로 개방하여, 마음을 단란히, 어깨를 나란히 해야 합니다. 마지못해 개방하지 말고, 나서서 개방하세요. 세상에 멋진 게 얼마나 많습니까. 한정·표현·수용능력으로 그것들을 맘껏 누리세요.

그리고 이미 몇 번 얘기했듯이, 초연결사회에서 '세상

을 앞서가는 역량'은 다름 아닌 '연결하는 능력'입니다. '매개능력', '규정능력', '전환능력'을 묶어 '연결역량'이라는 별칭도 붙였습니다. 세상을 앞서가는 방법으로 연결만 한 것은 없습니다. 그 기준이 무엇이든, 성공을 원하나요? '연결역량'은 이전에 알고 있던 그런 방법이 아닙니다. 스마트한 성공을 이뤄야죠. 매개·규정·전환능력으로요.

역량보드

지금까지는 목차와 내용의 순서를 정리해보았습니다. 이젠 좀 다른 각도로 가보려고요. 다른 각도의 다른 시각을 위해 보드 판을 하나 준비했습니다. 일명 '역량보드(competence board)'입니다. 다음 페이지 [그림10] 처럼 9개의 능력을 3×3의 형태로 배치했습니다. 딱 떨어지게 배열되니 보기도 좋네요. 원래 그렇게 디자인된 것이긴 하지만. 위의 3개, 중간 3개, 그리고 아래 3개의 능력이 이 책에 등장한 순으로 자리 잡았습니다. 일목요연하게 정돈된 모습이니, 그 자체로 도움이 될 것입니다. 그런데 뭔가 더 있군요. 세로축과 가로축에 의미를 부여한 단어들이요.

우선 세로축부터 보죠. 저는 한동안 "찰찰찰" 하면서

	절대	연대	상대
관찰	분류 categorization	지향 aiming	취사 prioritization
성찰	한정 limiting	표현 expression	수용 embracement
통찰	매개 mediation	규정 regulation	전환 changeover

그림10_역량보드

다녔습니다. 이 책의 앞에서는 "용용용"하며 시작했지만요. 2017년 출간된 전작 《멋진 신세계》에서부터였는데, 급변하는 세상과 발전하는 기술을 마냥 외면할 수 없는 사람들이, 어찌하면 이에 대처할 수 있을까를 방법으로 제시한 책이었죠. 공학도가 아니어도, 기술자가 아니어도 알고 지내야 할 기술들이 많습니다. 인공지능, 빅데이터, 로봇, 자율주행차, 사물인터넷, 클라우드, 가상현실, 핀테크…, 이런 것들이 대체 어떤 물건이고 어디에 쓰는 물건인지, 상식으로라도 알아야 하는 시대니까요. 내 수준에 맞게 적당히 알고, 내 상황에 맞게 적당히 써먹어야죠.

거기 나오는 '찰찰찰'은 '관찰·성찰·통찰'입니다. 기술에 대한 개략적 지식을 '관찰'하고, 또 나의 현재 수준, 나의 생활과 업무의 상황을 '성찰'합니다. 또 궁극적으로 관찰한 지식과 성찰한 상황을 연결하고, 결국 기술지식을 나의 것으로 만들어 새로움을 '통찰'하라고 강조했습니다. 이 맥락이 여기에도 유효하여 '찰찰찰'이 등판한 것이죠.

분석·지향·취사는 체계를 잡는 사고를 키워준다고 했죠? 체계는 우리가 직시하는 세상, 그리고 그곳에서 파생되어 직면하는 문제에 대한 것입니다. 세상과 문제의 체계를 잡아주죠. 그것들을 쪼개고 나누어 분류하고, 목표와 목적을 명확히 지향하고, 우선순위를 정해 취사선택하는 것입니다. 결국은 잘 관찰하는 방법이고, 그 방법을 키워주는 능력들이죠. 반면에 한정·표현·수용은 나 자신으로 눈을 돌린 능력입니다. 세상과 대척점에 선 나 자신이죠. 세상에 맞서지 않고 같이 하기 위해, 나 자신의 한계를 보며 한정합니다. 나 자신을 표현합니다. 상대를 들여 수용합니다. 모두 성찰하는 방법입니다. 다음은 이어주는 능력들입니다. 마주한 나와 세상의 손가락이 부딪히고 손바닥이 스칩니다. 드디어 악수하는 통찰입니다. 일단 연결하는 존재가 되어 매개하고, 연결이 지탱되게 규정하며, 새로운 연결과 새로운 가치로 전환합니다. 어떤가요? '찰찰찰', '관찰, 성찰, 통찰' 괜찮죠? 9가지 능력, 다시 보기에도 괜찮지 않습니까?

그렇다고 가로축으로 와서까지 "대대대" 하고 싶지는 않습니다. 너무 잦으면 식상하잖아요. '절대·연대·상대.' 그저 기억해두기 좋게 이름 붙였다고 생각해주세요. 이제 왼쪽의 3개를 위에서 아래로 쭉 보세요. 분류·한정·매개입니다. 모두 '절대'성이 강한 것들입니다. 세상의 여러 것을 그 자체의 객체로 분류하는 것입니다. 또 나 자체로 한정하는 것입니다. 한편 매개는 사이존재를 상정하고 사이존재의 위치 자체에 주목하는 것으로 출발합니다.

이번에는 아예 오른쪽 3개로 갈까요? '상대'성의 것들로요. 상대적 중요도를 따지는 취사, 상대의 입장을 따지는 수용이네요. 또 과거나 현재와는 다른 미래로 전환하는 것이니 이 역시 상대적입니다. 이러한 '절대'와 '상대'의 가운데에 있는 것이 '연대'입니다. 절대적인 것이 상대적인 것으로 나아가기 위해 거쳐 가는 단계입니다. 분류한 것들에 대해 지향한 것이 있어야, 그것을 기준으로 삼아 취사를 할 수 있습니다. 한정한 나 자신에 대해 표현을 해야, 그것을 통로로 삼아 수용을 해볼 수 있습니다. 또한, 매개한 존재의 위치에 대해 규정을 해야, 그것을 빌미로 삼아 전환을 이룰 수 있습니다. 가운데에서 아우르고 연관 지으며 대하는 것들이죠. 연대連帶하는 연대連對입니다.

　이런 그림, 알게 모르게 도움이 됩니다. 한눈에 들어오니 눈여겨보기에 수월합니다. 비교가 되니 이해가 깊어져 마음 새기기에 한결 좋습니다. 무엇이 빠졌는지, 무엇을 붙여야 하는지 점검도 가능하고요. 또 있습니다. 평면이지만 최소한의 입체적인 사고도 줍니다. 보드게임 좋아하세요? 디지털 게임과는 달리 질감이 있습니다. 평면의 보드 위에 놓는 피스piece. 그 피스들과 그들의 움직임으로 입체의 질감을 느끼게 해줍니다. 감각의 현실감을 줍니다. '역량보드'를 '역량블록'이라 할까도 생각했었습니다. 마치 레고 블록처럼 '따로 또 같이' 의미가 있는 것들이니까요. 각각의 능력도 요긴하고, 몇 개가 합쳐져서도 그러니까요. 그렇지만 블

록보다는 전체가 파노라마로 펼쳐진 보드판이 더 적합하리라 판단했습니다. 보드판 위에 피스를 맘껏 놓고 각자 적절한 조합을 이루기를 내심 진심 바라면서요.

이제부터 몇 가지 조합을 보여드리겠습니다. 그 조합으로, 누가, 언제, 어디서, 역량을 발현해야 하는지 알 수 있습니다. 누가, 언제, 어디서, 어떤 상황에서, 어떤 능력이 절실한지, 그러니 어떤 능력을 우선하여 습득해야 하는지를 보세요. 여기서 짚고 넘어가야 할 것은 '우선하여'라는 겁니다. 9가지 모두 피가 되고 살이 되는 능력이지만, 그냥 다 좋으니 다 하라고 말하면 너무 무책임하겠죠? 피 좀 빼고 살 좀 빼도 되니, '우선하여' 3개씩 간추리겠습니다. '누가-언제-어디서'의 6가지 상황을 설정했습니다. 각각 최고로 우선적인 3개의 능력을 간추렸습니다. 혹 얼핏 보니 여러분과 상관없는 상황이라고요? 읽어보면 알 겁니다. 다음의 6가지 입장에서 자유로운 사람은 아무도 없다는 걸요.

성장하는 자녀, 응원하는 부모라면, 분류 + 지향 + 취사

제가 성장하는 자녀 당사자였을 때는 이미 한참 오래전이라 뭐라 말하기가 그렇지만, 자녀를 응원하는 부모 입장으로는 리얼합니다. 부모로서의 경험만은 아니죠. 초중고 교육의 현실적 교육목표가 대학입시이다 보니, 주변의 많은 부모들이 기회만 되면 대학교수인 저에게 자식 교육에 대해 질문합니다. 물론 입시제도에 대한 비난과 교육내용에 대한 비판도 섞으면서요. 그러다가 질문의 깊이가 깊어집니다. 입시정보보다는 교육정보를, 교육정보보다는 교육방향을 물어봅니다. 자녀의 나이가 어릴수록 더 근본적인 역량 함양에 관심을 갖습니다. 그게 현명한 것, 맞습니다. 배우는 것보다 배우는 법이, 공부하는 것보다 공부하는 법이 훨씬 더 중요하니까요.

분류능력은 세상을 이해하는 능력입니다. 세상이 어떤 것들로 구성되었고, 이들이 어떤 방식으로 구성되는지를 알게 해주는 능력입니다. 구성요소와 구성요소의 구조를 파악하는 것이 얼마나 쓸모 있는지, 아직 기억하죠? 세상의 구성과 구조를 알면, 문제의 구성과 구조를 아는 것입니다. 분류능력으로 세상을 이해하면 곧 문제를 이해하는 것이지요. 문제를 이해하는 데 큰 도움이 됩니다. 문제를 이해하는 것이 문제를 푸는 것보다 먼저 아니겠습니까? 이해하지 못하고 풀기만 하는 일은 앞으로 컴퓨터와 인공지능의 몫입니다. MECE를 강조했었습니다. 자꾸 시키고 시켜보아야 합니다. 세상과 문제를 보는 눈이 달라질 겁니다. 달라진 눈으로 명석한 안목이 생길 겁니다. 인재가 되는 길로 접어든 거죠.

대학에 있다고 대학생만 만나는 것은 아닙니다. 주변 친지들이 자꾸 자녀들을 제게 보냅니다. 초등학생은 드물지만 중고등학생은 꽤 많이 찾아와 얘기를 나누어 보았습니다. 그런데 놀라운 것은, 엄청난 차이가 있더라고요. 같은 또래여도 눈빛과 태도, 말투와 행동, 엄청나게 편차가 있습니다. 가장 큰 차이는 목표의식에서 나타납니다. 목표가 있고 없고가 아니라, 그 목표가 얼마나 뚜렷한가의 차이죠. 자녀의 진로에 대해 걱정해본 부모는 압니다. 자신이 원하는 것, 하고자 하는 것이 명확한 아이는 별로 걱정하지 않습니다. 그 목표가 뭐든, 그 의지가 있는 것만으로도 자녀의 미래를 크게 고민하지 않아도 됩니다.

게다가 그 목표를 이루기 위해 지금 무엇을 해야 할지 알고 있다면, 저는 주저 없이 면담 후 부모에게 말합니다. "걱정하지 마세요. 잘 클 겁니다. 훌륭한 자녀를 두셨어요." 지향능력의 비저닝과 캐스케이딩까지 하고 있으니까요. 그리고 몇 년 후, 그 자녀의 성장세를 확인합니다. 한두 번이 아니거든요.

취사능력에서는 상대적 중요도를 산출하는 AHP를 꺼

냈었습니다. 숫자와 계산이 나왔었죠. 그러나 어려운 수학이 아니고 산수 정도이니 누구나 익힐 수 있는 훈련 과정입니다. 상상해보세요. 자녀가 "이거보다 이게 이만큼 더 중요하니 이것부터 하고 다음에 이걸 해야지." 하면 얼마나 기특하겠습니까. 그 중요도를 숙지하며, 버릴 건 버리고 취할 건 취합니다. 그렇게 선택해가는 자녀가 얼마나 듬직하겠습니까. 기특하고 듬직한 자녀가 있다는 것은 최고의 행복입니다. 그리고 그런 자녀를 응원하고 지원하는 것은 최고의 보람입니다.

어떤가요? 취사능력, 그리고 분류와 지향능력을 키워주고 싶지 않습니까? 앞에서 힘주어 얘기했습니다. 이들은 기초이자 기반이 되는 역량이라고요. 자녀를 위해 인생의 든든한 기초를 세워주고 기반을 닦아주고 싶지 않습니까? 일단 다른 능력에 눈 돌리지 말고, '분류+지향+취사' 종합세트를 선물하세요. 세상의 그 누구보다 소중한 당신의 자녀에게.

코앞에 논술이나 면접을 앞둔 수험생은, 분류 + 표현 + 수용

좀 더 구체적인 상황입니다. 누가, 언제, 어디서인지가 눈에 선합니다. 평생 남이 쓴 글을 참 많이 보았습니다. 전문 작가들이 쓴 책은 차치하고, 학생들이 쓴 논문과 리포트는 이제 척하면 척입니다. 그래서 그런지 입시생들의 논술답안도 판단이 빨리 서더군요. 면접은 더 쉽습니다. 애쓰는 면접 대상자를 생각하니, 쉽다고 하기는 좀 그렇고 더 빠르게 판단할 수 있다는 게 맞겠네요. 더 많은 정보가 주어지거든요. 말의 내용뿐 아니라 말투와 목소리, 모습과 행동이 한꺼번에 주어집니다. 대학입시에서, 대학원 입시에서, 간혹 회사 입사시험에서 보고 또 보았습니다. 그들을 보면서 또 보았습니다. 면접관의 면접자에 대한 판단이 얼마나 짧은 시간에 이루어지는지를. 그만큼 준비의 방향이 명확해야 합니다. 임기응변은 임시방편일 뿐입니다. 관련한 역량을 키워야 합니다. 역시 능력 3개를 제시하겠지만, 코앞의 상황이니 단기적으로 함양이 가능한 수준을 말해야 할 것 같군요.

여기서도 분류능력이 중요합니다. 사실 이 능력은, 생각 같아서는 모든 상황에 다 집어넣고 싶습니다. 그럴 순 없지요. 간추리기로 했었으니까요. 똑똑한 사람은 어떤 사람이죠? 한마디로 논리적인 사고가 원활한 사람입니다. 논리적이라는 건, 간단히 말해, 포함 관계와 선후관계, 즉 횡적인 관계와 종적인 관계에 입각해 세상의 이치와 자신의 주장을 잘 풀어가는 거죠. 그 방법이 모두 분류능력 안에 있습니다.

"물어보신 것은 세부적으로 이런저런 것으로 구분할 수 있습니다. 그중 이런 것은 이렇고 저런 것은 저렇고, 또 이런 것이 이렇게 되면 저런 것이 저렇게 되고…"

면접관의 질문에 이런 식으로 대답을 시작합니다. 논술에서 이런 식으로 논지를 진행합니다. 그러면 바로 판단이 섭니다. '이 친구 똑똑하네. 괜찮네.' 그렇지 않습니까? 간혹 이런 답이 나오기도 합니다. "이것도 포함하여 생각할 수 있으나, 저는 현실적인 방법을 찾기 위해 이것을 제외한 나머지로…" 더 안 들어도 압니다. 이 친구는 뽑아야 한다는 걸요.

그렇습니다. 할 수 있다면, 이런 패턴으로 답하세요. 설령 틀린 가정이라도 이런 식의 서술은 가점입니다. 분류능력의 또 하나의 가치는 자연스럽게 문제의 범주를 설정해주는 겁니다(한정능력과 함께하면 그 가치가 배가됩니다). 제한된 시간에서는 더욱 그래야겠죠? 문제의 범주와 그에 따른 답의 범위를 제한해야 합니다.

무조건 표현능력입니다. 논술과 면접 모두 표현이니까요. 결국 표현을 잘하는 자가 승자인 상황입니다. 자신을 글로, 말로, 때론 몸으로 표현하는 능력은 장기적으로 개발해야 하는 능력입니다. 그러나 이 책의 '표현능력'편에는 단기적으로 활용할 수 있는 내용을 꽤 많이 채워놓았습니다. 몇 페이지 안 되니 꼼꼼히 읽어보기 바랍니다. 특히 '테크니컬'이라는 단어가 지닌 의미를 곱씹으며 익히기 바랍니다. '코앞의' 상황이니만큼 각별하게 중요한 것은 연습입니다. 기억하죠? '연습, 연습, 연습'이요. 또 기억하죠? 저와 제 인도 친구가 코앞의 단기적인 상황에서 어떻게 성과를 얻었는지요.

그리고 수용능력입니다. 확실히 알아야 할 사실이 있습니다. 입학이나 입사시험에서 출제자와 면접관이 시험을 보는 이에게, 완전한 지식인을 기대하는 게 아닙니다. 그 흔한 '발전 가능성'을 보는 것이죠. 그렇다면 발전은 어떻게 해야 가능하죠? 사회의 다양한 측면, 사람의 다양한 장점을 수용하며 이루어지는 게 발전입니다. 수용할 수 있는 개방적인 사고를 원합니다. 바로 그것이 어린 학생과 젊은 청년에게 기대하는 것입니다. 아니, 그것이 없으면 학생과 청년이라 하기 어렵다고 생각합니다.

확실히 알았다면 수용하는 논지와 대답을 준비하세요. 또 있습니다. 수용해야 하는 아주 중요한 대상이 또 있는데, 누구겠습니까. 출제자와 면접관이죠. 그들의 의도를 간파하고 수용해서 그에 적합한 답을 내놓아야죠. 자기만의 논리로 흐르는 글을 출제자는 절대 끝까지 읽지 않습니다. 자신만의 시나리오로 주절대는 말에 면접관은 이렇게 할 겁니다.

"그만, 다음 사람."

눈앞에 세상이 펼쳐진 사회초년생이라면,
지향 + 취사 + 표현

이제 코앞이 아니라 눈앞입니다. 시험에 통과하기를 몇 번, 무한한 잠재력으로 눈앞에 끝없는 세상이 펼쳐져 보이는 사회초년생입니다. 무한한 잠재력, 좋습니다. 그러나 그 말은, 능력은 유한하다는(즉 대단치 않다는) 뜻이고, 아직은 가진 게 잠재력밖에 없다는 의미이기도 합니다. 사실 잠재력의 크기로 따지면 소년·소녀, 학생 시절이 더 크겠죠. 그러나 사회초년생이 확보한 잠재력은 훨씬 더 구체적입니다. 잠재한 능력치를 발휘할 대상이 더 구체적이고, 더 가시적이니까요. 가야 할 길, 이루어야 할 일이 보입니다. 그래서 머릿속, 마음속이 아닌, 눈앞입니다. 자칫 모호할 수 있는 꿈을, 이제는 확실한 비전으로 탈바꿈시켜야 하는 시기이고, 또 그렇게 해야만 하는 시기입니다.

다시금 지향능력이 중합니다. 사실 어린 나이에 정한 꿈과 비전은 스스로 정한 것이 아닌 경우가 많습니다. 부모에 의해, 잠깐 영향을 끼친 몇몇 사람과 사건에 의해 정해졌을 확률이 높습니다. 제한된 시공간과 관계 속에서 결정했겠죠. 그리고 무엇보다 자기 자신의 성향과 취향을 충분히 알아볼 기회가 적은 상태에서 결심한 것이겠죠. 그런데 이젠 아닙니다. 청춘의 질풍노도 시간을 일정 부분 소비하고, 망망대해 세상의 공간을 일정 부분 경험한 후입니다.

그러니 이젠 다시 해야죠. 당연하게도 모든 사회초년생은 목표를 세우고 계획을 세웁니다. 졸업하고 취업한 제자들의 목표와 계획을 들어볼 기회가 유달리 많은 저로서, 아쉽고 안타까울 때가 많습니다. 너무 허황된 목표와 허황된 만큼 모호한(구체적이지 않은) 계획, 아니면 너무 소박한 목표와 소박한 만큼 뻔한(구태의연한) 계획을 듣습니다. 자기 삶의 가치를 고양하는 미션의 존재에 대한 인식도 부족합니다. 플래너를 사서 다이어리로 씁니다. 그마저 연초, 입사초에 촘촘했던 지면은 뒷장으로 갈수록 백지수표의 백지노트입니다. 자신을 아낀다면, 자신의 시간과 삶을 소중히 여긴다면, 다시 지향능력에 올인해야 합니다. 적어도 이 순간, 이 상황만큼은요.

그러고 나서 골라야 합니다. 구체적으로 목표와 계획을 세워보면 압니다. 그 좋은 것들을 다 할 수 없다는 것을요. 고르고 걸러야죠. 그렇다고 애써 정한 비전, 캐스케이딩한 목표와 계획을 그냥 버리지는 마세요. 우선순위를 매기세요. 취사능력으로 상대적 중요도를 측정하고, 우선적으로 해야 하는 일, 하고 싶은 일에 집중하세요. 취사능력의 용도는 이것만이 아닙니다. 잠깐 앞의 역량보드를 다시 보면, 취사능력은 세상을 관찰하면서 상대적인 관점을 견지하는 능력입니다. 여기서 상대는 직장 혹은 직장 상사입니다. 여러분이 목표와 계획의 주연이라면 그들은 조연입니다. 그것도 주연급 조연입니다. 그들의 인정과 도움 없다면 여러분의 미션과 비전은 안개 속 보물찾기가 될 것입니다.

그렇다면 직장의 입장, 상사의 관점에 입각해 취사능력을 사용해야 하겠죠. 그들이 바라는 것은, 그들의 입장과 관점으로 상대적으로 중요한 업무를 우선하여 처리해주는 것입니다. 종종 뒤죽박죽, 오락가락하겠지만, 어쩌겠습니까. 칼자루는 그들이 쥐고 있는데요.

이제 표현능력. 칼자루 쥔 이들에게 여러분의 실력과 노력을 보여주어야 합니다. 보고서와 문서, 이메일과 문자까지, 그들은 유심히 보고 있습니다. 토론과 발표, 대화와 말투까지 유심히 듣고 있습니다. 그것이 여러분의 실력과 노력이라 생각하면서요. 말을 아끼라고 하던가요? 사석에서는 말 없어야 할 때 말 많은 사람이 밉지만, 공석에서는 말해야 할 때 말 없는 사람이 밉습니다. 사석이나 공석이나 미운 사람은 안 보고 싶습니다. 칼자루 쥔 이들이 칼을 휘두르는 대상은 주로 안 보고 싶은 사람입니다.

'표현능력'을 한 번 더 읽어보세요. 사회초년생이 할 일은, 몸으로 때우는 것만은 아닙니다. 쓰고 말하는 거죠. 거기에서 판가름 납니다. 무미하게 쓰고 건조하게 말하다 보면, 표현능력을 키우고 실천하다 보면, 초년생의 딱지를 뗄 수 있습니다. 그것도 우선순위 높은 목표와 계획이 순조롭게 실현되는 방향으로.

한창이면서 어정쩡한 위치의 당신은, 한정 + 매개 + 전환

제 교수생활에 많은 시간과 열정을 쏟은 교육프로그램은 특수대학원입니다. 속칭 '야간대학원'이죠. 직장에 다니는 재직자들이 저녁 시간에 석사과정을 이수할 수 있게 만든 프로그램입니다. 당장 먹고사는 일에 큰 어려움이 없으면서도, 말 그대로 주경야독하는 사람들을 위한 것이니 각별할 수밖에요.

그런데 그 각별한 정도가 학생들의 그것과는 비교 불가입니다. 얼마나 학교를 좋아하던지요. 뭐 사실 공부가 얼마나 좋겠습니까만, 소싯적 학교 가는 것과는 판이합니다. 적어도 마지못해 가는 학교는 아니지요. 자기가 원하고 결정해서 비싼 등록금 내며 다니는 것 아니겠습니까. 게다가 범접하기 어려웠던, 멀게만 느껴졌던 선생과 때론 소주 한

잔 같이할 정도면 '의무교육'은 아니지 않겠습니까. 그래서 저는 후배 교수들에게 얘기하곤 했습니다. "따뜻한 마음으로 잘해주어야 해. 마음 하나를 주면 열을 되돌려주는 사람들이야."라고요.

수업하고 논문지도하며 그들을 알게 되고, 대화하고 교류하면서 그들의 속내를 알게 됩니다. 학교라는 곳이 좋고, 공부하는 것이 좋은 이유도 분명 있습니다. 그러나 그것만은 아닌 듯합니다. 세상을 알아가면서 자신도 알아 갑니다. 성취도 있지만 한계도 있었겠죠. 한계를 느끼며 어정쩡해집니다. 한창의 나이와 한창의 커리어인데도 주춤합니다. 그러니 학교를 찾았겠지요.

그러나 이때 진정 찾아야 할 것은 한정능력입니다. 이쯤 되면 자신의 한계를 명확히 해야 합니다. 기억하죠? 한계를 명확히 한다는 것이 좌절하고 포기하라는 얘기가 아닌 것을. 한정하여 자신의 정체를 명확히 알라는 겁니다. 앞으로 나아가기도, 뒤로 돌아가기도 어려운 시기에 할 일은, 그 자리에 우두커니 서서 자신을 여러 각도로 살펴보는 것입니다. 검진하듯 살피라고 있는 시기입니다. 성숙모형을 그려보고 트레이드오프로 최적화도 해볼 시기입니다. 명심하세요. 이 시기가 있어야 다음도 있습니다. 부질없이 시간낭비, 에너지 소모하는 대신 한정능력을 활용할 적기입니다.

학교를 떠나 좀 더 현실적으로 가볼까요. 중간관리자일 수 있습니다. 조직을 지탱하는 허리이자 버팀목일 수 있습니다. 다르게 말해볼까요? 상사와 선배에게 눌리고, 부하와 후배에게 치이는, 자칫하면 버림목 처지입니다. 이 책에서 제시한 능력 중에서, 냉정한 현실에 기반한 가장 현실적인 능력으로 무장해야 할 처지입니다. 매개능력이죠. 그 중간 없이는 관리가 안 되고, 그 허리 없이는 버티지 못하게 해야 합니다. 그렇게 해주는 매개능력으로 적절히 자리매김해야 합니다. 힘의 방향과 균형을 고려하며 포지셔닝해야 합니다. '남은 또 다른 나'라는 말, 아직 생생하리라 믿습니다. 남을 악용하고 이기적으로 활용하라는 얘기가 아니었다는 것도 생생하겠죠. 얄미운 매개자가 아닌, 없어서는 안 될, 모두가 찾는 중간의 사이존재, 매개자가 되는 법을 여러 측면으로 설명했습니다.

그리고 전환능력입니다. 전환의 기로에 선 나이와 위치, 처지와 입장인 만큼, 전환능력의 논지와 방법에 귀 기울여야 합니다. 아니라고 못 할 겁니다. 가진 것은 미래보다는 과거입니다. 과거의 족적으로 현재에 살고 있습니다. 과거의 업적으로 미래를 기대하고 있습니다. 그렇지 않다면, '한창이면서 어정쩡한'에 꽂히지 않았겠지요. '버팀목 vs 버림

목'을 고민하지 않았을 겁니다.

만일 그렇다면, 과거로 미래를 보지 말고, 미래로 과거를 보아야 합니다. 이 부분, 상당히 길게 강조했던 내용입니다. 세상과 상대의 눈을 충분히 의식하며 자신을 전환해야 합니다. 전환은 미래가 끌고 가는 능력이고, 상대의 관점이 끌어주는 능력입니다. 다 싫고 다 귀찮다면, 어정쩡함을 안정감으로 바꿔 생각하면 됩니다. 그저 꼰대 등극을 감수하면 되니까요. 하지만 절대 안도감으로 바꿔 생각하진 말고요.

권한과 책임의 정점에 선 리더는,
수용 + 규정 + 전환

사실 제일 어려운 사람입니다. 저와는 최근에 가장 많은 교제가 이루어지는 이들입니다. 그들의 성공과 발전을 지켜보며, 점점 딴딴해지는 내공의 깊이를 체험하며, 한편으론 무슨 '능력'이니, 무슨 '역량'이니 말 꺼내기가 무척 힘듭니다. 리더도 크게 세 부류로 나누어집니다. 중소기업 CEO 같은 소규모 조직의 리더, 대기업 CEO나 기관장 같은 큰 규모 조직의 리더, CEO건 아니건 큰 조직의 소유자인 리더. 예상하다시피 뒤로 갈수록 더 어렵습니다. 조직과 성공의 규모, 권한과 책임의 '사이즈'가 더 클수록 어렵습니다. 자신과 자신의 사업철학, 인생철학에 대해 확고하거든요.

그런데 이런 '사이즈'를 불문하고, 리더들을 2가지 유형으로 또 나눌 수 있습니다. 책을 좋아하고, 지식인을 존중하고, 인재를 중용하는 리더와 그렇지 않은 리더. 물론 말로는 다 그런다고 합니다. 아니, 적어도 예전에는 다 그랬겠지요. 하지만 구분됩니다. 교내와 교외에서, 민간과 정부 측면에서 꽤 열심히 활동해왔습니다. 현재 만나는 리더, 그간 만나왔던 리더, 다 합치면 수천 명은 족히 되는 사람의 얘기니 귀담아도 됩니다.

아이러니한 것은, 그 2가지 유형의 리더들은 점점 더 각자의 길로 달려가고 있다는 사실입니다. 수용능력을 되살려야 하는 이들은 더 멀리하고, 굳이 안 그래도 되는 이들은 더 가까이하려 합니다. 그렇게 각자 양극으로 치달으니, 수천 명을 만나 보지 않은 사람 눈에도 쉽사리 구분됩니다. 하지만 예외 없습니다. 세 부류건, 두 유형이건 권한과 책임의 정점에 있는 모든 리더에게 예외는 없습니다. 다양한 사람을, 다양한 세상의 가치를, 다양함과 다양함이 만나 증폭되는 다양성을 수용하지 못하는 사람은 외롭습니다.

부와 권력이 있는데 좀 외로우면 어떠냐 하겠지만, 생

각해보세요. 그 부와 권력을 다양한 사람의 다양한 가치와 함께 한다면 얼마나 멋지겠습니까? 얼마나 멋진 인생이겠습니까? 모든 리더가 수용능력을 되돌아보고 되살려야 하는 이유입니다. 역지사지 토론도 한 번쯤은 해보며 말이죠.

조직에 대한 애착과 집착은 다릅니다. 조직에 대한 애착이 큰 리더의 큰 고민은, 어떻게 해야 자신의 역할이 줄어도 조직이 잘 운영될까입니다. 조직에 대한 집착이 큰 리더가 어떻게 해야 자신의 역할이 줄면 조직이 잘 운영되지 않을까를 고민하는 것과 극명히 대비되죠. 조직에 대한 애정 어린 시선은 조직을 시스템으로 보는 시각으로 귀결됩니다. 애정의 소치는 시스템을 만들어야겠다는 결심으로 이어집니다. '모두가 인정하는 지속가능한 프로세스의 합'으로 시스템을 정의한다면, 이는 결국 모두가 인정하는 지속가능한 룰을 만드는 것이죠. 각양각색의 조직구성원과 복잡다단한 이해관계자를 아우르고 어우르는 룰을 만드는 규정능력이 긴밀히 요구됩니다. 그리고 단순 운영을 넘어서 더 발전해야죠. 이 대목에서 아끼고 아꼈던 키워드를 선사했었습니다. '선순환', 발전적인 관계의 순조로운 순환으로 지속적인 발전을 도모하세요.

또 전환능력입니다. 중간 관리자의 전환이 자기 자신에 대한 것이라면, 리더의 전환은 조직 전체에 대한 것입니다.

리더의 생각의 크기가 조직의 생각의 크기라 한다면, 리더의 전환은 자신과 조직 모두에 대한 것이겠죠. 어쨌거나 몸이 무거워진 만큼 전환하는 발걸음은 무거워집니다. 무거운 몸으로 과다하게 운동하거나, 과도하게 다이어트하면 몸 상하기 일쑵니다. 단계적으로 해야 하니, 능력도 단계적으로 적용해야 합니다. '수용+규정+전환'을 하나의 운동 세트로 간주하세요. 다른 것을 수용하고, 다른 것과 같이하는 시스템을 규정하고, 다른 것의 가치를 수혈하며 전환합니다. 수용하고, 규정하고, 전환하고, 다시 수용하고, 규정하고, 전환하고, 또 수용·규정·전환하면서 전환능력의 백미를 누리길 바랍니다.

혁신과 변화가 필요한 누구라도,
지향 + 수용 + (매개 + 규정 +) 전환

직전에 얘기한 애착 많은 리더의 고민과 맥이 통하는 상황입니다. 차이가 있다면 혁신과 변화의 목적이 얼마나 명확하고 또 다급한가에 있겠죠. 이 면에서 각 조직의 형편은 판이합니다. 그렇지만 기업의 혁신은 이제 상시적인 과제가 된 듯합니다. 시도 때도 없이 '혁신, 혁신' 하니 혁신은 해야 하는데, 무엇을 어떻게 혁신해야 하는지 갈피를 못 잡는 경우가 많죠. 남들이 하니, 경쟁업체가 하니, 저 같은 전문가들이 종용하니, 하긴 해야겠고, 마음은 불안한데 막상 엄두를 내지 못합니다.

가장 먼저 확립해야 하는 것은, 혁신의 '목적'입니다. 그 목적의 구체성과 가능성입니다. 지향능력의 비저닝은 구체성을, 캐스케이딩은 구체성과 가능성을 담보하는 방법입니다. '하우 소how so/소 왓so what' 하면서 구체성과 가능성을 점검합니다. '해야 할 일을 하라'가 지향능력의 슬로건이었죠? 이해하고 있으리라 믿습니다. 강조의 포인트는 '일을 하라'에 있지 않고, '해야 할'에 있습니다. 해야 할 이유와 목적부터 명확히 하세요. 그렇지 않으면 지칠 일만 남습니다.

보통 혁신의 대상을 '3P'라고 합니다. '사람(people)', '프로세스(process)', 그리고 '제품(product)'이죠. 또 보통, 이 중에서 혁신하기 상대적으로 쉬운 대상은, 이 순서의 역순입니다. 즉 사람을 혁신하기가, 사람이 변화하기가 제일 어렵다는 의미입니다. '프로세스'가 '제품'에 비해 어렵다고 하는 연유도, 프로세스에 사람이라는 요소가 더 많이 가미되어 있어서죠. 그래서 혁신을 수용하는 것이 관건이 됩니다. 조직 전체가 수용능력을 발휘해야 합니다. 수용하여 전환능력을 발휘하는 것도 관건이고요.

CEO는 외칩니다. 오너 CEO는 피 토하고 침 튀기면서 외칩니다. 그러나 냉정하게 말하자면, 다른 이들에게는 시끄러운 소음입니다. 승진의 기대나 퇴사의 위험이 없는 중견, 중간 관리자는 귀 막고 있습니다. 마지못한 시늉으로 기계적인 대응을 일삼습니다. 말단 사원들은 아예 귀에 들리지 않습니다. 회사 가면 뭐라 웅웅거리는 소리가 있긴 한데, 마음에 꽉 찬 퇴근 후 일정으로 인해 비껴가는 잡음에 불과합니다. 그렇지 않다고요? 우리 회사는, 우리 조직은 그 정도는 아니라고요? 아닌 게 아닙니다. 그런 가정을 하면서 혁신을 해야 합니다. 업의 연속성이 최우선인 직원, 삶의 질이 최고가치인 구성원을 뭐라 욕할 수 있겠습니까. 그들에게 혁신 수용과 인식 전환의 능력을 키워주는 수밖에요.

첨언하면, 최근 많은 회사가 신사업을 추진합니다. 그 신사업의 대다수가 플랫폼 비즈니스와 크든 작든 관련이 있습니다. 플랫폼의 대세에 순응하기도 해야 하고, 플랫폼의 추세에 편승하기도 해야 하니까요. 새로운 변화와 혁신의 방향이 플랫폼 구축과 운영에 초점이 맞추어진 기업이 많다는 거죠. 저 역시 여러 기업에 자문과 고문을 하며 '사이로 들어가 자리 잡아라', '룰을 정하는 자가 되어 자리를 유지하라' 등 매개능력과 규정능력에 공들이고, 공들인 만큼 본전을 뽑으라고 역설하고 있습니다. 워낙 대세이자 추세인 상황이라 첨가해야 할 능력으로 첨언했습니다.

　비단 조직과 기업뿐일까요? 혁신과 변화가 필요하지 않습니까? 지금의 상황, 지금의 상태에서 벗어나고 싶지 않나요? 변화가 별겁니까? 다 그런 거죠. 뛰어나오고, 뛰쳐나오고 싶지 않나요? 뛰어나온 그곳, 뛰쳐나온 그곳보다 더 좋은 곳을 바라지 않나요? 혁신이 별겁니까? 다 그런 것이죠. '지향＋수용＋전환' 해보세요. 습득에 시간과 에너지가 소모되겠지만, 쓸모가 정말 많습니다. 두고두고, 평생 동안요. 이왕이면 '매개＋규정'까지요. 나머지 분류, 취사, 한정, 표현까지 다 하라고 하고 싶지만, 간추리겠다는 약속을 했으니 꾹꾹 참겠습니다. 아무쪼록 꾹꾹 참는 저를 기억하며, 여러분의 삶과 업에 제가 제안한 능력을, 역량을 꾹꾹 눌러 담기 바랍니다. 그리고 혁신과 변화의 마음으로 오랜 시간 같이해주어서 진심으로, 정말로 감사합니다.

랩업 wrap-up
'쇼생크 탈출'과 '포레스트 검프'

갑자기 4인 모임이 2인 모임이 되었다. (코로나 시기에) 차 타고 모임 장소로 가는 중에 전화 통보를 받은 연유는, 발신자와 그 주변의 발열 증상이었다. 자기들을 위한 건지, 우리를 위한 건지, 모두를 위한 건지는 헛갈렸지만, "몸조리 잘하세요, 우리 둘이 좋은 시간 잘 보낼게요."라는 의례적인 인사말로 전화 끊는 순간 퍼뜩 생각났다. '아, 그 사장님하고는 안 친한데, 뭔가 궁금한 게 많은 분인데, 지난번에도 계속 질문만 하던데…, 어떡하지? 둘이서만 어떻게 있지? 혹시 나는 열 안 나나?' 하며 손이 머리로 가려 하는데, 덜커덩 택시가 약속 장소에 멈췄다.

먼저 도착해 나를 맞이하는 그의 얼굴에는 묘한 미소가 흘렀다.

"교수님, 우리 오늘 얘기나 실컷 합시다. 학교에서 오시는 길이세요?"

"네. 그래도 차가 안 막혀서…"

"교수님, 그런데 요새 대학에서는 무얼 가르치나요."

"그거야 제 전공에서는…"

"그런데 신입사원 뽑으면 왜 몽땅 새로 가르쳐야 하죠?"

"아, 그거야…"

말을 이어갈 수가 없었다. 물어보면서도 내 대답은 기다리지도 듣지도 않는다.

"대학에서 배우는 거, 암기하는 거, 문제 푸는 거, 현실에서 쓸모 있다고 생각하세요? 저희 같은 회사가 무슨 연구만 하는 데도 아니고. 설마 교수님은 그렇게 강의하지 않겠죠?"

"아 네, 제 전공은 산업공학이라…"

"교수님."

"네."

"압니다. 교수님은 잘하시겠죠. 그렇지만, 대학이라면 젊은이들이 직장에서, 인생에서 꼭 필요한 능력을 알려주고 교육해야 하는 거 아닙니까? 그냥 교수들이 자기들 가르치고 싶은 것, 가르치기 편한 것, 교육하는 거 아닙니까? 진짜 필요한 걸 가르쳐야죠! 그런 능력을요!"

이쯤이면 대화가 아니다. 실컷 하고 싶은 말만 하고 있다, 거의 강의 수준으로. 강의는 보통 내가 하는 건데. 마침 음식 주문이 들어와 반가운 마음에 얼른 화제를 돌린답시고 큰 목소리가 나왔다.

"그냥 짜장면이나 가볍게 한 그릇 먹을까요?"

"무슨요. 교수님 모시고 말씀 듣는데, 짜장면이라뇨. 코스로 해야죠, 코스. 하하."

무슨은 무슨, 무슨 말씀은. 무슨 내 말을 듣는다고.

"네, 그래도 가볍게…"

"교수님, 식사는 원래 모시는 사람 성의를 들어주셔야 하는 겁니다. 그건 그렇고, 앞으로 일자리 문제는 어떻게 될 것 같습니까?"

이젠 교육에서 일자리로 바뀌었다. 차라리 바뀌지 않는 것이 더 나을 뻔도 했다는 것을 알아채기에는 얼마 걸리지 않았다. 그나마 교육은 대학교 얘기로 한정되었으니깐. 그는 정말 힘이 넘쳤다. 식사도 아직 시작하지 않았는데, 배고프지도 않은 모양이다. 처음은 일자리 부족을 걱정하더니 금세 요지가 변한다. 부족한 게 아니라 편향된 거라고. 어떤 일자리는 되려 일손이 부족하다고. 그러더니 뭐가 생각났는지 눈이 빤짝거린다. 4차산업혁명 얘기, 기술 얘기, 인공지능 얘기, 로봇 얘기 등등. 그렇다. 이건 내가 해야할 얘기 아닌가. 이제 나의 시간이 아닌가.

"사장님, 인공지능과 로봇 얘기라면…"

"글쎄 좀 들어보세요. 교수님. 매번 학생들에게 얘기하시느라 힘들지 않으셨어요?"

회사가 어쩌구, 직원이 어쩌구, 인공지능 쓰려니 어쩌구, 로봇을 썼더니 어쩌구. 다음은 나라 얘기까지 한다. 4차산업혁명 정책이 이러쿵, 과학기술 정책이 저러쿵. 그러더니 급기야 교육이 또 나왔다.

"결국 교육정책이 문제인데요. 교수님."

무슨 코스가 이리 길단 말인가. 요리가 끝도 없이 나온다. 빨리 끝장을 봐야 하니 허겁지겁 먹고는 있지만, 먹는 족족 목에, 가슴에 얹힌다. 중국 음식의 기름기가 벌써 배 안에서 응고된 기분이다. 소화도 안 되니, 이젠 더 말하고, 아니 더 듣고 싶지도 않다. 억지미소가 한계에 도달해 썩은 미소로 변하자. 드디어 그가 눈치를 챘다. 드디어.

"교수님, 음식이 왜 입에 안 맞으세요? 다른 거 시킬까요? 뭐 달리 원하는 거 있으면 말하세요."

"네, 사장님." 또 말 끊길까 미친 듯이 빠르게 말을 이었다.

"제가 원하는 건, 제가 원하는 것은요. 제발 좀 편히, 밥 좀 편히 먹는 겁니다."

갑뿐싸는 이런 것이었다. 그렇지만 나로선 어쩔 수 없었다. 엎힌 음식이 입 밖으로 안 튀어나온 게 다행이었으니. 그 한마디로 지금까지의 그의 만행은 덮어지고 나의 불손이 방 분위기를 에워쌌다. 하지만 어쩔 수 없었다. 일단 피하고 봐야지.

"화장실 잠깐 다녀오겠습니다."

화장실에 홀로 있으니 평정심이 들었다. 살짝 그에게 미안한 마음이 스며들며, 온 김에 일 보려는 찰나, 문이 열리고 들어서는 한 사람. 그였다.

"아, 다이가 두 개네요." 하며 미소 띤 채로 옆에 선다. 그는 정녕 아무렇지도 않았나 보다.

"교수님, 근데 말이죠. 아까 얘기하다 만 교육정책 말인데요. 컴퓨터와 인공지능 땜에 사람들 바보 되는 거 아닌가 몰라요. 초등학교 교육부터 싹 바꿔야 하는 거 아닌가요?"

이제는 초등학교 교육까지. 초등학교 얘기에서, 중학교, 고등학교, 그리고 다시 대학교 교육 얘기로. 화장실은 화장하는 곳 아닌가. 그 용도만 있지 않음은 그날 처음 알았다. 손 씻으며 열변을 토하던 그는 한참 물을 흘려보낸 후 먼저 나갔다. '아, 정말… 이놈의 코로나는…' 오늘 안 나온, 못 나온 그들이 미웠다. 코로나도 미웠다. 싫었다. 가슴이 답답하고 마음이 먹먹해졌다. 다시 저 식사 방으로 들어갈 용기가 나지 않았다. 그 방의 문이 고문실 문짝 같았다. 답답하고 먹먹하니 눈가가 흐려지더니, 정신마저 흐려지더니 돌연 눈이 번쩍 떠졌다. '아, 그래, 그렇지. 나는 자유인이지.' 나는 고문 대신 탈출을 택했다. 고문실 문을 여는 대신 식당의 문을 열었다. 그리고 밖으로 냅다 뛰었다. 도망치기로 한 것이다.

바깥공기는 상큼했다. 그렇게 개운할 수가 없었다. 상큼하고 개운한 김에, 뛰어나온 김에 살살 뛰어보았다. 체한 배로 처음에는 뒤뚱거렸으나 뛰다 보니 소화도 되는 것 같다. 그런데 저 앞에 한 무리의 사람들이 뛰고 있는 것이 보인다. '어, 옷도 비슷하게 입고 뛰는 모습도 절도 있네. 멋있네. 운동 함께 하는 모임인가?' 갑자기 나도 그들처럼 자세가 잡힌다. 손발의 각도가 잡힌다. 팔 회전과 다리의 움직임이 빨라진다. 쫓아가고 싶어진다. 그래야 된다는 생각이든다. 지금은 뒤처져 있지만, 분발해서 쫓아가야 한다. 모습이 다들 좋아 보이니까. 나도 그들처럼 되고 싶으니까. 분발해야지.
그런데 사람들은 왜 분발하라 하지 않을까? 왜 그 정도면 됐다고 남에게 쉽게 말하는 걸까? 엄연히 뒤처져 있는데, 좋은 모습을 보이려면, 멋진 삶을 살려면 쫓아가야 하는데, 왜 자꾸 괜찮다고 말할까? 자기 자신과 자기 자녀에게도 과연 그렇게 쉽게 말하고 있을까? 그 정도면 되었다고, 그 수준 정도로 살면 괜찮다고 말이다. 위로와 힐링? 엄청난 고난과 고통을 겪고 있는 이들에게라면 모를까, 일상의 고충과 역경을 딛고, 딛고 일어서서 더욱 폼 나고 보람된 인생을 살아가야 할 이들, 젊은이들, 후속 세대들에게, 왜 자꾸 그러는 걸까? 위로한답시고, 힐링해준답시고 그냥 그 자리에 머물라고 유도하는 이유는 뭘까? 혹 남의 여린 마음을 어루만

지는 시늉으로 자신의 부른 배를 어루만지고 있는 것은 아닐까? 현실은 냉정하다. 처져 있으면 처진 대접을 받는다. 세상의 많은 좋은 것들의 뒷모습은 아름답지 않다. 처진 뒤에서 보이는 것은 그 좋은 것들의 뒷모습뿐이다. 어떻게든 쫓아가야 한다. **세상을 쫓아가는 역량**을 키워야 한다. 자신들은 그렇게 살지 않으면서 남에게는 그렇게 살라고 말하는 사람의 말을 믿어선 안 된다. 무관심한 그들의 무책임한 말을 믿지 말고, 다 잘될 거라는 말을 믿지 말고, 잘되는 방법을 습득해야 한다. 정말 그렇다. '헉헉.'

분한 생각으로 분발하니, 땀이 차고 숨이 가쁘다. 그래도 힘낸 덕에 앞에 뛰던 무리에 합류했다. 역시 같이하고 함께해야지. 동질감으로 안정감마저 든다. '척 척 척, 척 척 척.' '오른발 왼발, 왼발 오른발.' '발맞춰 함께하는 우리는 공동체, 우리는 한마음 한 팀.' '위 아 더 월드We Are the World'아닌가 말이다. 노래까지 흥얼거린다. 왠지 반겨줄 것 같은 기대에 씩 웃으며 옆 사람을 쳐다본다. 어, 그런데 아니다. 이상하다. 그들은 표정이 없다. 미소로 반겨주기는커녕 쳐다보지도 않는다. 서로가 서로를 의식하고 있음은 분명하다. 분명 몸의 율동과 리듬은 같이하고 있는데, 마음은 아닌 것 같다. 마음의 멜로디는 제각각인 것 같다. 각자의 셈이 있어 각자의 속셈이 다름을 느꼈다. '그저 서로가 서로를 이용하는 페이스메이커pace-maker일 뿐이네. 한마음 한 팀은 무슨… 개뿔….'

솔직해져 보자. 나 없는 공동체가 무슨 소용인가. 나 하나쯤은 어찌 되어도 국가의 발전과 사회의 안녕을 염원하는 이가 보통의 우리는 아니다. 나눔과 봉사, 희생과 헌신의 가치로 세상을 거룩하게, 인간을 이롭게 하는 홍익인간은 보통의 인간이 아니다. 나는 일반적이고 평균적이고 보통 평범하다. 그런 내가 어려운데, 어떻게 남을 돕겠는가. 나눌 게 있어야 나누든지 말든지 하지. 내가 힘이 있어야 배려를 하든지 아량을 베풀든지 할 게 아닌가. 그렇다고 나만 잘 먹고 잘살기는 어려운 세상이다. 그렇게 놔두는 세상도 아니다. 현명하게 나를 위하는 방법은 남도 동시에 위하는 것이다. 나를 위해 남을 위하고, 남을 위하는 것으로 진정 나를 위하는 방법이 필요하다. 그런 방법, **세상과 함께하는 역량**이 필요하다. 남을 아끼고 싶은가? 그렇다면 자신부터 아껴야 한다. 단란하게, 나란하게 남과 함께하고 싶다면, 밉지 않게, 얄밉지 않게 나를 위하는 역량을 익혀야 한다. 페이스메이커면 어떤가. 그들이 좀 무표정하면 어떤가. 그들의 내심이 좀 그러면 어떤가. 그들이 나를 이용하면 어떤가. 나도 그들을 이용하는데. 아, '이용'이라 하지 말자. '의지'라 하자. 한 팀 공동체로 '윈-윈'하자는 것 아닌가.

별의별 생각 다 하며 뛰다 보니 꽤 뛴 것 같다. 갑자기 의아했다. '근데 내가 왜 뛰고 있지?' 하는 순간 그의 얼굴, 그의 미소가 떠올랐다. 고문실의 고문이 떠오르니 자동으로 힘이 솟고 속도가 빨라진다. 고백 하나 하겠다. 수도 없는 수업과 강연 끝에 항상 말했다. "질문하세요. 질문 없어요? 질문 좀 하세요." 그러나 이제야 확실히 알았다. 질문 안 좋아하는 대학교수라는 걸. 그처럼 끝도 없는 질문을 끝까지 하는 사람, 정말 싫고 무섭기까지 하다. 무서운 생각에 가속이 붙는다. 바람을 가른다. 어느새 옆에 사람이 없다. 무리 진 그들을 앞서버린 것이다. 내 뒤로 그들이, 또 다른 이들이 쫓아오고 있다. '쇼생크 탈출'이었는데, 지금은 '포레스트 검프'가 되어버렸다.

그렇지만 그의 말을 부인할 수 없다. 그러니 무섭기도 했고, 피하고 싶기도 했겠지. 대학은, 학교는 애쓰고 있다. 다수의 교육자들은 본분과 사명을 다하고 있다. 그러나 그 본분과 사명이 문제다. 애써서 실천하는 본분과 사명은 오래전에 정의된 것이고, 그 오래전은 너무 오래전이다. 지금 세상에서 진짜 필요한 지식, 진짜 절실한 역량은 학교에서 가르치지 않는다. 책임 있는 대학교수가 할 얘기는 아니지만, 몰라서 가르치지 않는 건지, 알아도 가르치지 않는 건지, 아니면 가르치고 싶지 않은 건지, 그건 모르겠다. 국가의 교육이념도 '나라의 일꾼, 사회의 밀알'이 되라는 것이다. 대체 누구를 위한 일꾼과 밀알인가. 기본기에 충실하란다. 도대체 기본기만으로 뭘 할 수 있겠는가. 일꾼과 밀알이 딱이지. 근검절약 정신으로 저축을 장려하고, 민주시민 의식으로 투표를 독려한다. 그러나 확실히 알고 있다. 부자는 자신의 돈을 저축하여 부를 이루는 게 아니다. 권력자는 자신의 한 표를 투표하여 권력을 이루는 게 아니다. 자신들은 그런 방식으로 부와 권력을 얻지 않았건만, 왜 우리에게는 그러라고 하는 것일까? 우리가 그래야 그들이 그렇게 되기 때문이다. 우리가 그래야 자기들이 부자와 권력자가 되기 때문이다. 기술의 혁명적 발전으로 혁혁하게 승리한 신흥부자, 신진 권력자들이 등장했다. 그들은 외친다. 코딩이 중요하고 코딩하는 인재가 필요하다고. 그러나 세상을 주도하고, 세상을 앞서가는 그들의 역량은 코딩이 아니다. 다 남 시켜서 코딩하고 개발하는 사람들이다. 왜 **세상을 앞서가는 역량**에 대해서는 언급하지 않는가. 자신들이 앞서가기 위해 저축하는 이들이, 투표하는 이들이, 코딩하는 이들이 필요하다고는 왜 말하지 않는가. 물론 저축, 투표, 코딩 다 중요하다. 그 숭고한 가치를 훼손할 마음은 없다. 그렇지만 말이다. 혹시 세상을 앞서가고 싶은가? 그들처럼 누리고 싶은가? 그렇다면 그런 역량은 따로 있다. 따로, 따로 있다. 따로 있단 말이다.

"따로, 어… 따로…"
"교수님, 교수님!"
"어…, 네, 따로…, 네? 아, 사장님…."
확 정신이 들었다. 나는 고문실, 아니 그 식당의 방에 있었다. 그도 내 앞에 있었다. 포레스트 검프는 온데간데없고, 쇼생크 탈출도 없었나 보다. 탈출한 건 마음이었지 몸은 아니었나 보다. 극도의 도피심리로 빚어낸 망상이었나 보다. 망상이라고 하기에는, 이상하게도 멀리 뛴 것처럼 몸이 힘들고, 많이 생각한 것처럼 머리가 아팠다.
"교수님, 따로, 뭐 따로 드시고 싶은 거라도… 아닙니다. 코스도 끝났고. 교수님, 오늘 좋은 대화, 많은 말씀 감사합니다. 다음에 조만간 또 뵙죠."
'좋은 대화? 내가 무슨 말씀을 많이 했다고… 뭐? 다음에? 조만간? 또?'

어땠나요? 고문과 탈출, 탈출과 뜀박질, '쇼생크 탈출'

과 '포레스트 검프'를 오갔습니다. 현실과 비현실을 왔다 갔다 했습니다. 왔다 갔다 오가며 등장한 핵심인물은 그와 저, 사장과 교수였죠. 그러나 한 명 더 있습니다. 어찌 보면 가장 핵심의 주인공은 '따로' 있습니다. 그 제3의 인물, 주인공은 바로 당신입니다. 이 책을 읽는, 여기까지 읽은 독자, 당신입니다. 이왕 끌어들인 김에, 물어보겠습니다. 당신은 제3자인가요? 당신과는 정녕 상관없는 얘기였나요? 상관없는 생각이었나요? 그렇다고는 말 못 할 겁니다.

'랩업wrap-up'은 '마무리 지음'입니다. 마무리하면서, 뭔가 못 다한 아쉬움에, 왠지 아쉬운 못 다함에, 실제 있었던 현실과 없었던 가상(설정의 일부는 《걸어 다니는 어원 사전》을 참고하였습니다)을 섞었습니다. 탈출하여 뛰었습니다. 쫓아가기도, 함께하기도, 그리고 앞서가기도 하였습니다. 이제 정말 당신을 보낼 시간입니다. '랩업'에는 '옷을 따뜻하게 입음'의 뜻도 있다지요? 이 냉랭한 세상에서, 당신 역량으로 지은 옷으로 따뜻하길 바랍니다. 이 냉혹한 세상에서, 당신 역량의 온기와 열기로 힘내어 뛰어가길 바랍니다. 어디선가 밀려온 답답함과 무력감을 탈출하여 씽씽 쌩쌩 뛰어가길 바랍니다. 그러길 기원하고 응원합니다.

감사의 마음

몇 권의 책을 쓰면서, 몇 번의 감사의 글을 쓰면서, 복받쳐 오르는 감사의 마음을 감사한 분들께 전하면서, 참 행복했습니다. 다시 맞은 이 행복의 순간을 한 분에게 오롯이 바치고 싶습니다. 저의 어머니입니다.

만일 이 책에서 기술된 능력이 저에게 조금이라도 있다면, 그것은 모두 어머니에 의한 것입니다. 역량을 서술하는 이러한 저의 책이 조금이라도 값어치 있다면, 그것은 모두 어머니에 의한 것입니다. 어렸을 때는 몸으로 껴안아주셨고, 다 컸을 때는 마음으로 껴안아주셨습니다. 몸이 쇠약해지신 지금은 더한 마음으로 꼭 껴안아주십니다. 어머니, 감사합니다.

어머니 살아생전 이 책을 마무리하여 너무 기쁩니다. 이 책을 어머니께 바칠 수 있어, 손에 쥐어드릴 수 있어 너무 행복합니다. 세상에서 제일 존경하는 우리 어머니, 사랑합니다.

참고문헌

1 세상을 제대로 이해하라_ 분류

한국도서관협회 분류위원회, '한국십진분류법', 2013.
테루야 하나코, 오카다 케이코, 김영철 역, 《로지컬 씽킹》, 일빛, 2002.

2 해야 할 일을 하라_ 지향

대한성서공회, 《개역개정판 성경전서》, 〈마태복음〉 6장 34절 중 수록.
Sam Levenson, 'Time Tested Beauty Tips'.
스티븐 킹, 김진준 역, 《유혹하는 글쓰기》, 김영사, 2002.

3 일의 순서를 정할 때는 최대한 냉정하라_ 취사

Charles Robert Darwin, 《Darwin's First Note on Marriage》, Cambridge University Library, 1838.
존 맥스웰, 홍성화 역, 《리더십 불변의 법칙》, 비즈니스북스, 2010.
벤자민 프랭클린, 이계영 역, 《프랭클린 자서전》, 김영사 2001.
대니얼 카너먼, 이진원 역, 《생각에 관한 생각》, 김영사 2012.
AHP 분석, https://en.wikipedia.org/wiki/Analytic_hierarchy_process.

4 자신의 한계를 알아야 자신을 알게 된다_ 한정

이백, '월하독작' 중 제2수에 수록.

Howard E. Gardner, 《Multiple intelligences》, Basic Books, 1993.

애덤 스미스, 민경국 역, 《도덕 감정론》, 비봉출판사, 2009.

법정스님, 《맑고 향기롭게》, 조화로운삶, 2006.

'화성 국제테마파크 사업추진 순항중…경기도·신세계 보고회', 연합뉴스, 2021년 1월 20일자.

E. H. 카, 김승일 역, 《역사란 무엇인가》, 범우사, 1998.

5 무미하게 쓰고 건조하게 말하라_ 표현

노암 촘스키, 강주헌 역, 《지식인의 책무》, 황소걸음, 2005.

장 폴 사르트르, 조영훈 역, 《지식인을 위한 변명》, 한마당, 1979.

공자, 김형찬 역, 《논어》, 홍익출판사, 2005.

찰스 로버트 다윈, 최원재 역, 《인간과 동물의 감정표현에 대하여》, 서해문집, 1998.

Albert Mehrabian, 《Silent messages》, Wadsworth Publishing Company, 1971.

한스 롤링스, 이창신 역, 《팩트풀니스》, 김영사, 2019.

6 이상한 것이 아니라 다양한 것이다_ 수용

에미넴, 'Lose Yourself', 8 mile, 2002.

맹자, 박경환 역, 《맹자》, 홍익출판사, 2005.

루이스 캐럴, 김성렬 역, 《이상한 나라의 앨리스》, 범우사, 1983.

공자, 김형찬 역, 《논어》, 홍익출판사, 2005.

노자, 오강남 역, 《도덕경》, 현암사, 1995.

헤르만 헤세, 김이섭 역, 《수레바퀴 아래서》, 민음사, 2001.

대한성서공회, 《개역개정판 성경전서》, 〈누가복음〉 10장 25-37절 중 수록.

7 사이로 들어가라_ 매개

김연수, 《파도가 바다의 일이라면》, 자음과모음, 2012.

임춘성, 《매개하라》, 쌤앤파커스, 2015.

임춘성, 《거리 두기》, 쌤앤파커스, 2017.

임춘성, 《당신의 퀀텀리프》, 쌤앤파커스, 2018.

폴 퀴네트, 공경희 역, 《인생의 어느 순간에는 반드시 낚시를 해야 할 때가 온다》, 바다출판사, 2004.

8 룰을 정하는 자가 되라_ 규정

로버트 서튼, 서영준 옮김, 《또라이 제로 조직》, 이실MBA, 2007.

스티븐 코비, 숀 코비, 김경섭 저, 《성공하는 사람들의 7가지 습관》, 김영사, 1994

로버트 치알디니, 이현우 옮김, 《설득의 심리학》, 21세기북스, 2002.

허브 코헨, 강문희 역, 《협상의 법칙》, 청년정신, 2001.

스튜어트 다이아몬드, 김태훈 옮김, 《어떻게 원하는 것을 얻는가》, 8.0(에이트포인트), 2011.

도널드 트럼프, 이재호 역, 《거래의 기술》, 살림출판사, 2016.

임춘성, '테크노 리더십', 연세대학교 공과대학 강의.

윌리엄 셰익스피어, 최종철 역, 《베니스의 상인》, 민음사, 2010.

Osterwalder Alexander and Yves Pigneur, 《Business Model Generation: A Handbook for Visionaries, Game Changers, and Challengers》, John Wiley & Sons, 2010.

공자, 김형찬 역, 《논어》, 홍익출판사, 2005.

임춘성, 《기업정보화 방법론》, 커뮤니케이션북스, 2007.

Brian De Palma, 'Scarface', Universal Pictures, 1983.

9 나는 여러 사람이라는 사실을 기억하라_ 전환

James Mangold, 'Identity', Columbia Pictures Industries, 2003.

아가사 크리스티, 《그리고 아무도 없었다》, 해문출판사, 2000.

Jens Galschiot, 'Survival of the Fattest' 동상 문구 중 수록, 2002.

피터 나바로, 《브라질에 비가 내리면 스타벅스 주식을 사라》, 에프엔미디어, 2022.

자크 모노, 김진욱 역, 《우연과 필연》, 범우사, 1999.
윌리엄 스타이런, 임옥희 역, 《보이는 어둠》, 문학동네, 2002.
임재영, '이별', 2019 지하철 시민 창작시 공모전, 2019.

팔로우업 | 누가 – 언제 – 어디서

임춘성, 《멋진신세계》, 쌤앤파커스, 2017.

랩업 | '쇼생크 탈출'과 '포레스트 검프'

마크 포사이스, 홍한결 역, 《걸어 다니는 어원 사전》, 윌북, 2020.

역량

2022년 7월 27일 초판 1쇄 | 2025년 2월 14일 10쇄 발행

지은이 임춘성
펴낸이 이원주

책임편집 강동욱
기획개발실 강소라, 김유경, 박인애, 류지혜, 이채은, 조아라, 최연서, 고정용
마케팅실 양근모, 권금숙, 양봉호, 이도경 **온라인홍보팀** 신하은, 현나래, 최혜빈
디자인실 진미나, 윤민지, 정은예 **디지털콘텐츠팀** 최은정 **해외기획팀** 우정민, 배혜림, 정혜인
경영지원실 강신우, 김현우, 이윤재 **제작팀** 이진영
펴낸곳 (주)쌤앤파커스 **출판신고** 2006년 9월 25일 제406-2006-000210호
주소 서울시 마포구 월드컵북로 396 누리꿈스퀘어 비즈니스타워 18층
전화 02-6712-9800 **팩스** 02-6712-9810 **이메일** info@smpk.kr

ⓒ 임춘성 (저작권자와 맺은 특약에 따라 검인을 생략합니다)
ISBN 979-11-6534-533-4 (03320)

쌤앤파커스(Sam&Parkers)는 독자 여러분의 책에 관한 아이디어와 원고 투고를 설레는 마음으로 기
다리고 있습니다. 책으로 엮기를 원하는 아이디어가 있으신 분은 이메일 book@smpk.kr로 간단한
개요와 취지, 연락처 등을 보내주세요. 머뭇거리지 말고 문을 두드리세요. 길이 열립니다.